Europa Blues

ARNE DAHL

Europa Blues

Uit het Zweeds vertaald door Ydelet Westra

DE GEUS

Deze uitgave is mede mogelijk gemaakt dankzij een bijdrage van
The Swedish Arts Council te Stockholm

Het citaat op pagina 380 is overgenomen uit *Het verhaal van Orestes*, vertaald
door Gerard Koolschijn. Amsterdam: Athenaeum-Polak & Van Gennep 1995

Oorspronkelijke titel *Europa Blues*, verschenen bij Bra Böcker
Oorspronkelijke tekst © Arne Dahl, 2001
Published by agreement with Salomonsson Agency
Nederlandse vertaling © Ydelet Westra en De Geus BV, Breda 2008
Omslagontwerp Maaike Klein
Omslagillustratie © Arcangel/HH/Imagestore
Drukkerij Haasbeek BV, Alphen a/d Rijn

Dit boek is gedrukt op FSC-gecertificeerd papier

ISBN 978 90 445 1110 9
NUR 331

Europa Blues

I

Het was een avond begin mei. En het was volkomen windstil.

Er woei zelfs geen briesje over Saltsjön. De wimpel boven op het kasteel op Kastellholmen hing slap naar beneden. De getande gevels van Skeppsbron lagen als een coulisse in de verte. Nog geen rukje wind trok aan de vlaggen langs Stadsgården, geen enkele deining in de boomtoppen in Fjällgatan, en zelfs het groen op Mosebacke Torg trilde niet het minst. En het enige wat het donkere water van Beckholmssundet onderscheidde van een spiegel, was de glijdende, regenboogkleurige glinstering van afgewerkte olie.

Heel even was het spiegelbeeld van de man omgeven door een bijna perfect concentrische regenboogcirkel, als in een vizierkijker, die echter oploste en in een kalm tempo verder gleed in de richting van Beckholmsbron, in heel andere, voortdurend veranderende vormen. De jongeman schudde het kortstondige gevoel van onbehagen van zich af en snoof zijn eerste lijntje.

Toen leunde hij achterover op het parkbankje, spreidde zijn armen over de rugleuning en hief zijn gezicht naar de glasheldere hemel, die zichtbaar snel donker werd. Hij voelde dat het spul weinig effect had; alleen de altijd zelfverzekerde rust die heel even was verstoord. Met een uitdagende glimlach keek hij naar de speelkaart die open en bloot naast hem op het parkbankje lag. Schoppenvrouw, met daarop het tweede lijntje.

Hij rolde het bankbiljet open en likte de restjes witte poeder op. Toen hield hij het voor zich en bekeek het. Duizend kronen. Een Zweeds duizendje. Ouwe vent met een baard. Die ouwe lul zou hij de komende maanden nog meer dan genoeg te zien krijgen, dat was één ding dat zeker was. Hij rolde de ouwe lul weer op en pakte voorzichtig de schoppenvrouw. Hij voelde zich extra moedig, extra sterk. Na nog maar een week in een nieuwe stad en in een nieuw land op een parkbankje cocaïne snuiven was al moedig genoeg, maar extra moedig was het risico nemen dat de hele roes door een plotselinge windvlaag zou wegstuiven.

Maar het was toch volkomen windstil.

Hij had inmiddels twee lijntjes nodig om in een roes te raken. Dat hij er binnenkort drie nodig zou hebben en binnenkort vier en binnenkort vijf, was niet iets waar hij aan dacht toen hij de ouwe lul in rolvorm naar de heerlijkheden op de zwarte vrouw bracht en zichzelf het paradijs in snoof.

Toen kwam die. Zij het niet met dezelfde klap als vroeger, die honkbalknuppel midden in je snufferd, maar sluipend, als een onverzadigbaar verlangen naar meer.

De roes werd langzaam maar zeker sterker en draaide zijn gezichtsveld geleidelijk zijwaarts, licht hellend, maar windvlagen veroorzaakte die niet. In de donker wordende stad was het nog steeds volkomen windstil, als was het een ansichtkaart. Hier en daar brandde er al licht achter de gevels van de huizen, in de verte gleden de lichtkegels van de auto's geluidloos voort, en de vage geur van verrotting van verbaasd voorjaar veranderde in een, veel sterkere, rioollucht, in de geur van de uitwerpselen van twee enorme giraffen die zich opeens boven hem verhieven in de richting van het vervormde geluid van een snerpende en echoënde kinderschreeuw. En hij haatte dieren. Hij was bang voor dieren, al van jongs af aan had hij een hekel aan dieren. En deze reusachtige, monstrueuze, stinkende en krijsende giraffen waren een nacht-merrie voor hem. Een kort gevoel van paniek maakte zich van hem meester, tot hij zag dat de giraffen eigenlijk twee grote werfkranen waren en hij hoorde dat de kinderschreeuw van de nabijgelegen kermis kwam die dit jaar net weer was opengegaan. De stank van de giraffenuitwerpselen ebde weg en werd opnieuw een stukje verbaasd voorjaar.

Tijd verstreek. Veel tijd. Onbekende tijd. Hij was ergens an-ders. In een andere tijd. In die van de roes. Een onbekende oertijd.

Hij werd onrustig van binnen. Hij stond op en bekeek de stad alsof hij een vijand opnam. Stockholm, dacht hij en hij hief zijn hand op. Jij wreed-mooie miniatuur van een grote stad, dacht hij en hij balde zijn vuist. Zo makkelijk te veroveren, dacht hij en hij stak zijn gebalde vuist op naar de stad, alsof hij de eerste was die dat van plan was.

Hij draaide zich om in het toenemende schemerdonker. Zijn gezichtsveld helde nog steeds een beetje over, de geluiden en geuren waren nog steeds een beetje vervormd. Geen mens in de buurt. Al die tijd had hij geen mens gezien. Toch voelde hij een soort aanwezigheid. Vaag, als een luchtspiegeling. Dingen die vlak buiten zijn gezichtsveld leken te glijden. Hij schudde het gevoel van zich af. Dat waren geen gevoelens voor een man die een stad ging veroveren.

Hij pakte de schoppenvrouw van het bankje, likte haar genotvol schoon, stopte haar in zijn binnenzak, dicht bij zijn hart en klopte op de borst van zijn lichtroze, zomerse jasje. Toen rolde hij het duizendje open, dat aan zijn hand vastgeplakt had gezeten in de onmeetbare tijd van de roes. Hij likte opnieuw de restjes witte poeder op en scheurde het duizendje demonstratief in lange repen, die hij vervolgens op de grond liet vallen. Ze bleven roerloos liggen. Het was volkomen windstil.

Toen hij in beweging kwam, klonk er gerinkel. Dat gebeurde tegenwoordig altijd. Wat hem betrof was rijkdom te meten aan de dikte van de gouden ketting die je om je hals droeg. De mensen moesten zijn succes hóren.

Het verbaasde hem dat Vattugränd, dat hij met moeite op het naambordje wist te spellen, volkomen verlaten was. Gingen de Zweden 's avonds niet uit? Pas toen voelde hij hoe koud het intussen was geworden. En bijna aardedonker. En volkomen stil. Geen enkele kinderschreeuw meer van de kermis.

Hoelang had hij daar bij het water gezeten, ondergedompeld in zijn roes?

Er stoof iets langs zijn voeten. Heel even dacht hij dat het krioelende slangen waren. Dieren. Een korte schrik.

Toen zag hij wat het was.

Repen van een duizendje.

Hij draaide zich om. Er liepen ganzen op Saltsjön. En de ijskoude wind woei rechtstreeks door hem heen. De briefje-van-duizend-slangen stoven verder naar Djurgårdsstaden.

Toen voelde hij die eigenaardige aanwezigheid weer. Niets. Helemaal niets. En toch was er iets. Een ijskoude aanwezigheid. Een ijswind door zijn ziel. En tegelijkertijd helemaal niet. Alsof iets zich voortdurend op een punt bevond waar zijn zicht niet reikte.

Hij was op de grote weg. Geen mens. Geen voertuig. Hij stak over en drong het bos in. Het voelde als een bos. Overal bomen. En de aanwezigheid werd steeds sterker. Een uil kraste.

Een uil? dacht hij. Dieren, dacht hij.

Toen zag hij vanuit zijn ooghoek een schim die achter een boom gleed. En nog een.

Hij bleef stilstaan. De uil kraste opnieuw. Minerva, dacht hij. Uit de mythologie van de Oudheid, die hem in een arme wijk van Athene met de paplepel was ingegoten.

Minerva, de godin van de wijsheid. Zo heette Athene toen ze werd gestolen door de Romeinen.

Hij bleef een tijdje staan en probeerde net zo te zijn als Athene. Wijs.

Gebeurt dit echt? Beeld ik me deze bijna onmerkbare bewegingen echt niet in? En waarom ben ik bang? Ik heb oog in oog gestaan met stapelgekke junkies en ze met een paar snelle bewegingen buiten bewustzijn geslagen. Ik ben heerser van een imperium. Waar ben ik bang voor?

Dan krijgt de angst een gedaante. Op de een of andere manier voelt dat beter. Op het moment dat er een tak achter een spar breekt en dat geluid zelfs de aanwakkerende wind overstemt, weet hij dat ze er zijn. Op de een of andere manier is dat prettig. Een bevestiging. Hij ziet hen niet, maar hij maakt zich uit de voeten.

Het is aardedonker en het lijkt wel alsof hij door een oerbos loopt. De takken zwiepen tegen hem aan. En zijn zware, gouden ketting rinkelt en rinkelt. Als een koebel.

Dieren, denkt hij en hij rent in een paar passen de weg over. Geen enkele auto. Het lijkt alsof de wereld opgehouden heeft te bestaan. Alleen hij en een paar wezens die hij niet kan duiden.

Nog meer bos. Overal bomen. De wind die door hem heen giert. De ijswind. En schimmen die langs de rand van zijn gezichtsveld glijden. Oerwezens, denkt hij. Hij steekt een weggetje over en rent rechtstreeks naar een fijnmazig ijzeren hek. Hij werpt zich op het hek. Het beweegt heen en weer. Hij klimt en klimt. Zijn vingers glijden weg. Geen geluid te horen, behalve de wind. Jawel, toch: de uil. Snerpend. Het vervormde geluid van een uil. Een afschuwelijk geluid dat één wordt met de aanhoudende wind.

Een oerkreet.

Hij snijdt zijn vingertoppen tot bloedens toe open aan de vlijmscherpe mazen van het hek. De aanwezigheid is nu overal. Het spel van nog donkerdere schaduwen in het donker.

Hij pakt zijn pistool uit zijn schouderholster. Met een hand hangt hij aan het hek en met de andere schiet hij. Hij schiet alle kanten op. In het wilde weg. Stille schoten in het oerbos. Geen reactie. Om hem heen houdt het glijden aan. Onveranderd. Onverschrokken. Onbedwingbaar.

Onhandig stopt hij het pistool weer in zijn holster, hij kan nog een paar schoten lossen, een laatste veiligheidsmaatregel, en de nabijheid van de schimmen geeft hem bovenmenselijke krachten. Althans, dat denkt hij terwijl hij zichzelf omhooghijst op weg naar buiten en het prikkeldraad vastgrijpt dat schuin boven het hek gespannen is.

Bovenmenselijke krachten, denkt hij met een ironisch glimlachje. Met enige moeite trekt hij de metalen stekels uit zijn hand en zwaait over het hek.

Toe dan, denkt hij, terwijl hij de begroeiing in springt aan de andere kant van het hek. Glij er dan overheen, jullie.

En dat doen ze. Hij voelt hun aanwezigheid onmiddellijk. Hij komt overeind in het bosje waarin hij terecht was gekomen en kijkt recht in een paar schuine, gelige ogen. Hij schreeuwt het uit. Boven de ogen verrijzen een paar puntige oren en eronder wordt een rij vlijmscherpe tanden ontbloot. Een dier, denkt hij en hij werpt zichzelf opzij. Tegen eenzelfde soort dier aan. Dezelfde schuine, gelige ogen, die een heel andere wereld zien dan hij. Oerogen. En terwijl hij verder door het bos snelt, bevindt hij zich voor de ijstijd.

Wolven, beseft hij ineens. Lieve hemel, waren dat geen wolven?

Is dit een stad? schreeuwt hij inwendig. Hoe kan dat? Dit is toch een grote Europese stad, verdomme?

Hij rinkelt. Hij is als een luidruchtige snelweg. Hij grijpt naar zijn zware, gouden ketting, trekt die los en gooit hem in het groen. De natuur in.

Dan komt hij bij een muur, en hij heeft direct houvast met zijn bloederige, pijnlijke vingertoppen, die pijnscheuten door zijn lijf doen pulseren, en als een bergbeklimmer klimt hij tegen de loodrechte muur omhoog, hij hijst zichzelf eroverheen, over een hek boven op de muur, waaronder de hele natuur als het ware in glijdende schimmen is gehuld, de bomen lijken te bewegen, het bos komt dichterbij, de roerloze wolven lijken ook deel uit te maken van het geglij, met hun beheerste oeronverschilligheid. Hij haalt zijn pistool tevoorschijn en schiet op de dieren, op alle glijdende schimmen in de natuur. En niets verandert. Behalve dat zijn pistool een klikkend geluid maakt. Hij gooit het naar de schimmen. Zijn gezichtsveld functioneert niet meer. Hij weet niet wat het beslaat.

Dan is hij op een weg. Asfalt. Eindelijk asfalt. En hij loopt slingerend een heuvel op, en overal vandaan staren dieren hem aan, donker, onverschillig, en stank en geluiden vullen de suizende lucht en hij probeert een naam te geven aan deze glijdende schimmen die hem achtervolgen en nooit, nooit, nooit lijken op te geven.

Namen geven rust.

Furiën, denkt hij terwijl hij rent. Gorgonen, harpijen. Nee, dat zijn het niet. Nee, hoe heten ze? Wraakgodinnen?

En ineens beseft hij dat het inderdaad wraakgodinnen zijn. Dat het godinnen van de wraak zijn, de vliegen, de onbedwingbare oergodinnen. De vrouwelijke wraak. Maar hoe heten ze? Midden in de waanzin zoekt hij een naam.

Namen geven rust.

Hij rent en rent, maar het lijkt alsof hij niet verder komt. Hij rent op een loopband, hij rent op kleverig asfalt. En daar zijn ze; ze krijgen een lichamelijke gedaante, ze glijden door, maar ze krijgen een lichaam. Lichamen. Hij denkt ze te zien. Hij valt. Hij wordt onderuitgehaald.

Hij voelt dat hij omhooggehesen wordt. Het is aardedonker. Oerdonker. De ijskoude wint huilt. Zijn lichaam tolt. Of tolt het niet? Hij weet het niet. Ineens weet hij niets meer. Ineens is alles een naamloze, ongestructureerde chaos geworden. Het enige wat hij doet is een naam zoeken. Een naam van mythische wezens. Hij wil weten wie hem aan het doden zijn.

En hij ziet een gezicht. Misschien is het één gezicht. Misschien zijn het er meer. Vrouwengezichten. Wraakgodinnen.

En hij tolt. Alles staat ondersteboven. Hij ziet de maan tussen zijn voeten. Hij hoort de sterren uitbarsten in lichtjaargezang. En hij ziet de duisternis donker worden.

Dan ziet hij een gezicht. Ondersteboven. Het is één vrouw, die alle vrouwen is die hij ooit heeft verwond, verkracht, mishandeld, vernederd. Het is één vrouw, die alle vrouwen wordt, die een dier wordt, die een vrouw wordt, die een dier wordt. Een schattig klein, marterachtig gezicht, dat verandert in een reusachtige, moorddadige muil. Het bijt zich vast in zijn gezicht en hij voelt zijn bloederige vingertoppen over de zanderige grond dansen. Dan voelt hij een pijn die alle verstand te boven gaat, een pijn die de aanval van het dier, het dier dat er nu vandoor gaat met zijn wang, op een streling doet lijken. En hij begrijpt er niets van, helemaal niets.

Behalve dat hij doodgaat.

Dat hij doodgaat van pure pijn.

En op dat moment, met een laatste vleugje voldoening, schiet hem de naam van de schaduwgestalten te binnen.

Aarde die in zijn bloederige vingertoppen trekt, is het laatste wat hij voelt.

Het geeft rust.

2

De oude visser had veel gezien. En eigenlijk dacht hij dat hij alles wel gezien had. Toen hij bij het vallen van de avond zijn kraam met meloenen afbrak, die langgeleden al de plaats van zijn visnet had ingenomen, moest hij toegeven dat verrassingen nog steeds bestonden. En ook dat verraste hem. Het leven – en dan met name het toerisme – had nog steeds gekte te bieden. En dat voelde … veilig. Het leven was nog niet voorbij.

Jaren geleden was de oude visser erachter gekomen dat het geld dat hij kon verdienen met het verkopen van meloenen aan toeristen, ruimschoots de inkomsten van het vissen overschreed. En ook nog met veel minder inspanning.

Hij was niet dol op inspanningen. Iets wat een echte visser eigenlijk wel betaamt.

De oude visser keek uit over de Adriatische Zee, die zich welfde in de lenteavond, alsof hij net zo intens genoot als de toeschouwer. De blik van de oude visser ging omhoog, naar de beboste heuvels die het dorpje omringden, en verder naar de muur om de oude stad, die ooit een Etruskische haven was geweest. Maar daar wist de oude visser niets van. Wel wist hij, terwijl hij bij elke ademhaling de naar pijnboom geurende zeelucht door zijn alveolen liet stromen, dat Castiglione della Pescaia zijn thuis was en dat hij er graag woonde.

En dat hij vandaag voor het eerst sinds heel, heel lange tijd versteld had gestaan.

Het was relatief onschuldig begonnen. Met zijn enigszins verduisterde blik had hij een blauw-witte parasol onderscheiden, midden op het strand, waar de rest van de zonaanbidders de lentezon zo veel mogelijk onbeschut vingen. Onder de parasol zaten drie kinderen van verschillende leeftijden, stuk voor stuk spierwit, hun lichaam even stralend wit als hun dikke haar. Vervolgens kwam er een soortgelijk kind bij zitten, en tot slot een soortgelijke volwassen vrouw met het jongste kind aan de hand. Toen zaten er zes volkomen spierwitte mensen bijeengekropen onder de parasol, waar ze de kleine, ronde schaduw deelden, die deze op het redelijk zonovergoten strand wierp.

Gefascineerd door die opmerkelijke aanblik liet de oude visser een moment lang zijn koopmansgeest varen, en hij hoorde als uit de verte: *'Cinque cocomeri, per favore.'*

Zijn verbazing over het merkwaardige gezin onder de blauwwitte parasol vermengde zich met verbazing over de absurde bestelling, en kreeg een extra impuls bij de aanblik van de goedmoedige glimlach van de koper.

Die behoorde toe aan een magere, volkomen spierwitte man in een flodderig linnen pak, met een bizarre zonnehoed op, met daarop een knalgele Pikachu.

Ondanks zijn eigenaardige uitspraak was de bestelling glashelder. Ook al was hij onzinnig.

'Cinque?' riep de oude visser uit.

'Cinque', zei de spierwitte man knikkend, hij nam de bestelling aan en slingerde als een beschonken evenwichtskunstenaar over het strand met vijf grote watermeloenen in zijn armen. Hij liet ze in het zand buiten de parasol zinken, een voor een, als enorme zaden die gezaaid waren door een reus met een kapotte bonenstaak. Daarna was het bijna alsof de spierwitte man zich in de schaduw wierp, alsof hij zich in een radioactief besmet gebied bevond en eindelijk een stralingsvrije zone had gevonden.

De oude visser dacht eerst een tijdje na over hoe de vijf watermeloenen onder zeven personen verdeeld konden worden, waarna hij voor zichzelf de onvermijdelijke vraag formuleerde: waarom reis je naar Italië, naar de kust van Toscane, naar Maremma, naar Castiglione della Pescaia, *als je niet tegen de zon kunt*?

Arto Söderstedt had zelf geen goed antwoord op die vraag. 'Schoonheid' was geen afdoende antwoord als je zoiets drastisch leed als vijf kinderen in een belangrijke periode in het voorjaar ruim een maand van school halen. 'Rust' voldeed ook niet voor twee volwassen mensen die een paar maanden vrij hadden genomen van hun werk bij de overheid, zeker niet als je belastingaangiftes controleerde bij de belastingdienst en het belastingkantoor net was overspoeld door deze aangiftes. Dat gold voor echtgenote Anja.

Natuurlijk was er een schuldgevoel, en dat knaagde zowel aan 'schoonheid' als aan 'rust'. Het enige wat het snijvlak van zijn schuldgevoel niet bereikte, was zijn eigen situatie. Arto Söderstedt voelde zich niet in het minst schuldig over het feit dat hij het politiekorps tijdelijk had verlaten.

Het A-team, dat wil zeggen 'De speciale eenheid van de rijksrecherche voor geweldsdelicten van internationale aard', had het afgelopen jaar weliswaar veel te doen gehad, maar de grote, allesoverschrijdende zaken hadden geschitterd door afwezigheid sinds de slachtpartij in Sickla zijn bijzondere einde had gevonden. De zaak was bijna op een ramp van grote internationale omvang uitgelopen. Maar dat was nu bijna een jaar geleden, en de tijd heeft, zoals bekend, de neiging alle wonden te helen.

Dus toen het geld als manna uit de hemel viel, had Arto Söderstedt niet gedraald.

Bovendien voelde hij zich opgebrand, zonder precies te weten wat dat betekende. Iedereen was tegenwoordig opgebrand; iedereen behalve hij, alleen maar omdat hij niet wist wat het was om *opgebrand* te zijn. Vermoedelijk was hij dat al een hele tijd zonder dat hij het wist.

Nu was het in elk geval zijn beurt. Onder het mom van 'schoonheid' en 'rust' stond hij zichzelf toe zijn burn-out te genezen; of hij die nou had of niet. En van beide was er genoeg in Toscane; dat had hij na een paar dagen al gemerkt.

Het gezin had een huis gehuurd op het platteland van Chianti, te midden van de wijngaarden. Het was geen villa – 'villa' betekent in het Italiaans iets heel anders dan op andere plaatsen –

maar wel een rustiek, klein stenen huis op een naar pijnbomer
geurende helling niet ver van het dorp Montefioralle bij de stac
Greve. Onder aan de helling strekten de wijngaarden zich uit al:
oneindige velden, alsof de hemel gecraqueleerd was en het paradijs in kleine stukjes naar beneden was gekomen, die een buiten-
aardse lappendeken hadden gevormd.

Arto Söderstedt genoot met volle teugen en voelde zich
tegelijkertijd onwaardig, alsof de Heilige Petrus was ingedut
op het moment dat een witte rechercheur met zijn slanke lichaam
als een slang door de poorten van het paradijs slingerde. Volstrekt
onverdiend. Hij zat op de veranda te wachten op de nacht, met
een glas Vin Santo of een majestueuze Brunello di Montalcino,
die hij over zijn smaakpapillen liet rollen. Hij nam de hele
Toscane-mythe bewust kritiekloos tot zich en was uiterst tevreden. En van het bezoek aan Siena – deze magische stad – zou hij
zich elke minuut herinneren. Ondanks de kinderen die midden
in de kathedraal in een zuivere canon hadden geloeid als een
sirene. Orgelpijpen, had hij alleen maar gedacht terwijl hij de vijf
mensjes bekeek die op volgorde van lengte naast elkaar stonden
en loeiden als een storm, loeiden als een varken en loeiden als een
dromedaris, totdat een koster het hele zwikje er zonder pardon
uit gooide. Zonder een greintje schuldgevoel had hij het vaderschap ontkend. De koster nam argwanend zijn identieke doch
enigszins grotere gestalte op. Over zoiets liegen in het huis van
God … Een volkomen rustig half uur lang had hij vervolgens
door de dom geslenterd, waar hij Donatello, Michelangelo,
Pinturicchio, Bernini en Pisano gretig in zich op had genomen.
Toen hij buitenkwam, zaten zijn kinderen heel vredig op de trap
van de Piazza del Duomo een Italiaans ijsje te eten. Zelfs Anja, die
erger smakte dan de kinderen, leek niet bepaald ontdaan over het
ontkende vaderschap.

Hij had zelfs zijn mobiele telefoon uitgezet.

Terwijl hij onder de blauw-witte parasol zat en zich probeerde
te herinneren hoe hij ook alweer van plan was geweest de vijf

watermeloenen onder zeven personen van verschillende omvang te verdelen, kwam de gedachte aan oom Pertti bij hem op. De gedachte aan dankbaarheid. En aan schuldgevoel.

Hij was vergeten dat de oude man nog leefde. En nu leefde hij niet meer.

Oom Pertti was eigenlijk de oom van zijn moeder en in zijn jeugd was de legende van oom Pertti altijd aanwezig geweest. De held uit de Winteroorlog. De arts die uitgroeide tot een van de groten in het leger van Mannerheim.

Zelf had Arto Söderstedt geen broers of zussen – wat waarschijnlijk de reden was waarom hij samen met zijn broer- en zusloze vrouw vijf kinderen had gekregen – en zijn Finland-Zweedse familie was microscopisch klein. Zijn broer- en zusloze ouders waren al geruime tijd dood en andere familieleden had hij niet. Daarom was er geen andere erfgenaam.

Arto Söderstedt draalde met het mes en dacht: vijf gedeeld door zeven, hm, 0,714 watermeloen per persoon, mits iedereen een even groot stuk krijgt, maar als je het naar lichaamsgewicht verdeelt …

Hij stopte en bekeek zijn grote, beschaduwde gezin, dat op zijn beurt steeds ontevredener naar het passieve mes keek. Waren zij wel echt waardige erfgenamen van de grote held uit de Winteroorlog, Pertti Lindrot, winnaar van de slag bij Suomussalmi, een van de architecten van de beroemde *motti*-tactiek, waarmee de troepen van het Rode Leger werden verslagen door ze via het bos in kleine eenheden op te splitsen en vervolgens een voor een te omsingelen en uit te schakelen?

'Snij hem nou maar gewoon in stukken', zei zijn op een na oudste dochter, Linda, ongeduldig.

Arto Söderstedt keek haar beledigd aan. Zo slordig voerde hij zijn taken niet uit. Nee. Arto woog vijfenzestig kilo, Anja ongeveer evenveel, Mikaela veertig, Linda vijfendertig, net als Peter. Stefan woog vijfentwintig en kleine Lina twintig kilo. In totaal 285 kilo. Hiervan zou dus drieëntwintig procent, vijfenzestig gedeeld door 285, naar beide ouders gaan. Drieëntwintig procent van vijf meloenen is …

'Snij hem nou maar gewoon in stukken', echode kleine Lina.

… is één komma vijftien meloen. Meer dan een meloen per ouder. Wilde hij ze echt op deze manier verdelen?

Het mes bleef passief. Het gezin bleef niet passief.

In dat geval zou kleine Lina nul komma vijfendertig meloen krijgen, en dat voelde niet rechtvaardig.

Rechtvaardig.

Was het rechtvaardig dat hij – die zich net vreselijk in de schulden had gestoken om een gezinsauto te kopen – zijn auto ineens had kunnen afbetalen en dat hij daarna nog zo veel geld over had gehad dat hij onmiddellijk, zonder medeweten van zijn gezinsleden, via internet voor twee maanden een huis in Toscane had gehuurd?

Nee, niet echt rechtvaardig.

Maar wat was er wel rechtvaardig in het leven?

In elk geval niet nul komma vijfendertig meloen voor de kleinste, dacht hij plotseling besluitvaardig en hij sneed de meloen in stukken, die hij alleszins rechtvaardig verdeelde onder de leden van zijn enorme gezin.

Bijna een miljoen. Wie had er gedacht dat die oude oom Pertti, wiens bestaan hij volkomen was vergeten, zo veel spaargeld had? Samen met het geld kwamen ook de herinneringen weer boven, en Arto Söderstedt herinnerde zich hem alleen als een stinkende mond met half rotte tanden. Een afgetakelde held, wiens heldenglorie nog steeds schitterde. Maar hij had het récht om af te takelen, zo interpreteerde hij het gepoch van zijn ouders. Hij had altijd gedacht dat zij, de laatst overgebleven familieleden, hem hadden onderhouden. Toen bleek dat hij op een miljoen zat. Finse marken.

Niets is wat het lijkt.

Als hij oom Pertti's levensloop reconstrueerde, moest die er volgens hem zo hebben uitgezien: een jonge, enthousiaste plattelandsdokter raakt betrokken bij de Winteroorlog in Finland na de nogal plotselinge inval van de Sovjetunie. Hij blijkt een grote voorliefde te hebben voor guerrillaoorlogvoering in winterbossen, en al snel stijgt hij in rang. Een aantal beslissende veldslagen maakt hem tot een held, en na de Russische overwinning verlaat hij de bossen als een echte, klassieke guerrillastrijder. Na de Tweede Wereldoorlog keert hij enigszins gebroken terug. Hij gaat drinken, heeft moeite zijn baan als arts te behouden in de steeds meer geïsoleerde plattelandsgehuchten, keert uiteindelijk terug naar Vaasa en wordt een zonderlinge figuur, die tot zijn negentigste een treurig leven leidt. *End of story.*

Dacht Arto Söderstedt.

Tot de erfenis kwam.

Die nu werd uitgegeven in de vorm van een aanzienlijke hoeveelheid watermeloenen in een schaduw die steeds groter werd. De Toscaanse lentezon raakte op dit moment de duidelijk welvende horizon van de Adriatische Zee. Al snel zou hij laag genoeg staan voor het spierwitte gezin om een duik in zee te wagen.

Terwijl alle andere mensen – rillend – het strand hadden verlaten.

Arto Söderstedt zag dat de oude visser zijn meloenenkraam afbrak en een verbaasde blik op het beschaduwde gezin wierp; hij schudde zijn hoofd en vertrok om een glas wijn te gaan drinken in zijn stam-*ostaria*. Daar zou hij vertellen over het zonschuwe gezin en het geld op tafel leggen dat ooit had toebehoord aan een andere eenzame zonderling op een heel andere plek op aarde.

Arto Söderstedt liet zich heel even fascineren door de beweging van het geld, de verplaatsing van het geld, de oorsprong van het geld.

Toen trok hij zijn gekreukte pak uit en rende als eerste van een rij kinderen naar de waterkant en doopte zijn grote teen in het water, waarvan de ijzige kou hem herinnerde aan de Finse meren uit zijn jeugd.

Op het strand zat oom Pertti met een fles Koskenkorva-wodka

aan de mond hees te lachen om zijn lafheid.

Hij sprong erin. De kinderen loeiden als orgelpijpen.

In de rugzak onder de blauw-witte parasol lag zijn mobiele telefoon, die nog steeds uit stond.

3

Het meisje met het geluk bij een ongeluk zat met een verbaasde blik in haar ogen op het ziekenhuisbed. Vermoedelijk was ze sinds de avond ervoor niet opgehouden met verbaasd kijken. Het was een permanente verbazing.

Paul Hjelm vond deze verbazing volledig begrijpelijk. Als je tien jaar oud bent en op een lenteavond aan je vaders hand wandelt, verwacht je niet beschoten te worden.

Maar dat was wel gebeurd.

Ze had het een beetje koud gehad, het was plotseling gaan waaien, en de wind woei door haar dunne, gewatteerde jas en voelde koud aan op haar bijna blote benen. Haar ene hand had die van haar vader vastgehouden en haar andere een ballon in de vorm van een vrolijk, geel mannetje. Ze had een beetje gehuppeld, voornamelijk om warm te blijven, maar ook omdat ze blij was met het zakje snoep dat ze had gewonnen en dat nu in de plastic tas zat die haar vader droeg. Behalve dat het een beetje koud was, was alles goed.

Toen werd ze beschoten.

Een kogel kwam uit het niets en trof haar rechterbovenarm. Waar hij bleef zitten. Gelukkig.

'Het komt allemaal goed, Lisa', zei Paul Hjelm en hij legde zijn hand op die van haar. 'Het is maar een vleeswond.'

Lisa's vader zat roodbetraand en vermoeid in de bezoekersstoel luid te snurken. Paul Hjelm tikte hem voorzichtig op zijn schouder. Zijn hoofd vloog met een snuivend geluid naar voren en hij staarde de politieman op de rand van het bed niet-begrijpend aan. Toen zag hij zijn dochter met het verband om haar arm en herinnerde zich het vreselijke voorval weer.

'Het spijt me, meneer Altbratt', zei Hjelm beleefd. 'Ik moet alleen echt zeker weten dat u geen glimp van de dader hebt gezien.

Hebt u niks zien bewegen tussen de bomen? Niks?'

Meneer Altbratt schudde zijn hoofd en staarde naar zijn handen.

'Er was geen mens te zien', zei hij zacht. 'Geen geluid te horen. Ineens begon Lisa te gillen en ik zag allemaal bloed. Ik heb pas van de dokter begrepen dat ze beschoten was. Beschoten! In wat voor wereld leven we?'

'Jullie liepen dus op Sirishovsvägen in de richting van Djurgårdsvägen? Waar kwamen jullie vandaan?'

'Maakt dat wat uit?'

De mobiele telefoon van Paul Hjelm ging. Dat was niet zo geslaagd. Hij hoopte dat beademingstoestellen of hart-longmachines het niet zouden begeven als hij opnam. Hij zag de krantenkoppen al voor zich: 'BLOEDBAD DOOR GSM! Extra editie! Extra editie! BEKENDE POLITIEMAN VERMOORDT VIER ERNSTIG ZIEKEN MET MOBIELTJE!'

'Hjelm', zei hij kort, want met veel omhaal van woorden een telefoon opnemen zou een volkomen gestoorde indruk wekken. Om al helemaal maar te zwijgen van een antwoordapparaat …

Het was een tijdje stil. Vader Altbratt keek naar hem met een blik alsof hij druk bezig was een met uitsterven bedreigde arend te plukken. En dochter Altbratt bleef verbaasd kijken.

'Skansen?' riep de arendsbeul uit. Meer zei hij niet. Toen stond hij op van het bed, streek Lisa even over haar hoofd en stak zijn hand uit naar haar vader. 'Ik moet helaas weg. Maar ik kom terug.'

Een ochtendzonnetje dat hem niet verwarmde, scheen hem tegemoet op de trap van de kinderspoedafdeling van het Karolinska-ziekenhuis, het Astrid Lindgren-kinderziekenhuis. Terwijl hij langzaam naar het parkeerterrein liep, sloeg hij op zijn zakken. Hij was zijn autosleutels kwijt. Maar omdat hij die altijd kwijt was, voerde hij het meprítueel nog maar een keer uit, en simsalabim … daar vlogen ze uit de zak van zijn veel te dunne colbertje.

Same procedure as last year.

Het was een frisse lentemorgen van het pas ontwaakte soort, die de eerste week van mei wel vaker rondstrooide. Van die dagen die er vanachter het raam uitnodigend uitzien, maar stiekem gemaskeerde winterdagen blijken te zijn. Hij, die altijd al te dun gekleed ging, was nu in feite naakt. Zijn armzalige vodden boden geen enkele bescherming tegen de ijswind. Hij probeerde ze dichter om zijn lichaam te trekken, maar vond niets wat hij om zich heen kon trekken.

Het was negen uur 's morgens en de files bij Haga Södra en Norrtull stonden volledig stil. Het autoverkeer was het afgelopen jaar drastisch toegenomen. Het was ineens heel aantrekkelijk geworden om in de file vast te zitten. Goedkope psychotherapie vermoedelijk. Een rij kooien met Mr. Hydes die oerkreten uitstoten. Maar het alternatief waren de onlangs geprivatiseerde forenzentreinen, die nooit reden, of dito metro's, die urenlang achtereen stil bleven staan in donkere tunnels. Of je kon met de fiets over sadistisch aangelegde fietspaden, die niemand durfde te gebruiken omdat ze speciaal ontworpen leken te zijn voor bijzonder akelige persoonlijke ongelukken.

Oké, hij was een zeurpiet.

Zelf had hij niets te klagen. De rode metrolijn was tot nu toe relatief verschoond gebleven van stommiteiten. Hij sloot zich tijdens zijn lange, dagelijkse reis van Norsborg naar Stockholm af van de rest van de wereld om naar jazz te luisteren. Na een uitstapje in de wereld van de opera, als een enigszins gecorrumpeerde inspecteur Morse, was hij teruggekeerd naar de jazz. Hij kon zich niet losmaken van de bebopjaren rond 1960. Nu luisterde hij veel naar Miles Davis. 'Kind of blue'. Stuk voor stuk simpelweg fabuleuze meesterwerkjes, het hele album. Vijf klassiekers: 'So What', 'Freddie Freeloader', 'Blue in Green', 'All Blues' en 'Flamenco Sketches', allemaal min of meer improviserend in de studio tot stand gekomen in het fantastische jaar 1959. De musici waren zonder dat ze de muziek van tevoren hadden gezien, naar de studio gegaan, waar Miles met een stapel muziekbladen was gekomen. Alle vijf de nummers schijnen bij de allereerste poging gelukt te zijn. Je kreeg het gevoel dat deze muziek tijdens de uitvoering was ontstaan, dat hij meteen goed was. Een nieuw soort blues, heel natuurlijk, heel geraffineerd. Elke seconde was een genot.

Maar voor zijn werk nam hij de dienstauto. Hij stak de miraculeus tevoorschijn getoverde autosleutel in het contact van de oude beige Audi, keek uit over het verkeer en zuchtte diep. Zwemmend zou hij vermoedelijk sneller in Djurgården zijn.

Want daar ging hij nu heen. Zijn collega en onafscheidelijke partner Jorge Chavez had een heimelijk hoopvolle ondertoon in zijn stem gehad, waar Paul Hjelm al een tijd naar uit had gekeken: 'Ik denk dat je hiernaartoe moet komen, Paul. Naar Skansen.'

Dat hij zojuist bij een andere zaak was geweest die in buurt van Skansen had plaatsgevonden, maakte het extra interessant.

Voor hij de hekken van het Karolinska-ziekenhuis had bereikt zat hij al in de file, maar hij besloot niet in een Mr. Hyde te veranderen. Het was niet de moeite waard. In plaats daarvan liet hij de cd 'Kind of Blue' in de autostereo glijden en glimlachte toen de eerste noten hun honing over zijn trommelvliezen uitsmeerden. Terwijl hij zich geduldig over het enorme ziekenhuisterrein een weg baande naar buiten, begon hij vreemde achternamen te rangschikken. Altbratt was een topkandidaat. Hij was al eens gestuit op grootheden als Kungskranz en Riddarsson, Äppelblohm en Markander, maar konden die tippen aan Altbratt?

Anton Altbratt was de welgestelde eigenaar van een bontjassenzaak in Östermalm. Hij woonde in Djurgårdsstaden, was voor de tweede keer getrouwd, en uit dat huwelijk was Lisa voortgekomen. Uiteraard had hij ook een paar volwassen kinderen uit een eerder huwelijk, en zijn nieuwe echtgenote, de moeder van Lisa, had hij niet te pakken kunnen krijgen. Ze was op zakenreis naar een onbekende plek. Hjelm kreeg de indruk dat er sprake was van gecompliceerde erotische verwikkelingen, maar besloot er verder geen vragen over te stellen.

Wat zou er achter de beschieting van die arme kleine Lisa kunnen zitten? Hopelijk was haar vader het beoogde doelwit geweest. In dat geval was het iets eenvoudiger rationele motieven te bedenken, zoals de jonge echtgenote, de chique bedrijfsactiviteiten, misschien zelfs een aanslag van militante veganisten op de bonthandelaar. Maar de geluidloosheid duidde op een geluiddemper en die wees op professionele criminaliteit, bijvoorbeeld zijn echtgenote, die haar man om financiële of seksuele redenen uit de weg wilde ruimen, of louche zakenrelaties, in de illegale bonthandel misschien. Of zoiets. Dan was er niet zoveel aan de hand. Een eenmalige, geplande maar mislukte aanslag. Als Lisa daarentegen het doelwit was geweest, werd het een ander verhaal. Dan vervielen de meeste denkbare rationele motieven, en dan moesten ze gaan denken aan een gek, zoals De Laserman. Maar dan iemand die gespecialiseerd was in kinderen.

Dat was niet de laatste gedachte die Paul Hjelm wilde hebben.

Er was natuurlijk nog een derde mogelijkheid: dat noch de vader noch de dochter het doelwit was geweest, maar dat de kogel puur toevallig in Lisa's arm terecht was gekomen. Dat zou wijzen op een soort afrekening in de onderwereld tussen de bomen op Djurgården.

Hij kon dus een paar dingen doen. Nagaan wat de echtgenote de avond ervoor had gedaan, nagaan wat voor huwelijk het echt was, nagaan wie er van het kinderfeestje in Rosendal wist, nagaan of er onregelmatigheden in het bedrijf waren, nagaan of er dreigementen van militante veganisten waren geuit of zoiets, het deel van het bos doorzoeken vanwaar het schot naar alle waarschijnlijkheid was gelost. Et cetera.

En afwachten of het puur toeval was dat er zo dicht bij elkaar twee misdrijven waren gepleegd, of wat Jorge nu ook in Skansen te bieden had.

Tijd, tijd, tijd. Hij zat echt helemaal vast. De temperatuur van de motor van de Audi steeg zoals gewoonlijk dramatisch zodra de auto terechtkwam in iets wat ook maar enigszins op een file leek.

Het was een auto zonder geduld. Omdat de chauffeur weigerde in een Mr. Hyde te veranderen, deed de auto dat in zijn plaats. Alsof elke equipage in een file per definitie moest exploderen. Paul Hjelm zette de ventilator en de verwarming op de hoogste stand en dankte zijn schepper dat er in Stockholm vaker sprake was van winterkou dan van zomerhitte. Met een oog gericht op de motortemperatuurmeter liet hij zijn gedachten meelopen met de onovertroffen improvisaties van Miles Davis, John Coltrane, Bill Evans, Cannonball Adderley, Wynton Kelly, Paul Chambers en Jimmy Cobb.

Zo zag zijn leven eruit, schoot het door hem heen.

Een streng controlerend oog op een motor die elk moment kan ontploffen. Gedachtegangen in de vorm van gewaagde improvisaties, terwijl het voertuig zich met exceptionele traagheid voortbeweegt.

Inderdaad, zo was het. Maar er ontbrak iets wat het beeld compleet maakte.

Op het moment dat 'So What' overging in 'Freddie Freeloader' en een gangbaardere twaalfmaatsblues door de tot sauna omgebouwde auto stroomde, verscheen er bij Roslagstull een opening in de rechterrij. Hij slingerde zijn auto erin, gaf zo veel gas dat zijn banden piepten, kon nog net door het nieuwe, Europese, knalgele stoplicht rijden, waarna er een lege Birger Jarlsgatan voor hem lag.

Inderdaad, dacht hij, nu klopt het, nu is het beeld compleet.

'Freddie Freeloader', dacht hij en hij drukte het gaspedaal helemaal in.

Hij kon opvallend soepel doorrijden, tot hij op Stureplan kwam, waar hij in de onvermijdelijke verkeerskluwen terechtkwam met meedogenloze reclamejongens achter het stuur, die hun recht opeisten terwijl ze helemaal fout zaten. Paul Hjelm had er lak aan. Ze doen maar, dacht hij en hij lalalade wat mee met de slottonen van de sologerichte circulaire compositie van 'Blue in Green'. Ook in de wirwar op Nybroplan paste hij op zijn woorden. Op het moment dat hij met open raam als een idioot een lievelingsfrase uit 'All Blues' meezong, zag hij Ingmar Bergman met pet en al Dramaten binnenstrompelen. Niet zonder aarzelen draaide de oude man zich om en ontmoette heel even zijn blik. Dat kon geen toeval zijn.

Strandvägen was erger. Die zag er wel heel erg massief uit.

Nee, dacht hij. Nú was het beeld compleet. Een snel, kort, leeg stukje weg, en dan opnieuw traag, stroperig, hortend voortbewegen. In sukkelgang.

Het verkeer loste een beetje op en op Djurgårdsbron ging het heel goed. Toen was het beeld al in rook opgegaan. Op het moment dat hij ernstig foutparkeerde voor de ingang van Skansen, klonken de laatste tonen van de harmonieën van 'Flamenco Sketches' met Spaanse invloeden. Hij was de precisie zelve. De weg van Astrid Lindgren, via Ingmar Bergman, naar Skansen – een reis door het hart van Zweden in feite – was precies even lang als 'Kind of Blue' van Miles Davis. Exact drie kwartier.

Het was dus kwart voor tien toen Paul Hjelm door de hekken van Skansen beende, voorzien van een kleine kaart en verwezen naar 'de wilde dieren' in de noordoosthoek van het grote openluchtmuseum. Terwijl hij de lange, overdekte roltrap binnengleed, die de berg op ging, dacht hij na over welke dieren níet wild waren. Was de mens bijvoorbeeld een wild dier? Toen hij bovenkwam en naar buiten stapte, was het weer heel anders dan op de plek waar hij naar binnen was gestapt. Alle winterse winden leken weggewaaid te zijn en in plaats daarvan liep hij door de artificiële negentiende-eeuwse stad als was het de hoogste denkbare hoogzomer. Aprilweer, wilde hij net gaan zeggen, maar het was al mei. Donderdag 4 mei anno twintighonderd. Of tweeduizend. Terwijl de roodbruine muren de zon terugkaatsten dacht hij na over de conjunctuurschommelingen in de uitspraak van 2000. Aanvankelijk was het vanzelfsprekend geweest om 'het jaar tweeduizend' te zeggen, waarna – na een enorme propagandacampagne van een onbekende instantie voor taalzuivering – het even vanzelfsprekend was geworden om 'het jaar twintighonderd' te zeggen, al vergde dat doorgaans een zekere zelfoverwinning. En hoewel de officiële twintighonderdbeleidslijn vastlag, hoorde hij tegenwoordig mensen vaak het dubieuzere 'tweeduizend' zeggen, besmuikt, alsof het om een ondergrondse verzetsbeweging ging. Volks verzet. Zelf hield hij zich aan zijn eigen beleidslijn, die hij de zowel-als-beleidslijn noemde. Deze wekte algemene weerzin en was gebaseerd op ritme. 'Twintighonderd' bestond uit twee trocheeën achter elkaar, volgens het schema áááa, terwijl 'tweeduizend' het ritmisch onzuivere ááa was, dus eerst twee beklemtoonde lettergrepen, gevolgd door een onbeklemtoonde. Aangezien er geen enkel acceptabel argument voor of het ene of het andere bestond, hing de keuze af van de taalritmische context. De strijd tussen de twee uitspraakvarianten schetste in Paul Hjelms ogen een onverbloemd tijdsbeeld: machtsstreven in zijn zuiverste vorm. Men wilde gelíjk hebben, men wilde wínnen, en noch het te verwaarlozen belang van de kwestie, noch het gebrek aan argumenten speelde een rol. En dit was precies waarin de tegenstanders elkaar vonden: het onbesliste was de grootste vijand. Hij was er volledig van overtuigd dat zijn eigen positie de echte verzetsbeweging was.

Dit waren dus de dingen waar inspecteur Paul Hjelm aan dacht in het jaar waarin het Zweedse volk werd berispt door Amnesty International voor een ernstige toename van het politiegeweld, omdat politiemannen regelmatig de wapenstok omkeerden om met het harde deel te slaan, en Kosovo-Albanezen werden teruggestuurd naar hun verwoeste huizen met vijfduizend onvervalste Zweedse kronen op zak.

Heel even dacht hij dat íémand bezit had genomen van zijn hele gedachtepatroon.

Hij vroeg zich af wat er met al die goede, oude seksuele fantasieën was gebeurd, waar je volgens de laatste onderzoeken minstens vijftien keer per dag door overvallen moest worden.

Voordat de geur van de roofdieren hem bereikte, ging er een laatste vraag door zijn hoofd: wie was potdomme deze exem-

plarische figuur die elke dag tijd had voor vijftien seksuele fantasieën? Toen kreeg de geur de overhand, en Paul Hjelm constateerde een oprechte gespannen verwachting bij zichzelf, zoals een
kind vlak voordat de Kerstman geacht wordt te verschijnen, op
het moment dat papa naar de wc glipt met een wel heel erg
gespeelde uitdrukkingsloosheid op zijn gezicht. De kerstman
droeg in dit geval de eigenaardige naam Jorge Chavez, en was
slechts een doodgewone rechercheur van de rijksrecherche.

Net als hij.

Daarna verdween de geur even snel als hij was gekomen. Paul
Hjelm raakte namelijk de weg kwijt. Later zou hij het genoemde
incident in alle toonaarden ontkennen, maar hij was zowaar de
weg kwijtgeraakt in Skansen. Hij had kinderen die de twintig
naderden en het was een aanzienlijke tijd geleden dat hij zich
voor het laatst had laten vermaken met de goedkope Skansen-
truc, waartoe je je toevlucht zocht als alle andere ideeën uitgeput
waren. In tussentijd hadden ze de afdeling wilde dieren in het
grote openluchtmuseum verbouwd, en voor hij het wist stond
hij te converseren met een buitensporig slome, herkauwende
mannetjeseland, die zowel opgezet als mechanisch leek. Er was
namelijk niemand anders om mee te converseren. Het was bijna
tien uur en waarschijnlijk was Skansen gewoon gesloten. Er was
geen mens in de buurt, en die stomme eland had niet veel te
vertellen.

Hij leek vooral opvallend slecht op de hoogte van de plek waar
de beestachtige marterachtigen zich ophielden.

Uiteindelijk belandde Hjelm op de berenberg, wat onbekend
terrein voor hem was. Alles was geweldig opgeknapt, en hij glipte
uit de labyrintische constructies met het gevoel alsof hij een
weggeslingerde knot wol had gevolgd. Hij kwam langs paarden
en lynxen en everzwijnen en wolven, en ineens was hij er.

Bij de veelvraten.

Daar waren des te meer mensen aan het werk. Hij herkende
onmiddellijk de witgeklede technisch rechercheurs, die op de

heuveltjes van het territorium van de veelvraten als inferieure bergbeklimmers naar boven en naar beneden gleden. Hij herkende het rood-witte plastic lint dat schots en scheef voor het veiligheidshek hing, waarop met grote letters POLITIE stond. Hij herkende het min of meer bemoste tachtigjarige gelaat dat toebehoorde aan patholoog-anatoom Sigvard Qvarfordt. Hij herkende het gespannen Germaanse gezicht dat toebehoorde aan het hoofd van de technische recherche, Brynolf Svenhagen. En hij herkende het buitengewoon energieke, donkere gelaat dat toebehoorde aan zijn naaste collega, die bovendien de schoonzoon was van het hoofd van de technische recherche, Svenhagen. Zijn naam was Jorge Chavez.

Chavez kreeg Hjelm in het zicht, zijn ogen lichtten op, hij liep naar de diepe gracht, die het veelvratenverblijf scheidde van de dierentuin, spreidde zijn handen en riep alsof hij het ingestudeerd had (wat vermoedelijk ook zo was): 'Werp uw menselijke omhulsel af, o, kroon der schepping, en treed binnen in onze dierlijke orgie.'

Paul Hjelm zuchtte en zei: 'Hoe dan, verdomme?'

Verbaasd trok Jorge Chavez zijn wenkbrauwen op en keek om zich heen. Uiteindelijk wendde hij zich tot Brynolf Svenhagen, die voornamelijk met een gespannen blik liep te ijsberen. Alsof hij bezig was met zijn levenswerk.

'Heb jij de loopplank gepikt, Brunte?'

Brynolf Svenhagen bekeek zijn schoonzoon met een intense afkeer en zei weinig informatief: 'Ik heet geen Brunte.'

Waarna hij met een gespannen blik op zijn gezicht bleef ijsberen.

Chavez krabde op zijn hoofd.

'De pornopolitie zal hem wel gejat hebben', zei hij. 'Straks laten ze de veelvraten er nog uit.'

Paul Hjelm klom op het wankele houten hek, moest even zijn evenwicht bewaren en maakte daarna een gewaagde sprong in het niets. Als een ballerina zweefde hij over de diepe, met water gevulde gracht en landde soepeltjes naast zijn collega. Tot ieders verbazing.

'Gracieus', zei Chavez waarderend.

'Dank je', zei Hjelm, nog steeds verbaasd dat hij niet onder de veelvratenpoep zat of achterover was gekukeld in de veelvraten-gracht en geen nekwervel had gebroken.

Hij keek om zich heen. Het territorium van de veelvraten was behoorlijk groot, een heuvelachtig terrein dat zich uitstrekte naar een relatief hoge heuvel. Hier en daar zag je wat gaten, vermoede-lijk holen, en een groot deel van de met gras begroeide bodem was bedekt met piepkleine stukjes stof, een soort veertjes in verschil-lende kleuren en van verschillend materiaal. De technisch recher-cheurs stelden alles in het werk om te voorkomen dat de zwakke ochtendwind ook maar één vezeltje zou meenemen.

Paul wees op de vezels. Jorge knikte, pakte zijn arm en nam hem mee naar de achterste hoek van de veelvratenkuil, waar de afscheiding bestond uit een loodrechte betonnen rand, die drie meter naar beneden liep, waar de bodem meer bedekt was met aarde dan met gras.

'We beginnen bij het begin', zei hij.

Het tweetal bleef staan. De vezels kregen hier, althans gedeel-telijk, een iets meer samenhangende vorm, namelijk die van een lichtroze broekspijp.

Uit de broekspijp staken twee decimeterlange afgekloven bot-ten.

Vermoedelijk een scheenbeen en een kuitbeen.

'Dat is het grootste stuk dat over is', zei Chavez kalm en hij hurkte neer. Hjelm deed hetzelfde en wachtte op het vervolg. Dat kwam.

'*Gulo gulo* heten ze. De Latijnse naam voor veelvraat. Lieve, kleine diertjes. Het lijken net schattige babybeertjes. Marterach-tigen. Ze zijn verwant aan de das, de boommarter, de bunzing, de wezel, de otter en de nerts. Ze worden met uitsterven bedreigd en er leven er nu nog maar een stuk of honderd in Zweden. Hoog in de bergen. Ze zijn een meter lang en leven meestal van woelmuizen en lemmingen. Maar soms geven ze de voorkeur aan andere prooidieren ...'

Hjelm kwam overeind en rechtte zijn rug.

'Oké', zei hij weifelend. 'Iemand is dronken geworden, over het hek van Skansen geklommen en tussen de roofdieren gevallen. Het is vast niet de eerste keer dat zoiets gebeurt.'

'Zou ik je hier dan naartoe gehaald hebben?' zei Chavez en hij keek Hjelm strak aan. 'Het zijn ware moordbeesten. Ellroy nooit gelezen? Bij de minste of geringste provocatie scheuren ze iemand aan stukken, vooral als ze met een groep zijn. Ze hebben kaken als betonscharen. Zonder aarzelen breken en verbrijzelen ze botten. We mogen ons nog gelukkig prijzen dat er zo'n groot stuk over is.'

Met een potlood tilde Chavez voorzichtig de stof van het stuk broekspijp op. Een stukje verder onder de stof zat er aan de botten nog vlees, dat ze bijeenhield. Daar zat ook een knoop. In een stuk touw.

'Kijk eens aan', zei Hjelm en hij hurkte weer neer.

'Zeg dat wel', zei Chavez en voegde toe: 'M'.

'OO', zei Hjelm.

'R', zei Chavez.

'D', zei Hjelm.

'Zonder meer', zei Chavez. 'Maar het zou fijn zijn als we ook een hoofd konden vinden. Hier hebben we in elk geval een variant op dat thema', ging hij verder en hield de oude patholoog-anatoom Qvarfordt tegen. 'Hebt u nog nieuws, beste man?' vroeg hij galant.

'Nul komma nul', zei de welgestelde gepensioneerde overwinteraar Sigvard Qvarfordt en hij zette met een geroutineerde kauwbeweging zijn losgeraakte gebit weer op zijn plek. 'Geen hoofd, geen vingers. Moeilijk te identificeren. DNA zullen we nog wel kunnen vinden, maar zoals jullie weten is het systeem verre van geavanceerd. Het is in elk geval een man. Een volwassen persoon van het mannelijke geslacht, dus. Uit de coagulatie kunnen we afleiden dat hij gisteren tegen middernacht is overleden. Maar het zou ook wel heel vreemd zijn geweest als hij hier langer had gelegen. Ouders en aanverwante zaken zouden het vast niet op prijs hebben gesteld als onze vriend op klaarlichte dag zou zijn geconsumeerd. Verder heb ik niets.'

Op dat moment brulde een technisch rechercheur op het heuveltje iets, en zwaaide met een ding dat hij uit een hol had gevist. Het leek op een veelvratendrol.

Paul Hjelm proefde het woord een paar keer op zijn tong. Hoeveel keren zou hij het zojuist genoemde woord in zijn leven hebben gebruikt? Waarschijnlijk nooit.

'Vast een veelvratenpik', fluisterde Chavez luid.

'Laten we hopen dat de veelvraat niet meer in het hol zat', fluisterde Hjelm luid terug.

Terwijl de technisch rechercheur het heuveltje af gleed, dacht Hjelm kort na over verschillende associatieprocessen en de betekenis ervan. De technisch rechercheur kwam bij zijn chef, die er gespannen bij stond. Brynolf Svenhagen nam het ding aan, bekeek het van alle kanten en liep toen langzaam in de richting van het drietal. Hij hield het ding voor de oude Qvarfordt, die er door zijn halve decimeter dikke brillenglazen wezenloos naar staarde en knikte.

'Uitstekend', zei hij alleen maar.

Onwillig wendde de gespannen Svenhagen zich tot zijn schoonzoon en zijn minstens even afschuwelijke collega. Hij hield het ding omhoog.

Het was een vinger.

'Uitstekend', zei Chavez zonder aanstalten te maken de vondst nader te bekijken. 'Vingerafdruk', voegde hij er overbodig aan toe.

Svenhagen draaide zich om. Chavez ving de zwaaiende witte arm op en trok deze naar zich toe. Het leek op een voorproefje van het EK voetbal.

'Wat moet dat', zei Svenhagen verbeten.

'Mogen we de inscriptie ook even zien, Brunte? Als het niet te veel gevraagd is.'

Brynolf Svenhagen knikte moeizaam.

'We zijn politiemannen', zei Hjelm behulpzaam.

Svenhagen liet nogmaals zijn ontevredenheid horen en overwon toen zichzelf. Hij nam de beide rechercheurs mee naar de rand van de veelvratenkuil, vlak voor de drie meter diepe gracht bij de plek voor het publiek. Daar gingen de gras- en steengrond over in zwarte aarde en was de hoeveelheid veelkleurige vezels het grootst. Daar waren ook de enige bloedsporen, een donkere vlek die bijna volledig door de zanderige grond was opgezogen.

'Voorzichtig lopen hier', zei Svenhagen.

'Hoeveel veelvraten waren het?' vroeg Hjelm.

'Vier', antwoordde Svenhagen.

'Vier beestachtige monsters die een mens hebben opgeschrokt, en bijna geen bloedsporen te zien. Is dat niet vreemd?'

Svenhagen bleef staan en richtte een ijskoude begrijp-je-dan-helemaal-niks-blik op Hjelm.

'Het heeft vannacht geregend', zei hij en hij boog zich voorover. 'Gelukkig hebben we dit nog', zei hij en hij wees.

Op de grond, vlak naast de wijsvinger van Brynolf Svenhagen kon Hjelm een paar streepjes in het zand onderscheiden. Met enige moeite wist hij er letters van te maken. Vijf stuks. Hij spelde ze.

'Epivu?' zei hij.

'Daar lijkt het op', bevestigde Svenhagen. 'Maar vraag me niet wat het betekent.'

'Heeft hij dat geschreven?'

'Dat weten we niet. De dikte van de letters lijkt overeen te komen met die van een menselijke vinger, dat is het enige wat we weten. Bovendien wijst de grote hoeveelheid vezels hier erop dat dit de plaats moet zijn geweest van de feitelijke ... voedselinname. In dat geval kun je je natuurlijk voorstellen dat het slachtoffer, met vastgebonden handen en voeten, een laatste boodschap heeft willen schrijven. We hebben monsters genomen van de aarde waar de letters in staan om te kijken of we bloedsporen of huidresten kunnen vinden, en misschien kan die vinger ook wat licht werpen op het mysterie.

'Zijn er eigenlijk aanwijzingen over hoe hij hier terecht is gekomen?'

'Nee', zei Svenhagen. 'Er zitten heel veel vingerafdrukken op het hek natuurlijk, maar verder niet. We zullen ze allemaal moeten onderzoeken.'

'Als we ervan uitgaan dat hij degene was die "Epivu" heeft geschreven, dan is hij hier niet zonder hoofd gekomen. Hoe kan een hoofd nou verdwijnen?'

'Er zijn verschillende mogelijkheden', zei Svenhagen en hij nam Hjelm op. Misschien was deze man toch niet de volslagen idioot waar hij hem altijd voor had aangezien. Maar Brynolf Svenhagen was niet iemand die het kon waarderen als zijn vooropgezette meningen onderuit werden gehaald. Dat maakte hem zo mogelijk nog korzeliger dan hij al was. Nors ging hij verder: 'De veelvraten kunnen het opgegeten hebben. Het is niet onwaarschijnlijk dat ze zijn hele hoofd hebben opgepeuzeld, met schedel, tanden, hersenschors en al. En het is heel goed mogelijk dat hij die letters helemaal niet heeft geschreven. Vraag het maar na bij de verzorgers; dat is jullie taak. Misschien heet een van de veelvraten wel Epivu, weet ik veel.'

Hjelm gaf het niet op. Hij keek rond over het onregelmatige terrein.

'Dus het is goed mogelijk dat zijn hoofd hier nog ergens ligt? Dan zit er niks anders op dan door te zoeken. Jullie zullen de komende tijd nog heel wat veelvratenpoep moeten onderzoeken. Misschien hebben die brutale veelvraten niet één mens, maar twee of meer of zelfs een heel voetbalteam verslonden.'

Toen hij het veelvratenpoeponderzoek noemde, zag Hjelm dat het tussen de ogen van Brynolf Svenhagen een beetje trok. Daar had het overgeorganiseerde hoofd van de technische recherche nog niet aan gedacht. Dat gaf enige voldoening. Deze kleine, wonderlijke machtsstrijdjes waarmee het sociale bestaan doorspekt was ...

Waarom kunnen mensen niet met elkaar omgaan zonder zich als kleine kinderen te gedragen?

Svenhagen trippelde weg. Hjelm keek Chavez aan.

'Wat is hier aan de hand?' riep hij uit.

'Geen idee', antwoordde Chavez. 'Maar helemaal normaal is het niet.'

'Nee', zei Paul Hjelm. 'Helemaal normaal is het niet.'

Ze gingen koffiedrinken in Bredablick. Boven in de uitkijktoren kauwden ze op droge broodjes kaas, staarden uit over het met lentezon overgoten Skansen en zagen de stroom mensen met de minuut toenemen. Het leek alsof alle vijfenzestigplussers uit Stockholm waren gekomen, met dodelijke stukken brood in hun hand, die al snel zouden veranderen in monstrueuze brokken, die meer zeevogels zouden doden dan 's lands hele stroperij bij elkaar.

Maar dat was niet waar Paul Hjelm en Jorge Chavez aan dachten. Ze dachten aan een moord.

Als het een moord was.

'De onderwereld', zei Chavez en hij probeerde tevergeefs het plakje kaas door te bijten. Hij wilde dat hij kaken als betonscharen had.

'Ellroy?' zei Hjelm en hij staarde nietsziend naar het magnifieke uitzicht over Stockholm. 'Welke Ellroy?'

'Op de een of andere manier de onderwereld', verduidelijkte Chavez.

'Op de een of andere manier de onderwereld, ja. Maar niet zomaar een manier. Geen drugsafrekening, geen gewone afrekening. Dan ga je niet zo te werk. Dit is iets anders. Er is een boodschap.'

'Epivu?'

Hjelm schudde zijn hoofd en bleef stil. Chavez dacht verder hardop na: 'Vermoedelijk is hij vastgebonden en bij de veelvraten gegooid. Eenmaal daar slaagde hij erin de boodschap "Epivu" op te schrijven. Waarom doet hij dat? Waarom probeert hij niet te vluchten? Zelfs zo'n middelmatige sportman als jij slaagde erin zonder veel kleerscheuren over de gracht te springen.'

'Mijn rechterlies', zei Hjelm en hij nam een slok merkwaardig stroperige koffie. 'Pijn in mijn rechterlies. Die uitstraalt naar mijn knie.'

'Dat klinkt als kanker', zei Chavez. 'Lieskanker, de gevaarlijkste variant. Zevenennegentig procent kans dat het dodelijk is, volgens de laatste onderzoeken.'

'Ter verdediging kan worden aangevoerd dat het makkelijker is om erin te springen dan eruit.'

'Als je voor beestachtige roofdieren wordt geworpen, is met je vinger iets in de grond schrijven niet het eerste wat je doet. Je probeert weg te komen.'

'Aan de andere kant is het niet waarschijnlijk dat een moordenaar iemand voor de roofdieren gooit en 'm dan meteen smeert. Wellicht blijft hij een tijdje staan kijken. Wellicht houdt hij hem onder schot. Wellicht zorgt hij ervoor dat de ander niet vlucht. Wellicht staat hij te genieten van het schouwspel. Een gladiatorengevecht.'

'Het klinkt wel erg gecompliceerd', zei Chavez. 'Iemand moet worden geliquideerd. Je bindt de persoon in kwestie vast, draagt hem Skansen binnen als het park 's avonds dicht is, helemaal door de dierentuin, waar achtergebleven verzorgers elk moment kunnen opduiken, en dat alleen maar om hem voor de veelvraten te gooien. Dat doe je niet als je niet een heel speciale reden hebt om hem voor de veelvraten te gooien.'

'En zo zijn we weer bij Ellroy', zei Hjelm. 'Wie is die Ellroy?'

'Of!' riep Chavez uit en hij zette het koffiekopje zo hard op het schoteltje dat het in twee sierlijke halve cirkels brak. 'Of ze jagen hem op en hij komt per ongeluk in Skansen terecht.'

'En dan', zei Hjelm en hij knikte, 'is het niet onwaarschijnlijk dat er ergens onderweg een schotenwisseling plaatsvindt, en het is heel goed mogelijk dat een verdwaalde kogel van deze schotenwisseling in de arm van een tienjarig meisje terechtkomt.'

Chavez keek hem enigszins verbaasd aan. Hjelm hield de retorische pauze zo lang vol dat zijn collega onrustig heen en weer begon te schuiven.

Ja, dat was heel kinderachtig.

'Gisteravond om 22.14 uur kreeg Lisa Altbratt een pistoolkogel van negen millimeter in haar arm terwijl ze op Sirishovsvägen wandelde.'

'En waar ligt Sirishovsvägen?' vroeg Chavez.

'Het is een dwarsstraat van Djurgårdsvägen naar Rosendal.'

'De kaart van Skansen', zei Chavez, en Hjelm haalde de ietwat stukgevouwen kaart uit de binnenzak van zijn linnen colbertje. Chavez streek hem glad en bekeek hem.

'Hier loopt Sirishovsvägen', zei Hjelm en hij wees.

'Waar bevond Lisa Alstedt zich toen ze beschoten werd?'

'Altbratt', zei Hjelm. 'Hier ongeveer.'

Hij zette zijn vinger op een plek vlak voor het punt waar Sirishovsvägen en Djurgårdsvägen bij elkaar komen, niet ver van Oakhill en de Italiaanse ambassade. 'En vlak daarnaast staat het hek van Skansen.'

'Hm', zei Chavez, die de slechte gewoonte had als Sherlock Holmes te klinken als hij nadacht. 'Lisa Altbrunn hier, kruisje, de Veelvraatman daar, kruisje.'

'Altbratt', zei Hjelm en hij volgde Chavez' potlood met zijn blik. Chavez ging verder: 'De kogel?'

'Rechterarm, tijdens een wandeling richting Djurgårdsvägen.'

'Dus afkomstig uit Skansen. Hier. Kun je hier binnenkomen? Wat zit hier?'

'Wat staat daar? Wolven?'

'Precies: daar. Ja, wolven. Daar.'

Hjelm volgde het potlood dat zich van de kaart van Skansen

verplaatste naar het raam van Bredablick naar het echte Skansen. Hjelm zag het labyrint van de berenberg en liet zijn blik verdergaan langs de paarden en de lynxen en de everzwijnen en de buffels, verder langs het territorium van de veelvraten, waar het rood-witte plastic lint trilde in de ochtendwind, en bereikte uiteindelijk de uitgestrekte weide van de wolven. Het hek was weliswaar hoog, maar leek niet helemaal onmogelijk te beklimmen. Hoewel er schuin bovenop prikkeldraad gespannen was.

Paul Hjelm knikte. Een spottend glimlachje verscheen op zijn gezicht.

'Ik denk dat Brunte zijn verzorgingsgebied een klein beetje zal moeten uitbreiden. Wil jij hem dat vertellen?'

'Met alle plezier', zei Jorge Chavez en hij glimlachte breed.

4

Emeritus hoogleraar. Hij was nog steeds niet gewend aan deze titel, hoewel hij die al jarenlang had. Hij was een heel oude man.

Maar pas de afgelopen dagen was hij zich voor het eerst oud gaan voelen. Sinds alles terug begon te komen.

Het was moeilijk er de vinger op te leggen. Er was niets bijzonders gebeurd.

Toch was hij ervan overtuigd dat hij binnenkort zou sterven.

Hiervoor had hij niet vaak aan de dood gedacht. Die hoorde bij alle andere dingen die verdrongen moesten worden. En dat was hem ook gelukt. Boven alle verwachting was hem dat gelukt. Het was hem gelukt een streep te zetten onder zijn verleden en opnieuw te beginnen. Alsof het leven een leeg vel papier was dat volgeschreven kon worden. Vermoedelijk was het nu vol, vermoedelijk begon het daarom naar de achterkant te lekken. En op de achterkant stonden alle oude dingen, alle dingen die een halve eeuw niet had weten uit te wissen. Hij schreef niet meer, hij las. En dat was veel erger.

Het begon als een aanwezigheid, niet meer dan dat. Een vage, diffuse aanwezigheid, die plotseling een plaats had ingenomen in zijn kalme, geordende bestaan. Eigenlijk was hij er dankbaar voor: niet iedereen had de dood een tijdje aan zijn zijde voordat het zover was, niet iedereen had de mogelijkheid voldoende te reflecteren over wat het leven geboden had. Maar eigenlijk was het beter geweest pats-boem te sterven, zonder spijt, zonder nadenken, zonder gewetenswroeging. Gewoon dood neervallen op straat en als een kapotte wijnfles worden opgeveegd.

The end, zoals dat vroeger aan het eind van Amerikaanse films verscheen. Zodat je het wist.

Maar nee, om een of andere ondoorgrondelijke reden was hij hiermee vereerd: respijt. Hij begreep niet waarom.

Of beter gezegd: hoe langer het duurde, des te beter hij het begreep.

Het was een ochtend als alle andere. Geen erge krampen, alleen dat vervelende ischiasbeen van hem en een verstopte buik. Geen ogenschijnlijke veranderingen.

Behalve die plotselinge aanwezigheid.

Ja. De kalme aanwezigheid van de dood.

Schijnbaar verliep zijn leven normaal, zoals het leven van een eens zo actieve man van ver in de tachtig verloopt. Dat wil zeggen traag. Hij zag zijn kinderen zoals gewoonlijk, hij ging naar hun altijd even aangename zondagsdiners, hij vierde de sabbat, Pesach, Soekot, Chanoeka en Jom Kippoer met hen zoals gewoonlijk. Het was juist die schijnbare normaliteit die het zo beangstigend maakte. Want beangstigend kon je het toch wel noemen? Sterven was toch beangstigend? Maar echt zeker wist hij het niet.

Het vervelendste was dat een rationele verklaring ontbrak.

Hij had zijn leven aan de hersenen gewijd, de menselijke hersenen. Hij had onderzoek gedaan op een vakgebied dat in feite niet bestond voor hij zich ermee bezig ging houden. Vlak nadat hij naar Zweden was gekomen, de taal had geleerd en zijn plaats in de Zweedse samenleving had gevonden, was hij medisch onderzoek gaan verrichten. Het had hem getroffen hoe absurd weinig we eigenlijk over onze hersenen wisten. In feite had hij het hersenonderzoek in Zweden eigenhandig in gang gezet. In de jaren vijftig werd hij, op zijn veertigste al, hoogleraar aan het Karolinska-instituut, en sindsdien was hij elk jaar genoemd in de discussies over de Nobelprijs. Maar een prijs kreeg hij nooit. Ondertussen werd zijn geloof in het feit dat de mens alleen uit materie bestaat, steeds onwrikbaarder. 'De ziel' was een ouderwetse constructie, die een hiaat in de kennis van de mens had gevuld, dat wil zeggen de kennis van de hersenen. In hetzelfde tempo waarmee de kennis over de functies van de hersenen toenam, verdween de behoefte aan de ziel, net zoals goden en mythen en fantasieën altijd plaats moeten maken zodra de wetenschap terrein wint. Hij trouwde, kreeg kinderen, maakte de wonderen van alledag mee zonder aan zijn geloof in het materialisme te twijfelen. De mens werd volledig bepaald door zenuwimpulsen vanuit de hersenen. Dat stond vast.

En nu, nu hij bijna negentig was, was er die plotselinge aanwezigheid, die hij niet rationeel kon verklaren, die niet geplaatst kon worden tussen de zenuwimpulsen uit de hersenen.

Of wellicht ontbeerde hij simpelweg de kennis over wat er met hem gebeurde.

Hij begon te reizen; het werd een onweerstaanbare behoefte. Geen verre charterreizen over uitgestrekte oceanen, geen treinreizen dwars door Rusland, geen beklimmingen van de Mount Everest. Het ging erom dat hij onderweg was. Meestal nam hij de metro; dat lag het meest voor de hand. Reizen zonder te zien waar je naartoe reist. Je puur en alleen voortbewegen. Het reizen voelen, de beweging, zonder ergens naartoe te gaan. Zo zag de behoefte eruit.

Daarom had hij de afgelopen dagen doorgebracht in de metro. Hij reisde alleen, zonder doel, zonder houvast. Het leek een beetje op de innerlijke reis die hij maakte. Naar de verdrongen letters aan de achterkant van het papier. Het papier dat hij geprobeerd had om te draaien, zodat het helemaal leeg leek.

Voorwerpen kwamen op hem af. Ze vlogen uit de metrotunnels, ze rolden naar hem toe vanaf de perrons, ze stortten boven op hem vanaf de roltrappen. Scènes, niet meer dan dat, korte sequenties, en hij kreeg niet de kans ze te ordenen. Het was heel vreemd. Hij was veroordeeld tot rondzwerven, veroordeeld tot bewegen, alsof hij zou overlijden op het moment dat hij stilstond. Als een haai.

Of als Ahasverus, de Wandelende Jood, gedoemd tot eeuwig leven en eeuwig lijden.

Er was nog veel te begrijpen, dat begreep hij wel.

Hij zat in de metro. Hij had geen idee waar hij was. Dat deed er niet toe. Het licht raasde voorbij, soms een station, soms slechts

44

sporadische lampen in de tunnel. En er lagen armen op hem, er lagen benen op hem, dunne, heel dunne benen, dunne, heel dunne armen, en hij zag een gezicht ondersteboven, en hij zag een dunne metaaldraad die in iemands slaap was gestoken, en hij zag dat het gezicht dat ondersteboven hing verwrongen was van pijn. En hij schreef een boek. Hij las de tekst die hij zelf in het boek had geschreven, en het boek sprak over pijn, over pijn, pijn, pijn.

En hij keek naar zijn arm waarop een nummer getatoeëerd was, en de getallen reisden door hem heen, van hem vandaan.

En hij reisde verder, verder door het inwendige van de stad, en de dood was aan zijn zijde, en de dood wilde iets, en hij begreep niet wat.

Het enige wat hij deed, was reizen.

5

Aangezien Sara Svenhagen niet goed begreep waarom ze in een burgerpolitieauto zat, die van Kungsholmen naar een motel ergens in een voorstad ten zuiden van Stockholm reed, begon ze te dagdromen over de ochtend. Haar gedachten gleden door een elegante entree in Birkastan, een echte jugendstiltrap op, een deur binnen waarop de enige buitenlandse naam in de buurt prijkte, via de stijlvolle, maar op dat moment enigszins rommelige keuken van het driekamerappartement en belandden uiteindelijk op het echtelijk bed, dat heftig schudde. En op het moment dat het eerste olijfkleurige stukje huid van haar vurige Latijns-Amerikaanse minnaar zichtbaar werd, werd de langzame cameravoering van haar gedachten onderbroken door een uiterst agressief getoeter, waardoor haar gezichtsveld veranderde in de passagiersstoel van een burgerpolitieauto die van Kungsholmen naar een motel ergens in een voorstad ten zuiden van Stockholm reed.

Zo kan het verkeren.

Kerstin Holm produceerde een zeldzaam grove verzameling scheldwoorden, draaide zich om en zei: 'Sorry'.

Sara Svenhagen trok een grimas en slaagde erin haar blik te richten op haar oudere collega achter het stuur.

'Ik heb geen idee waarvoor je je excuses aanbiedt', antwoordde ze eerlijk.

Kerstin Holm nam haar op en glimlachte besmuikt.

'Drie keer raden waar je aan zat te denken', zei ze en ze stak haar middelvinger op naar een verbaasde oude man met een geruite pet in een zilverige Volkswagen Jetta.

'Wat deed hij?' vroeg Sara Svenhagen, nog steeds slaapdronken.

'Hij liet zien dat rijbewijzen een uiterste houdbaarheidsdatum hebben. Niet proberen van onderwerp te veranderen. Volgens mij

was je in de slaapkamer van een pas gekocht driekamerappartement in Birkastan. Klopt dat?'

Sara glimlachte flauw en voelde zich betrapt. Kerstin knikte
zelfgenoegzaam, hanneste wat met een vastzittend doosje met
mondtabak, en slaagde er uiteindelijk in een zakje tabak onder
haar lip te stoppen.

'En je hebt nog niet verteld hoeveel het heeft gekost.'

'Het verkeerde in behoorlijk slechte staat ...'

'Precies. Die versie is nieuw voor me. Heel fraai. Vroeger kreeg
ik te horen: "We hebben met twee huurwoningen geruild", "De
vierkantemeterprijs was verrassend laag", en het cryptische: "Een
tweede hypotheek is nu heel gunstig". Ik wil een getal horen.'

'Twee komma twee.'

'Dank je', zei Kerstin Holm en ze gaf dankbaar gas.

'Inclusief twee huurwoningen. Waarvan een in Rågsved.'

'Dat klinkt niet duur.'

'Het is een goeie prijs. De vierkantemeterprijs was verrassend
laag. En het verkeerde in behoorlijk slechte staat.'

'Wat heb je voor je tweekamerflat in Surbrunnsgatan gekregen?'

'Die heb ik niet zwart verkocht. Ik heb geruild. Een huurwo-
ning tegen een koopwoning.'

'Jij bent degene die het over zwart verkopen heeft. Het kwam
recht uit het hart.'

'Driehonderdduizend. En die vreselijke eenkamerwoning in
Rågsved van Jorge zagen ze meer als een straf. Een last.'

'Dus het was meer dan twee en een half miljoen?'

'Bijna. We waren van plan om volgend weekend een inwijdingsfeestje te geven. Wat denk je?'

'Leuk.'

'Met partners.'

Kerstin Holm gaf iets minder dankbaar gas.

'O, wat formuleer je dat subtiel', zei ze grimmig. 'O, wat een
geraffineerde verhoortechniek.'

'Vertel nou maar', zei Sara Svenhagen en ze draaide zich om. Voor haar gevoel had ze nog nooit iemand ontmoet die zo trots was als Kerstin Holm. Zelfs haar profiel, het donkere, elegant warrige haar, de scherpe rimpels, alles ademde een soort verheven trots, waar ze, ja, bewondering voor had. Het was bijna een jaar geleden dat Sara Svenhagen bij het A-team was gekomen, en ze hadden al meerdere malen samengewerkt, maar ze voelde zich nooit echt, echt gelijkwaardig aan haar. Kerstin Holm was in haar ogen de beste ondervrager van het politiekorps, en ze kon veel van haar leren. Maar het was soms lastig dat ze recht door je heen keek. Na een gesprek met Kerstin had je eigenlijk geen geheimen meer. Alles kwam er altijd uit. En met Kerstin zelf was het precies andersom: zij bleef een groot mysterie. Daarom voelde het goed dat ze het gesprek een andere wending had gegeven. Ook al had ze het volledig in de gaten.

'Ik kom alleen', zei Kerstin Holm en ze drukte het gaspedaal van de oude Volvo op de E4 bij Västbergapåfarten nog eens extra in. 'Als het mag.'

Daarmee was het gesprek ten einde.

Het was even stil. Beiden zochten ze naar een gespreksonderwerp. Dat ging niet helemaal vanzelf. Soms was het lastig. Sara wist dat Kerstin ooit, in een ver verleden, iets had gehad met de getrouwde Paul Hjelm, de partner en beste vriend van haar man Jorge Chavez.

Het kroop een beetje door elkaar allemaal.

'Klopt het dat hij de enige zwarte in de buurt is?' zei Kerstin Holm uiteindelijk.

Het ijs was gebroken. Ze lachten even. Vrouwengelach. Een prettig gevoel.

'Helemaal waar', zei Sara Svenhagen en ze gooide het over een andere boeg: 'Waar gaan we eigenlijk heen?'

'Geen flauw idee', zei Kerstin Holm en ze lachte even. 'We gaan naar het Norrboda Motell in Slagsta. Het asielzoekerscentrum zit vol en daarom heeft de immigratiedienst dat motel gehuurd.

Sinds vanmorgen is een aantal asielzoekers uit het motel verdwenen. En omdat de hele boel naar internationale criminaliteit riekt, hebben wij de zaak gekregen. Voorzover het een zaak is. Meer vragen?'

'Waar riekt het dan naar?'

'Het motel kon zichzelf blijkbaar iets té goed bedruipen. Er zou sprake zijn van smokkel. Vooral door Russen en Balten. Maar er zijn ook aanwijzingen dat er prostitutie werd bedreven. En een aantal van de vermiste personen werd verdacht van prostitutie.'

'Hoeren dus, die in de illegaliteit zijn verdwenen?'

Kerstin Holm trok een grimas en terwijl ze op deze kille maar mooie middag in mei Skärholmen passeerde.

'Dat lijkt er wel op', gaf ze onwillig toe.

'Wie heeft het gemeld?'

'De directeur, blijkbaar. Tegen wie een aantal verdenkingen liep. Ene Jörgen Nilsson.'

'Wat voor verdenkingen?'

'Horen, zien en zwijgen. Maar alle verdenkingen tegen hem zijn nu opgeheven. Met deze melding wil hij vast laten zien dat hij aan de goede kant staat.'

Sara Svenhagen leunde achterover in de doorgezakte passagiersstoel van de oude Volvo. Ze moest toegeven dat ze de beginselen van het Zweedse immigratiebeleid niet helemaal begreep. Vanuit bepaalde landen, vooral in de EU, kon je tamelijk makkelijk het land in komen. Dan kon je heel snel een Zweeds staatsburger worden. Maar vanuit andere landen leek het domweg onmogelijk om te immigreren. Om een kans te maken moest je asiel aanvragen en aanspraak maken op een vluchtelingenstatus, maar dan moest je er wel voor zorgen dat je onderweg geen andere landen had aangedaan. Mocht je dit allemaal hebben klaargespeeld, wat op zijn beurt steeds meer doden eiste – mensen stikten in containers of droogden uit in scheepsruimen – dan belandde je in een asielzoekerscentrum en werd je zaak getoetst. Door een combinatie van steeds meer asielzoekers, strengere regels en toenemende personeelsinkrimpingen werden de wacht-lijsten absurd lang en raakten de asielzoekerscentra overvol, zodat de opvang uitbesteed moest worden, vaak aan tweederangs motels en hostels. Daar zaten mensen die de vreselijkste dingen hadden meegemaakt, jarenlang te niksen. Sara begreep niet hoe deze mensen later geacht werden mondige burgers te worden, en ook niet hoe de meesten daar nog in slaagden ook.

Toch had ze geprobeerd zich in de kwestie te verdiepen. Niemand kon er zich nog aan onttrekken. De Nationale Immigratie-dienst zou vanaf 1 juli dit jaar de Migratiedienst gaan heten. Het idee was de migratie, de volksverhuizing en het in het migratie-beleid opgenomen vluchtelingenbeleid, immigratiebeleid, inte-gratiebeleid en terugkeerbeleid in zijn totaliteit te benaderen. Het laatstgenoemde was een recente creatie. Het concept 'tijdelijke vluchteling' was iets van de laatste tijd, met name in verband met de Balkanoorlog. Mensen mochten een tijdje blijven tot het veilig was om terug te keren, en als je terugging kreeg je een bescheiden bedrag mee als dank voor het feit dat je niet zo'n grote belasting voor de maatschappij was geworden als wanneer je was gebleven. Op deze manier kreeg het een aura van vrijwilligheid. Wat een pertinente leugen was.

De essentie van deze nieuwe kijk op migratie was in elk geval – als Sara het goed begrepen had – dat terugkeer een even belangrijk element werd als integratie. Dit zei veel over de normen en waarden van de huidige samenleving. Vond ze.

De oude Volvo arriveerde in Slagsta, dat tegen Mälaren aan-geklemd lag als een kleine kunstmatige idylle voor zorgwekkende namen zoals Fittja, Alby, Norsborg en Hallunda. In elk geval stond er het afzichtelijk lelijke Norrboda Motell, een langgerekt, vijf verdiepingen hoog gebouw in de subtielste jarenzeventig-architectuur. De twee vrouwelijke rechercheurs stonden er een tijdje met open mond naar te kijken. Beiden eisten, tegelijkertijd, onmiddellijk een kijkje in het brein van de architect. En ver-moedelijk was dat precies wat ze kregen toen ze de eenvormige gangen in liepen, met een weerzinwekkend urinegeel tapijt en bijpassend, oud, vergeeld ziekenhuisbehang op de muren en het plafond. Dit was dus het beeld dat de nieuwe Zweden gegeven moest worden van hun eventuele nieuwe vaderland.

Waarschijnlijk was het een actief onderdeel van het terugkeerbeleid.

De directeurskamer vonden ze achter de lege receptie; het was een motelkamer als alle andere. Jörgen Nilsson ontving hen met nerveuze hartelijkheid. Sara herkende het type meteen. Een jarenzestigidealist, die de maatschappij in de kern had willen veranderen, maar ongemerkt was getransformeerd tot een bureaucratische gevangenbewaarder. Met zo'n verbitterde grijns in zijn baard ...

Nee, dat was niet eerlijk. Hij deed vast zijn best.

Ze namen plaats op de hun aangewezen stoelen in de volstrekt anonieme kamer. Jörgen Nilsson ging op de rand van zijn bureau zitten en ving aan met de energie van iemand die zichzelf wilde rechtvaardigen: 'Vier kamers zijn leeg. In elke kamer woonden twee vrouwen. Acht verdwenen asielzoekers.'

'Wat betekent "verdwenen"?' vroeg Sara Svenhagen onschuldig.

'Dat ze zich vanmorgen hadden moeten melden,' zei Jörgen Nilsson en hij keek haar verbaasd aan, 'maar dat ze dat verzuimd hebben. Ik ben hun kamers binnengegaan – die liggen naast elkaar – en ik heb geconstateerd dat ze weg waren.'

Kerstin Holm vond dat ze zich nader moest verklaren.

'We zijn van de rijksrecherche', zei ze. 'Normaal gesproken houden we ons niet bezig met vluchtelingenzaken.'

'Rijksrecherche?' riep Jörgen Nilsson uit en hij trok opvallend bleek weg. 'Het gaat toch alleen maar om een paar ... vrouwen die in de illegaliteit zijn verdwenen? Dat gebeurt bijna dagelijks in Zweden.'

'Maar dat is hier iets te veel en te vaak gebeurd, nietwaar?'

'Ik ben vrijgepleit van alle beschuldigingen. Het waren verbitterde, afgewezen asielzoekers die aangifte tegen me hadden gedaan. Volledig ongegrond. En dat weten jullie maar al te goed.'

Sara Svenhagen ging verzitten en zei: 'Wat wilde je eigenlijk zeggen in plaats van "vrouwen"?'

Jörgen Nilsson staarde haar onnozel aan. 'Wat!' riep hij uit. 'Allemachtig, hebben jullie niks beters te doen?'

'Je wilde iets anders dan "vrouwen" zeggen. Je stopte even met praten alsof je een ondoordacht woord inslikte. Welk woord?'

In haar ooghoek ving ze de goedkeurende blik van Kerstin Holm op. Dat deed haar goed.

'Ik weet niet waar je het over hebt', zei Nilsson. Hij stond op van zijn bureau en begon wat te ijsberen op de weinige vierkante meters van zijn kantoor. Het zag er gekunsteld uit.

Kerstin Holm stopte een zakje mondtabak onder haar lip. Toen pakte ze een papiertje uit haar zak en vouwde het met een malicieuze traagheid open. Uiteindelijk las ze: 'Vorig jaar september zijn jullie hier ingetrokken. In oktober werd hier een Russisch-Litouwse sigarettensmokkelaar ontmaskerd. In december was er sprake van illegale Coca-Colatransporten uit Turkije. In februari zijn er een paar Gambianen opgepakt met enorme hoeveelheden rookheroïne op hun kamer. En in maart waren er beschuldigingen van prostitutie. Het was zeker het woord "hoeren" dat je inslikte?'

Jörgen Nilsson bleef ijsberen in het kleine kamertje. Ondanks zijn geëxalteerde toestand leek hij druk bezig alle voor- en nadelen tegen elkaar af te wegen. Toen kwam hij tot een besluit. Hij bleef staan en liep toen weer naar de rand van zijn bureau.

'Ja', zei hij en hij keek Kerstin Holm strak aan. 'Jullie begrijpen vast wel hoe moeilijk het kan zijn om beslissingen te nemen. De asielzoekers zitten maandenlang, vaak jarenlang, opgesloten. Maar zij moeten in die periode toch ook een seksleven hebben? Het is sowieso al een kruitvat, en als je dan ook nog hun seksleven op de een of andere manier inperkt, ontploft de boel. Maar soms wordt het aantal partners wel erg groot. Om het zo maar te zeggen. Als je ze aangeeft kun je ze net zo goed meteen het land uit gooien. Ik probeer tolerant te zijn. En inderdaad, ik heb af en toe iets te veel door de vingers gezien. Dat was mijn vorm van burgerlijke ongehoorzaamheid. Allemachtig, ik ben toch geen kampbewaarder.'

'Jij bent ook niet degene die we zoeken', zei Holm en ze voelde ineens sympathie voor de gefrustreerde man. 'We zijn bang dat er iets met de vrouwen is gebeurd. Waarom zouden ze in de illegaliteit verdwijnen als ze hier – met jouw goedkeuring – hun activiteiten relatief ongestoord konden bedrijven? De kamers zijn immers gratis?'

'Maar het is natuurlijk wel mogelijk dat ze een soort huur betaalden', zei Sara Svenhagen met een blik naar Kerstin Holm, die misprijzend keek. Maar het was duidelijk dat ze de gedachte afkeurde, niet de vraag.

Jörgen Nilssons uitbarsting werd voorafgegaan door een onzekere blik. Toen kwam het: 'Word ik soms ergens van beschuldigd? Zeg maar eerlijk wat jullie hier komen doen. Beschuldigen jullie me serieus van seksuele uitbuiting van asielzoekers? Gooi het er maar uit. Denken jullie dat ik acht vrouwen in mootjes heb gehakt en opgegeten heb? Zeg het maar.'

Sara voelde dat ze misschien – heel, heel misschien – een stap te ver was gegaan. Ze had vrijwillig, zonder erbij na te denken de rol van *bad cop* op zich genomen. Dat was vanzelf gegaan.

'Zoals we al zeiden, ben jij niet degene die we zoeken', zei ze beleefd. 'Maar het is belangrijk dat je best doet en goed nadenkt. Denk goed na. Is er de afgelopen dagen iets ongebruikelijks gebeurd? Wat is er gisteravond, vannacht, vanmorgen gebeurd? Wie van de buren kan iets gezien hebben? Wie weet dat het een bordeel is? Welke klanten ken je? Hebben ze een pooier?'

Kerstin wachtte tot Sara klaar was. Toen stond ze op, schoof een blocnote en een pen naar Jörgen Nilsson toe en zei: 'De sleutels van de kamers, graag. Dan gaan wij een kijkje nemen en jij beantwoordt ondertussen de gestelde vragen. Ook willen we dat je ons zo veel mogelijk informatie geeft over de vermiste vrouwen.'

Kerstin kreeg de sleutels en toen ze de directeurskamer verlieten, hoorden ze heel duidelijk het gekras van een pen op papier, bezeten, als van iemand met het mes op de keel.

De twee rechercheurs liepen met een uitgestreken gezicht door de gang, tot ze om de hoek waren, bij de trap. Toen begonnen ze als schoolmeisjes te giechelen. Toen ze de trap op liepen, zei Kerstin Holm streng: 'Het is belangrijk dat je best doet en goed nadenkt.'

'Dat was het eerste wat bij me opkwam', zei Sara een tikje zelfingenomen en ze haalde haar hand door haar blonde gemillimeterde haar. 'Wat voor reden zou hij kunnen hebben om te verzwijgen dat er prostitutieactiviteiten plaatsvinden in het asielzoekerscentrum?'

'Net op het moment dat ik hem aardig begon te vinden. Ik geloofde dat van die burgerlijke ongehoorzaamheid echt. Ik, oud wijf, ben naïever dan jij. Doodeng.'

'Dat moet je niet zeggen. Al die ellende die ik heb gezien toen ik met pedofielen werkte ... Dat is niet iets om jaloers op te zijn. En je bent geen oud wijf.'

'Jawel', zei Kerstin Holm bloedserieus.

Ze kwamen bij de kamers, vier deuren naast elkaar, midden in een ogenschijnlijk eindeloze gang op de tweede verdieping. Kamer 224, 225, 226 en 227. Na wat gehannes met de sleutels stonden ze in de eerste kamer, 224. Twee onopgemaakte bedden, elk tegen een muur, een leeg bureau, een paar wijd openstaande, lege kledingkasten, afschuwelijke tl-buizen aan het plafond en overal hetzelfde pisgele tapijt en oud, vergeeld ziekenhuisbehang. Het was duidelijk dat sfeer geen onderdeel vormde van hetgeen het bordeel te bieden had. Hier werd rauwe seks verkocht, niets meer of minder. Zelfs de leeslampjes waren tl-buizen.

Ze stonden een tijdje na te denken.

'Wat zegt je intuïtie?' vroeg Kerstin, net zozeer aan zichzelf als aan Sara. 'Is het de moeite waard om de technische recherche hiernaartoe te halen? Zijn deze vrouwen gewoon verdwenen? Of is hen iets overkomen? Sara?'

'Vingerafdrukken, sperma …' dacht Sara hardop. 'Tja … Zullen we eerst die andere kamers bekijken?'

De andere kamers waren opmerkelijk identiek. Ze waren amper van elkaar te onderscheiden. Het was als in een klassieke nachtmerrie: welke deur je ook opende, je kwam steeds weer in dezelfde kamer.

Ze wisten dat er vele en langdurige verhoren nodig zouden zijn om een idee te krijgen van wat er was gebeurd. En dan zou het voor de technische recherche te laat zijn. Ze moesten op hun intuïtie afgaan. De kamer inademen. Proberen een spoor te vinden van wat zich hier had afgespeeld.

Ze dachten aan het decreet van hogerhand – dat wil zeggen van de afdelingschef bij de rijkspolitie, Waldemar Mörner – waarin de werknemers werd opgedragen zo min mogelijk gebruik te maken van de diensten van het gerechtelijk laboratorium, omdat, zo stond er letterlijk, 'hun nota's op voorhand gepeperd zijn'.

Ze bleven staan om de sfeer te proeven. Toen knikten ze allebei tegelijkertijd.

'Inderdaad', zei Kerstin Holm. 'Helemaal normaal is het niet.'

'Nee', zei Sara Svenhagen. 'Helemaal normaal is het niet.'

Dus de technische recherche werd erbij geroepen, wat nog niet zo eenvoudig was, omdat die op een andere plek aan het werk was.

'Skansen?' riep Kerstin Holm in haar mobiele telefoon. 'Wat moeten ze daar in hemelsnaam? Veelvratenpoep? Ach, zeker te veel Ellroy gelezen …'

Ze verbrak de verbinding met haar chef, commissaris Jan-Olov Hultin, en schudde haar hoofd. Het deed nog steeds een beetje pijn als ze haar hoofd schudde. Krap een jaar geleden was ze door een kogel getroffen, waardoor haar schedel bij haar linkerslaap nu flinterdun was. Er wilde op die plek geen haar meer groeien. Bijna ongemerkt bevoelde ze de kale plek, die het warrige, zwarte haar met enige moeite wist te bedekken.

'Vraag maar niks', was het enige wat ze zei terwijl ze de deuren op slot deed en langzaam de trap af begon te lopen.

Toen ze in de directeurskamer kwamen, had Jörgen Nilsson al tien A4'tjes volgeschreven. Ze keken elkaar kreunend aan.

Het zou nog een lange middag worden.

6

Commissaris Jan-Olov Hultin stond in de file en probeerde uit te rekenen hoelang hij in zijn leven in de file had gestaan. Toen de getallen astronomische hoogten dreigden te bereiken, staakte hij zijn activiteiten. Alles wees erop dat hij zeker meer dan een jaar in de file had doorgebracht. Die gedachte was onverdraaglijk. Hij was drieënzestig jaar en van die drieënzestig jaren had hij er één doorgebracht in de file. Dat was vermoedelijk wat ze vooruitgang noemden.

Hij draaide de E4 op bij Norrviken in Sollentuna, omdat hij op een uiterst gewild strandje aan het Ravalen-meer woonde. Nog steeds kwamen er zwaar criminele makelaars langs, die het stukje land voor een afbraakprijs wilden kopen. De laatste had hij met een vlijmscherpe hark weggejaagd. De zwaar criminele makelaar had in zijn broek geplast en met huilerige stem uitgeroepen: 'Gereedschapsmoordenaar!' Daarna had Jan-Olov Hultin de rest van de dag spijt gehad. Nog geen jaar geleden had hij iemand gedood. In een hotelkamer in Skövde. Ook had hij zijn dienstpistool in de mond van een ongewapende man gestopt, en het had maar weinig gescheeld of hij had hem ook doodgeschoten. Arto Söderstedt had hem tegengehouden. Daarvoor stond hij diep bij hem in het krijt. Dat hij hem daarom zonder aarzelen een paar maanden had vrijgegeven, was vanzelfsprekend geweest, ook al was het in strijd met alle regels en richtlijnen.

Het gebeurde vaak, veel te vaak, dat Hultin weer in die hotelkamer in Skövde was. Je kon het misschien een droom noemen, en dat was het vermoedelijk ook. Maar het voelde niet zo. Hij was er écht. Het was heel merkwaardig. Alles wat er was voorgevallen, elk detail, werd herhaald. En het opmerkelijke was dat hij de hele tijd precies wist wat er zou gaan gebeuren. Toch kon hij er niets tegen doen. Hij had geen andere keus dan elke nacht weer, zich volledig bewust van wat er zou gaan komen, alle gebeurtenissen opnieuw te beleven. Paul Hjelm had een crimineel gedood en werd in zijn arm geschoten, Kerstin Holm werd in haar hoofd geraakt, en Jan-Olov Hultin had iemand gedood en zijn pistool in iemands mond gestopt.

Het was niet makkelijk om een mens te doden.

De gebeurtenissen in Skövde waren onderdeel van een opmerkelijke, gecompliceerde en opvallende reeks misdrijven van de afgelopen zomer. De zaken waarop het A-team daarvóór was gezet, hadden de media eenvoudig kunnen samenvatten als de 'Machtsmoorden' en de 'Kentucky-moordenaar', maar de derde zaak was moeilijker, en gelukkig had de pers er niet voortdurend bovenop gezeten. Het werd een lappendeken van eigenaardige benamingen, zoals 'De explosie in Kumla', 'De slachtpartij in Sickla', 'De beschieting in Skövde', 'Het Hornstull-incident'. En zelfs de oplettendste lezer was er niet in geslaagd de losse incidenten tot één geheel te smeden.

Maar het bestond wel degelijk. En het was geen fraai geheel.

Het was voor iedereen moeilijk geweest om weer aan de slag te gaan. Nadat Hultin gedwongen met pensioen was gegaan, was hij teruggekomen als de operationele chef van het A-team. Dat was iets wat hij de formele chef van het team, Waldemar Mörner, nooit zou vergeven.

Soms gebeurde het dat hij al in de file stond als hij in Norrviken de E4 op reed. Dat waren slopende ochtenden. Op deze vroege ochtend in mei duurde het gelukkig tot Ulriksdal voordat hij weer klem zat in de file. De regen kwam met bakken uit de hemel en hij stond volledig stil en was chagrijnig.

Niet in de laatste plaats omdat hij in zijn broek had geplast.

Alhoewel, dat gebeurde voortdurend. Hij droeg een luier die speciaal voor dat doeleinde was gemaakt. Hij leed aan chronische incontinentie en had geen andere keus dan door de zure appel heen bijten. Hij kon stoppen en zich ziekmelden, of er lak aan hebben. Het negeren. Hij koos voor het laatste.

Maar hoe meer hij erover nadacht, hoe duidelijker het verband werd tussen zijn kwaal en zijn oplaaiende woede-uitbarstingen, die tot een jaar geleden hooguit tot een paar kapotte wenkbrauwen hadden geleid, maar vervolgens waren geëscaleerd en in Skövde een climax hadden bereikt. Toch was het hem het afgelopen jaar, met uitzondering van het gereedschapsmoordenaarincident, gelukt zich aan zijn principe te houden van *live and let live*. Ook ten aanzien van het onkruid in zijn tuin, dat tierde als nooit tevoren.

Na de laatste zaak zou het niet vreemd zijn geweest als zijn collega's waren gestopt; hij had erg veel van hen gevergd. Gelukkig was iedereen gebleven, en nog in leven.

Het was hem opgevallen dat hij hen steeds meer als zijn kinderen begon te zien. Hij wist dat dat niet goed was. Hij, die meer dan wie dan ook het vermogen bezat werk en privé te scheiden, merkte dat hij op zijn oude dag steeds sentimenteler werd. Ze hadden erg veel meegemaakt samen, en de onderlinge band was hechter dan bij elk ander team waarmee hij had gewerkt.

Hij had zijn mening herzien.

Gedurende een kort moment van meedogenloze eerlijkheid stelde hij vast dat hij Paul Hjelm en Kerstin Holm, Jorge Chavez en Arto Söderstedt, Viggo Norlander en Gunnar Nyberg, en zelfs nieuwkomer Sara Svenhagen, de liefallige dochter van Barse Brynolf, meer als zijn kinderen zag dan zijn eigen zoons, beiden vrijgezel en echte zakentijgers, die hooguit met Kerst langskwamen en dan alleen maar op de klok keken en in hun mobiele telefoon zaten te praten.

Jan-Olov Hultin zonk weg in een troebele poel van gemengde emoties. Maar toen moest het afgelopen zijn met dat gevoelsgedoe, want ineens was hij bij het politiebureau. Waar de tijd was gebleven, zou hij – hoe uitmuntend hij ook was als speurder – nooit te weten komen. Dit soort gaten in de tijd zouden een van de grote raadsels van het leven blijven.

Auto werd geparkeerd. Commissaris wandelde door het politiebureau. Commissaris kwam bij zijn kamer. Aktentas werd naast het bureau gezet. Horloge werd geraadpleegd. Toilet bezocht. Luier verschoond. Schilfertje uit linkeroog verwijderd. Gang werd betreden. Deur werd geopend. Commandocentrum van de strijdkrachten leeg. Stop.

De wereld kreeg een telegramvorm als dingen routine werden. Maar nu stond alles stil. Stop. Waar was zijn team? Waarom was het trieste vergaderzaaltje, dat – niet geheel ironisch – het 'commandocentrum van de strijdkrachten' werd genoemd, helemaal leeg?

Commissaris Jan-Olov Hultin raadpleegde wederom zijn horloge. Het was drie minuten over half negen. Om half negen zou de ochtendbriefing beginnen. Hoewel het A-team geen wonder van tijdsprecisie was, zou er toch op zijn minst één iemand moeten zijn.

Met ferme passen liep Hultin naar zijn katheder, waar hij de gewoonte had tot diep in de nacht te zitten niksen, als een middelbareschoolleraar die weigerde met pensioen te gaan. Hij nam de hoorn van de haak en draaide het nummer van de tijdmelding. Een menselijke, veel te menselijke stem zei: 'Acht uur, zestien minuten en tien seconden. Ting.'

Alhoewel, 'ting' zei ze vermoedelijk niet.

Nu begon Jan-Olov Hultin na te denken over zwarte gaten in het ruimte-tijdcontinuüm, gravitationele tijdsdilatatie en dat soort dingen. Was hij terwijl hij in de troebele poel van gemengde emoties aan het zwemmen was naar een andere, parallelle tijd gereisd? In veertig jaar tijd had zijn horloge van het Zwitserse kwaliteitsmerk Patek Philippe nooit meer dan een paar seconden afgeweken. Ineens liep het een kwartier voor. En dat precies in de tijd die verdwenen leek te zijn. Hij rilde even en liet zijn gedachten weer wegglijden. Het is bekend dat de tijd in een zwaartekrachtsveld langzamer verloopt dan daarbuiten. Hoe zwakker de zwaartekracht hoe sneller de tijd. Een klok op de Mount Everest loopt sneller dan een klok in de Marianentrog. En wat er bij heel hoge snelheden met de tijd gebeurt, heeft Einstein met de relativiteitstheorie al aangetoond, maar zo snel bewogen de files in Stockholm zich niet voort. Stel dat het andersom was. Stel dat de file zo tegennatuurlijk langzaam was dat deze de zwaartekracht een moment lang had opgeheven, waardoor de tijd sneller ging. Stel dat God had gezegd: 'Kinderen, nu moet die idioterie eens ophouden. Jullie zitten in je eentje in auto's die CO_2 uitstoten die de wereld verpest. Bovendien komen jullie zo nooit een steek verder. Ik ga jullie een teken geven dat jullie moeten ophouden zo raar te doen en op zijn minst moeten gaan carpoolen. Met minstens drie mensen in een auto mogen jullie gebruikmaken van de busbaan.' Aldus sprak De Machtige tegen De Niet Zo Machtige, die nu opkeek en twaalf min of meer oplettende ogen op zich gericht zag. Hij keek op zijn horloge. Die stond op drie minuten over half negen. En de secondewijzer liep gewoon.

Heel even twijfelde Jan-Olov Hultin. Hij begreep dat hij voor een cruciale keus stond. Er was een parallel met zijn incontinentie. Hij had zich er volledig door kunnen laten beheersen. Hij had zijn leven kunnen wijden aan het zoeken naar verklaringen waarom juist hij getroffen had moeten worden door deze gemene, malicieuze, continu gênante toestand. Maar hij wist dat hij er toch nooit een verklaring voor zou vinden. Hij wist dat hij in een oneindige regressie terecht zou komen van trooposteloze overpeinzingen, die naar alle waarschijnlijkheid zouden eindigen met een verslaving of zelfmoord. Hij had het ondoorgrondelijke spel van het lot geaccepteerd, een luier omgedaan en zijn leven voortgezet.

En nu? Had hij echt een mysterieuze ervaring gehad? Een moderne variant van Meester Eckhart of de Heilige Franciscus? Of was zijn oude horloge gewoon op hol geslagen?

Wat was er met de tijd gebeurd?

Hij nam een besluit. Hij zou het horloge laten nakijken. En als het weer gebeurde, zou hij een CT-scan laten maken om te kijken of hij op het punt stond een beroerte te krijgen.

Want de stem van God had opvallend veel op zijn eigen stem geleken.

Hij liet zijn blik over het A-team glijden, schraapte zijn keel, bladerde door de stapel papieren voor hem op de katheder en zei met doodnormale stem: 'Zo, beste mensen, de taken voor vandaag.'

Hij keek tersluiks door zijn uilenbril naar hen om te zien of ze iets aan hem hadden gemerkt. Hij zag niets bijzonders aan ze. Niets wees erop dat iemand van hen iets ongewoons had gezien. Hij haalde diep adem en ging verder: 'Gisteren is, zoals bekend, voor het eerst sinds lange tijd een aantal bijzondere dingen gebeurd. Niemand van jullie heeft geaarzeld om ruimschoots gebruik te maken van de technische recherche, en de rekening zal Mörner zwaar op de maag liggen. Maar jullie hadden natuurlijk helemaal gelijk. Dit betekent dat we nu drie lopende zaken hebben; Viggo en Gunnar hebben namelijk de veldslag in de forenzentrein op zich genomen. Schiet dat al een beetje op, Gunnar?'

Voordat Jan-Olov Hultin zijn blik op Gunnar Nyberg richtte, liet hij deze eerst over zijn horloge glijden. Het stond op vijf minuten over half. De tijd volgde zijn normale koers weer.

De daaropvolgende aanblik van Gunnar Nybergs gezicht was bijna net zo'n grote schok als anders. Alhoewel, niet helemaal. Boven alle verwachting begon Hultin er gewend aan te raken dat de Dikste Politieman van Zweden troonsafstand had gedaan. Van de 146 kilo waren er nu ruim honderd over. Gunnar Nyberg had het onmogelijke voor elkaar gekregen: hij was afgevallen. En aangezien de voormalige Mr. Sweden iets zelden maar half deed, was hij meteen fiks afgevallen. Veertig kilo. En daartoe had hij geen middel onbenut gelaten: natuurvoeding, joggen, zwemmen, zelfs acupunctuur en zonetherapie. Erg indrukwekkend.

Nyberg wist ongetwijfeld dat iedereen, zonder uitzondering, zijn allesoverheersende motivatie hiervoor doorzag; men hielp hem zelfs een handje. Met weinig succes, tot dusver.

Hij had een vrouw nodig.

Jawel, een aantal leden van het A-team had hem gekoppeld aan singles in hun kennissenkring. Hij had een paar dates gehad en begon een beetje genoeg te krijgen van de vele Anglo-Amerikaanse uitdrukkingen waarmee zijn ontmoetingen met het andere geslacht werden omringd. Van het andere geslacht had hij daarentegen allerminst genoeg. Integendeel. Aan een twee decennia lang celibaat, dat hij zichzelf had opgelegd, kwam een einde; Gunnar Nyberg hoefde zichzelf niet langer te geselen als een middeleeuwse monnik. Hij had zich verzoend met zijn kinderen en zelfs met zijn ex-vrouw, die hij toen hij nog bodybuilder was in door doping veroorzaakte vlagen van paranoia, vreselijk had mishandeld. Hij ging veelvuldig op bezoek bij zijn kleinzoon Benny in Östhammar, die bijna drie was en er bovendien een zusje bij zou krijgen, wat de echo onbedoeld had onthuld.

Helaas moest hij toegeven dat de dame die de twijfelachtige eer had gehad hem van zijn celibaat te bevrijden aan zijn herinnering was ontsnapt. Niet alleen kon hij zich haar naam niet meer herinneren, hij kon zich niet eens meer herinneren hoe ze eruitzag. Hij was zo zenuwachtig geweest dat hij niet wist waar hij het moest zoeken in zijn oude vrijgezellenflat bij de kerk van Nacka, waar hij de laagste bas in het kerkkoor zong. Wel herinnerde hij zich dat Viggo Norlander erachter zat. Ze was een collega van Viggo's nieuwe vriendin, Astrid, in het Rijksarchief, een vrouw van ruim veertig. Ze hadden bij hem thuis afgesproken om daarna samen uit eten te gaan in het centrum van Nacka, zoveel wist hij nog, maar verder liet zijn geheugen hem in de steek. Voorzover hij wist waren ze nooit naar het restaurant gegaan. Hij herinnerde zich vaag onverwachte, spontane seksuele handelingen. Verder ging zijn herinnering niet. Ze hadden elkaar nooit meer gezien, en de enige indruk die hij nog had, was de opmerking van Viggo Norlander een paar dagen later, die hij met een veelzeggende glimlach had uitgesproken: 'Ze ligt nog steeds plat, ouwe schurk.'

Vermoedelijk was het als een compliment bedoeld en niet als

kritiek, maar Gunnar had geen idee. Voor de zekerheid had hij niet weer met haar afgesproken. Wel ontmoette hij andere vrouwen, en hoe dunner hij werd, hoe meer zijn zelfvertrouwen toenam, en nu was hij zover dat hij alleen nog maar uitkeek naar de vreugde die het andere geslacht te bieden had. Hij was klaar om zich te binden.

Hij schraapte zijn keel en zei: 'Jullie kennen de details van de zogeheten veldslag in de forenzentrein. In de nachttrein die uit Kungsängen vertrekt, kliederen drie doorgewinterde graffitispuiters een hele wagon onder waar een groep alcoholisten in zit. Vijf rasechte alcoholisten van een jaar of veertig zijn moreel verontwaardigd over de vernielingen en gaan de graffitispuiters te lijf, goedgetrainde jongens van rond de twintig. Het wordt een enorm slagveld. Twee alcoholisten lopen een hersenbeschadiging op, een graffitispuiter komt te overlijden en de rest raakt min of meer gewond. Als de trein stopt in Karlberg stapt een vijfenzestigplusser met een schoothondje midden in een bloedbad. De zaak is zo saai als hij klinkt, puur politieel gezien dan. Ik hoop dat de recente gebeurtenissen stimulerender zullen zijn. Viggo en ik hebben niks nieuws te melden. Alle betrokkenen zijn aangehouden en voor de rechter verschenen. Behalve de vijfenzestigplusser, die een hartaanval kreeg en nu pas buiten levensgevaar is.'

Hultin wierp opnieuw een blik op zijn horloge. Alles leek normaal. Hij knikte en bedankte Nyberg.

'Dus,' zei hij, 'de veldslag in de forenzentrein kunnen we als afgesloten beschouwen. Tijd voor beestachtige marterachtigen.'

Jorge Chavez keek op van zijn papieren en wierp een blik naar Paul Hjelm, die een gelaten gebaar maakte.

'Ja', zei Chavez. 'De dieren heten niet voor niks veelvraat. Het komt van het Duitse *Vielfrass*, en ze worden zo genoemd vanwege hun mateloze gulzigheid. In de zomer eten ze kleine dieren, maar in de winter werken ze graag op zijn tijd een rendier naar binnen. Eergisteravond waren vier veelvraten in Skansen kennelijk in een winterstemming, want toen hebben deze dieren, die elk nog geen dertig kilo wegen, een man met huid en haar verslonden. Letterlijk. Het enige wat van hem over was, waren wat vezels van een lichtroze pak, een stuk van een scheenbeen met daaraan een acht millimeter dik, rood-paars gestreept polypropyleentouw, dat met een platte knoop bevestigd was, zijn rechterwijsvinger en dit.'

Hij hield een enigszins gehavende speelkaart omhoog.

Een schoppenvrouw.

'Op de schoppenvrouw zijn restanten gevonden van de substantie die vermoedelijk de grote gulzigheid van de veelvraten heeft veroorzaakt. Cocaïne. Analyses van de vlees- en bloedresten laten hetzelfde zien, namelijk dat ons slachtoffer kort daarvoor een aanzienlijke hoeveelheid cocaïne tot zich had genomen. De drugs in zijn bloed hebben bijgedragen aan de mateloosheid van de veelvraten. Het is bekend dat de ergste wreedheden in bijvoorbeeld oorlogen onder invloed van drugs worden begaan. Blijkbaar verschilt de dierenwereld wat dat betreft niet erg van de mensenwereld. De veelvraten zijn door de cocaïne simpelweg volledig op hol geslagen en er naar alle waarschijnlijkheid in geslaagd zo goed als het hele skelet op te peuzelen, inclusief de schedel. Die is in elk geval niet gevonden. Wel is het de mannen van schoonpa van het gerechtelijk laboratorium gelukt zowel een DNA-analyse als een heel acceptabele vingerafdruk te maken. Omdat geen van beide echter in de Zweedse registers te vinden was, hebben we ze doorgestuurd naar Interpol en Europol. We hebben ook geen vingerafdrukken van het slachtoffer op het hek om de veelvratenkuil gevonden. Overigens hebben we geen enkele van de aangetroffen vingerafdrukken teruggevonden in de strafregisters. De vinger, waar nogal wat sneeën in zaten, zat vol aarde, die afkomstig bleek te zijn van de aarde dicht bij de zuidhoek van de veelvratenkuil, waar het steil naar beneden loopt voor de plek voor het publiek. In de aarde op deze plek zijn zowel bloed als huidresten van het slachtoffer aangetroffen, namelijk in vijf letters die hij hoogstwaarschijnlijk met zijn vinger in de aarde heeft geschreven. Het woord, voorzover het een woord is, kan gelezen worden als: "Epivu". Hoofdletter E, de rest onderkast, kleine letters dus. Wil iemand hierop reageren?'

Niemand reageerde.

'Nee', zei Chavez. 'Wij ook niet. Internet evenmin, kan ik jullie vertellen. Geen enkele hit.'

'Tot zover de veelvratenkuil', ging Paul Hjelm verder. 'Door het touw om zijn been zijn we er te snel van uitgegaan dat hij naar de plek is gebracht, mogelijk bewusteloos of al dood. Het duurde eigenlijk te lang voor ik kon reageren. Ik kwam uit het Astrid Lindgren-kinderziekenhuis, waar ik bij een meisje was geweest dat eergisteravond vlak na tienen door een onbekende dader is beschoten. In Djurgården, niet ver ten oosten van Skansen. Als je de baan volgt die de kogel vermoedelijk heeft afgelegd, kom je bij het hek van Skansen uit ter hoogte van het wolvenverblijf. Dus de technisch rechercheurs hadden de pech dat ze hun werkzaamheden moesten uitbreiden naar de wolvenkuil. Uiteindelijk hebben ze drie dingen gevonden: het bloed van ons slachtoffer boven aan het hek, zelfs op het prikkeldraad erboven, en ook op de muur naar de plek voor het publiek aan de andere kant, een zware, kapotgetrokken halsketting van achttien-karaats goud en een 9 mm-pistool met een geluiddemper van het goede, oude merk Luger. Het magazijn was leeg. Onderzoek heeft uitgewezen dat het wapen volledig overeenkomt met de kogel die uit de bovenarm van de tienjarige Lisa Altbratt is verwijderd. Ze zal er overigens geen blijvend letsel aan overhouden.'

'Samengevat, dus,' nam Chavez het over, 'wie is onze man? Hij draagt een lichtroze, zomers pak en een zware, gouden ketting, hij snuift cocaïne van een schoppenvrouw en is gewapend met een Luger met geluiddemper. De afdruk van de enige overgebleven vinger – rechterwijsvinger gelukkig – zat op alle drie: de speelkaart, de ketting en het pistool. Dat is glashelder. Maar wat is het voor man?'

'Huurmoordenaar?' zei Nyberg.

'Drugshandelaar?' reageerde Norlander.

'Pornoster?' wierp Nyberg tegen.

'Pooier?' riepen Holm en Svenhagen tegelijkertijd.

De vrouwen keken elkaar even aan.

'Daar wachten we nog even mee', besloot Chavez despotisch. 'Het riekt in elk geval zonder meer naar de onderwereld. Hij is niet te vinden in het strafregister, dus vermoedelijk is hij een buitenlander. Als het een Zweed was geweest, waren de vingerafdrukapparaatjes vast flink gaan piepen.'

'Wat is er gebeurd?' ging Hjelm verder. 'Hij wordt opgejaagd tussen de bomen op Djurgården. Hij schiet, maar niks wijst erop dat hij behalve Lisa Altbratt iets raakt. Hij komt bij het hek en besluit erop te klimmen, terwijl er een paadje langs het hek loopt. Waar duidt dat op? Wanhoop wellicht, overduidelijke angst. Hij haalt zijn vingers open aan het hek, grijpt zonder aarzelen het prikkeldraad beet, waarvan de stekels diep in zijn handen prikken. Hij werpt zichzelf tussen de wolven, die gelukkig verzadigd bleken te zijn.'

'Ik zat te denken,' zei Kerstin Holm bedachtzaam, 'wordt hij wel door iemand achtervolgd? Kan het geen drugspsychose zijn? Het stuk touw om zijn been is het enige wat erop wijst dat er sprake is van een misdrijf. Kan er geen andere reden zijn geweest waarom hij dat droeg? Weet ik veel, als een seksueel, pornografisch sieraad? Misschien zijn het alleen zijn eigen demonen die hem opjagen en belandt hij in paniek tussen de veelvraten.'

Het bleef een tijdje stil. Chavez raadpleegde zijn papieren.

'Het touw is doorgekauwd', zei hij zacht. 'We kunnen niet aantonen dat het om beide benen zat. Het kan om één been hebben gezeten, als een sieraad. Maar', voegde hij er iets beslister aan toe, 'is dat wel waarschijnlijk?'

'Het is toch essentieel dat er andere sporen moeten zijn', vervolgde Holm. 'Die zouden overal moeten zitten, als ik me niet vergis: buiten het hek van Skansen, op het hek, bij de wolven, op de muur van het wolvenverblijf, op het asfalt tussen de wolven en de veelvraten en in de veelvratenkuil zelf. Dat laatste is misschien niet zo waarschijnlijk, maar de rest? Waarom zit zíjn bloed wel op het hek en dat van zijn achtervolgers niet? Waarom laten zij geen sporen na?'

Chavez bladerde driftig in zijn papieren. 'Zelf heeft hij ook nergens eenduidige voetsporen achtergelaten, kennelijk. De grond tussen het hek en de muur bij de wolven bestaat vrijwel helemaal uit steen. Op het asfalt zijn geen sporen gevonden, en ook niet op het hek bij de veelvraten.'

'Maar bij de veelvraten moeten er toch wel voetafdrukken van hem te vinden zijn', zei Holm. 'Hij schrijft nota bene in de grond. Die moet dan toch poreus zijn? Hoe zien de sporen bij die letters eruit?'

Chavez knikte schuldbewust.

'Tja, Kerstin. We hebben geen sporen van hem gevonden. Wel sporen van de veelvraten, een grote chaos, de sporen van de schranspartij waarschijnlijk, maar geen voetsporen. We moeten niet vergeten dat het later die nacht heeft geregend.'

'Maar niet hard genoeg om de letters uit te wissen …'

'Misschien is hij naar beneden gegooid, stevig vastgebonden', zei Paul Hjelm. 'En is hij daarbij gewond geraakt. Het enige wat hij nog kan is dat woord opschrijven, wat om wat voor reden dan ook belangrijker is dan opstaan. En dan komen de veelvraten.'

'En geen enkel spoor van de anderen?' hield Kerstin Holm stug vol. 'Zelfs niet op het scherpe hek van de wolven?'

'Nee', zei Chavez verbeten.

'Laten we toch proberen te reconstrueren wat er bij de wolven is gebeurd', zei Hjelm. 'Oké, hij gooit het pistool weg omdat hij het magazijn heeft leeggeschoten. Niet slim, maar wel begrijpelijk. Blinde woede. Maar waarom trekt hij zijn dure halsketting stuk, dat charmante verlengstuk van zijn penis, en gooit hij die bij de wolven?'

'Nog iets wat duidt op een drugspsychose', zei Holm, en Hjelm dacht haar goed genoeg te kennen om te merken dat ze Jorge inmiddels aan het plagen was, die heel donker begon te kijken. En het werd er allemaal niet beter op toen Hultin concludeerde: 'Dus we weten niet of er sprake is van een misdrijf.'

'Jawel', zei Chavez, uiterst verontwaardigd. 'Het is moord. Als dit geen moord is, gooi ik mezelf voor de veelvraten, dat beloof ik.'

Het A-team staarde hem aan. Zeker, iedereen wilde graag een echte zaak en geen veldslagen in forenzentreinen meer, maar niemand verlangde er vuriger naar dan Jorge Chavez, dat was duidelijk.

'Dat zou een leuke zomerstunt voor Skansen zijn', zei Viggo Norlander en hij snoot zijn neus. 'Lasse Berghagen die tussen de meezingliedjes "De dappere veelvratenpolitieman" presenteert.'

'Hou je kop', zei Chavez.

'Dat is toch mijn tekst?' zei Norlander.

'Laten we wel wezen', zei Holm. 'Dat onbegrijpelijke "Epivu" en het feit dat hij dat opschrijft in plaats van het vege lijf te redden, moet er toch op duiden dat hij gek is?'

'Jawel', zei Hjelm. 'Ik denk ook dat hij gek is. Hij is onder invloed en gek van angst. Maar ik denk dat zijn angst gerechtvaardigd is.'

'Zijn achtervolger is duidelijk níet het wolvenverblijf in geklommen', zei Holm. 'Is er andere manier waarop je erin kunt komen?'

Hjelm en Chavez wisselden een blik. Dat was geen fijn gezicht.

'Dat moeten we nader onderzoeken', zei Hjelm droogjes.

Hultin rechtte zijn rug en haalde diep adem, keek heimelijk op zijn horloge en ging verder: 'Dit heeft veel tijd gekost. Er is toch nog een incident dat we moeten bespreken, Kerstin?'

Kerstin Holm zag er enigszins vermoeid uit. Ze voelde aan de kale plek op haar slaap en had het idee dat haar gedachten aan de binnenkant van haar verdunde schedel aan het oplossen waren.

'Kun jij beginnen, Sara?' vroeg ze.

Sara Svenhagen, die al die tijd niets had gezegd, keek verrast. Ze zag zichzelf als Kerstin Holms ondergeschikte en had verwacht

69

haar hooguit een beetje te mogen souffleren. Ze nam een slok afschuwelijk koude koffie, trok een heftige grimas en concentreerde zich. 'Acht vrouwelijke asielzoekers die naar alle waarschijnlijkheid als prostituee hebben gewerkt, zijn eergisternacht verdwenen uit een dependance van een asielzoekerscentrum, Norrboda Motell in Slagsta, waar ze zowel woonden als werkten. De vrouwen waren zonder uitzondering afkomstig uit Oost-Europa: drie uit Oekraïne, twee uit Bulgarije, twee uit Rusland en een uit Wit-Rusland. In kamer 224 verbleven de Russinnen Natalja Vaganova en Tatjana Skoblikova, in kamer 225 de Oekraïense Galina Stenina en Lina Kostenko, in kamer 226 de Oekraïense Valentina Dontsjenko en de Wit-Russische Svetlana Petruseva, en in kamer 227 de Bulgaarse Stefka Dafovska en Mariya Bagrjana. Dat onthouden jullie vast wel allemaal. We zijn gisteren de hele dag bezig geweest, tot 's avonds laat, om met de medebewoners te praten. Kennelijk was het een publiek geheim dat het prostituees waren. We hebben behoorlijk wat namen van klanten gekregen en een redelijk goed beeld van de manier waarop ze hun werkzaamheden konden uitvoeren. De directeur, Jörgen Nilsson, kneep niet alleen een oogje dicht, er zijn ook veel aanwijzingen dat hij actief deelnam. Als klant. Ik denk dat zijn dagen in deze sector wel geteld zijn.'

Kerstin Holm had zich weer hersteld en nam het over: 'Twee vragen stonden centraal. Wanneer zijn de vrouwen verdwenen? Waren er vooraf aanwijzingen dat ze zouden verdwijnen? Meer verwachtten we op dat moment niet te weten te komen. We hebben het volgende ontdekt. De laatste weken waren de vrouwen onrustiger dan anders; iets had hen kennelijk nerveus gemaakt. Daarover zijn de medebewoners het wel eens. Naar het zich laat aanzien, waren alle acht vrouwen de hele woensdagavond in het motel. Een getuige beweert stellig dat hij hen in een vreemde taal heeft horen praten, vermoedelijk Russisch, om half drie donderdagochtend. Toen ze zich om negen uur 's morgens moesten melden, waren ze verdwenen. Niemand van de andere bewoners – en we hebben de meesten inmiddels gesproken – heeft hen zien of horen verdwijnen. Dit alles onder voorbehoud dat de meeste verhoren met behulp van een tolk zijn gehouden.'

'Maar we weten dus niet of er sprake is van een misdrijf', zei Chavez wraakzuchtig.

Holm keek hem geamuseerd aan, Svenhagen woedend. Zoals een vrouw naar haar man kijkt als hij zich kinderachtig gedraagt.

'Nee', zei Sara beheerst. 'Maar we vragen ons natuurlijk wel af of het puur toeval is dat een onbekende, pooierachtige man een paar uur voordat acht prostituees in een asielzoekerscentrum van de aardbodem verdwijnen, de dood in wordt gejaagd. Daar kun je over speculeren. Was hij misschien hun pooier? In dat geval is het heel goed mogelijk dat de hele groep door concurrenten is geliquideerd. Het is heel goed mogelijk dat de acht vrouwen niet meer leven. In dat geval hebben we te maken met een echte seksoorlog. En een oorlog tussen verschillende groepen hoeren betekent meestal ook een drugsoorlog. Of misschien was hij een concurrerende pooier, die om zeep is geholpen door de pooier van deze acht vrouwen, die vervolgens met zijn groep verdwenen is.'

'Dus, wacht even', zei Hultin en hij schraapte zijn keel. 'Waar ben je nu precies mee bezig, Sara? Bestaat er eigenlijk wel een verband tussen deze twee zaken, die misschien niet eens zaken zijn?'

'Niks concreets, nee', zei Sara overdonderd. 'Het zijn vermoedens.'

'Ik begin een beetje genoeg te krijgen van al die vage vermoedens', zei het grote opperhoofd luid en duidelijk en controleerde heimelijk zijn horloge.

'Iets concreter dan', zei Kerstin Holm. 'Onbekende mannen met een opzichtig hoge-piet-in-de-onderwereld-uiterlijk zijn er niet veel; meestal kennen we ze wel. Dus naar alle waarschijnlijkheid is hij niet langgeleden gearriveerd. Een week geleden was er onrust bij de vrouwen in Slagsta ontstaan. Dan is het toch niet heel onlogisch om na te gaan of er afgelopen week misschien een cocaïne snuivende man in een lichtroze pak en met een zware, gouden ketting is gesignaleerd in de buurt van het Norrboda Motell? Misschien krijgen we wel een signalement.'

'Dat klinkt beter', mopperde Hultin.

'Misschien is het Lasse Berghagen wel', zei Viggo Norlander.

'Als we nou een andere redenering volgen', zei Gunnar Nyberg ineens. 'Misschien hebben de dames de pooier wel achtervolgd en hem bij de veelvreters gegooid.'

'Veelvraten', corrigeerde Chavez hem korzelig.

'Onwaarschijnlijk', zei Holm. 'Tot half drie 's nachts waren ze zeker in Slagsta. Verschillende getuigen hebben ze om tien uur gehoord en gezien, toen onze man bezig was over het wolvenhek te klimmen.'

'Hadden ze op dat moment klanten?' vroeg Hjelm. 'Was het *business as usual*?'

Kerstin Holm draaide zich naar hem om en wierp hem een moeilijk te duiden blik toe, die hem bijna deed terugdeinzen. De verhouding tussen hen was enigszins gespannen sinds Skövde, krap een jaar geleden. Hij was in zijn arm geschoten en zij in haar hoofd en ze hadden naast elkaar gelegen en hun bloed had zich vermengd onder een hemel die zich wagenwijd had geopend en ze had, helemaal verzwakt, helemaal doorweekt, helemaal onder het bloed, gefluisterd: 'Paul, ik hou van je.'

Dat was niet makkelijk te behappen. Zeker niet voor een getrouwde man.

Uiteindelijk antwoordde ze: 'Daar hebben we nog geen duidelijkheid over. Ook dat moet nader worden onderzocht. Er zijn mogelijk aanwijzingen dat de prostitutieactiviteiten de laatste dagen op een laag pitje hebben gestaan.'

'Juist, ja', zei Hultin en hij schikte een stapel papieren. 'De contouren van onze activiteiten van vandaag beginnen zich af te tekenen. Paul en Jorge gaan terug naar Skansen, op zoek naar eventuele alternatieve mogelijkheden om bij de wolven te komen.

We moeten eerst maar eens achterhalen of we met een moord te maken hebben. Kerstin en Sara nemen Viggo en Gunnar mee en verhoren anderen die betrokken zijn bij het bordeel in Slagsta. Ook in dat geval moeten we erachter zien te komen of we te maken hebben met een misdrijf. Misschien hebben we het helemaal bij het verkeerde eind. Verder kan ik meedelen dat we dit hebben ontvangen.'

Hij hield een ansichtkaart omhoog met allemaal wijnflessen erop.

'O, ja', zei Chavez, nog steeds korzelig. 'De erfgenamen.'

'Van Arto Söderstedt in Chianti, ja', zei Hultin, hij zette zijn uilenbril op het puntje van zijn neus en las hardop: 'Ha, rakkers, we werken hier ons in het zweet met druiven stampen terwijl jullie zitten te niksen in het lenteachtige Stockholm. Het lot is iedereen anders gezind. Weten jullie trouwens hoe je vijf watermeloenen het beste onder zeven mensen kunt verdelen? Alle suggesties zijn welkom. Stukjes zijn lelijk. Groeten vanuit deze warme, naar pijnboom geurende en door Vin Santo benevelde Toscaanse avond.'

'Eikel', zei Viggo Norlander.

7

Hij reisde. Als een worm gleed hij in eigenaardige patronen onder de stad door. Hij verbeeldde zich dat deze onderaardse patronen een schrift vormden, een onderaardse tekst, die overeenkwam met de verborgen tekst op de achterkant van zijn eigen papier. Die steeds leesbaarder werd. Het werd steeds helderder … en steeds ondoordringbaarder.

Tegelijkertijd.

Hij was bijna negentig en emeritus hoogleraar. Als oude hersenonderzoeker had hij besloten niet dement te worden, zijn hersencellen niet te laten verschrompelen. Hij had zich doelbewust beziggehouden met hersengymnastiek, de kronkels in conditie gehouden. Hij las goede literatuur, en kranten in vier talen, loste de moeilijkste puzzel in *Dagens Nyheter* op, worstelde zich minstens door één differentiaalvergelijking per dag en bekeek de wereld met een nuchtere, analytisch scherpe blik.

Tot een paar dagen geleden. Toen een vage, glijdende aanwezigheid had plaatsgenomen in zijn leven.

Het was de dood.

Maar de dood stelde normaal gesproken geen eisen. De dood zat normaal gesproken niet dagenlang aan iemands zijde te wachten tot er iets ging gebeuren.

Hij begon te begrijpen wat er van hem verwacht werd.

Ooit, meer dan een halve eeuw geleden, had hij het vel papier van zijn leven omgedraaid. Het was volgekrabbeld. Er stond een verhaal dat niet voortgezet kon worden. Het was ten einde. Als hij door wilde leven, moest hij het vel papier omdraaien en doen alsof het leeg was. Alleen dan was het mogelijk om verder te schrijven. En door te leven.

En hij had het vel papier omgedraaid. Hij had zijn verleden achter zich gelaten en het doelbewust – met nauwkeurig afgestemde hersengymnastiek – uitgewist. De tekst op de achterkant verdween en een heel nieuw leven nam een aanvang. Een Zweeds leven.

Nu ook aan zijn Zweedse leven een einde kwam, wist hij wat er van hem verwacht werd. *Hij moest het papier omdraaien en het oude verhaal lezen.* Maar dat was niet iets wat je zomaar deed. Het verhaal sloeg bij hem in als een mokerslag, als metaaldraden die in iemands slaap worden gestoken.

Hij dacht dat oude mensen zoals hij niet zulke sterke gevoelens konden hebben. Dat werd tegengesproken door het laatste hersenonderzoek.

Hij keek naar zijn arm. De nummers kwamen onder de mouw van zijn colbertje uit. De nummers op zijn arm. Als hij ernaar keek, bewogen ze. Net als hij zelf. Ze waren bezig hem te verlaten.

Dat was een van de dingen die hij niet begreep.

En toen kwamen de beelden, als mokerslagen.

Er lagen armen op hem, er lagen benen op hem, dunne, heel dunne benen, dunne, heel dunne armen. Hij bewoog zich in een stapel mensen. Dode mensen. Hij zag een gezicht ondersteboven, en hij zag een dunne metaaldraad die in iemands slaap was gestoken, en hij zag dat het gezicht dat ondersteboven hing, verwrongen was van pijn. En hij schreef een boek. Hij las de tekst die hij zelf in het boek had geschreven, en het boek sprak over pijn, over pijn, pijn, pijn.

Toen verscheen er een nieuw beeld. Het benam hem de adem. Hij deed een deur open. Hij deed de voordeur van zijn eigen huis open. Hier. In Zweden. Dat beeld hoorde hier niet. Hij maakte de voordeur van binnenuit open, en daar stond een man zonder neus.

Toen lag de man zonder neus voor hem.

Hij werd wakker. Hij zweette meer dan voor een negentigjarige mogelijk zou moeten zijn. De metro reisde door de donkere tunnels, steeds verder. Hij had geen idee waar hij was. Dat deed er niet toe. Het ging om het patroon.

Hij begreep het niet. De bladzijden vermengden zich. De achterkant en de voorkant vermengden zich. Waarom?

Toen zag hij een heel lichte man in uniform. De heel lichte man in uniform had een dunne metaaldraad in zijn hand.

Het beeld verdween.

De metro naderde het station. Hij was alleen in de wagon.

Een tel sloot hij zijn ogen. Hersengymnastiek. Keer terug. Je hebt het recht niet je ogen te sluiten. Je mag je ogen nergens voor sluiten.

En hij keerde weer terug naar het patroon dat zijn reis vormde onder de stad. Hij had steeds meer het idee dat het tekens vormde, letters misschien. Het metronet van Stockholm leek niet echt op het stratenpatroon van New York, maar toch konden er tekens worden gevormd. En er hadden zich tekens gevormd. Hij had gereisd, en hij wist hoe hij had gereisd. Niet waarheen, maar hoe.

De eerste dag van de reis kreeg langzaam gestalte. Eerst een verticale streep.

De metro stopte bij een station. De deuren gingen open. Het station was zo goed als leeg. Hij wist niet waar hij was.

Eerst een verticale streep, toen drie horizontale strepen. Een letter.

De eerste dag had hij gereisd als een letter.

Op het perron stond een vrouw alleen in een mobiele telefoon te praten. Uit de wagon achter die van hem stroomde een groep jongeren het perron op.

Het was de letter e. Hoofdletter E.

De metrodeuren gingen dicht. De jongeren kwamen in de buurt van de vrouw. Op het moment dat de metro wegreed, zag hij een mes glimmen.

En hij kon niets doen.

Behalve de letter van de volgende dag reconstrueren.

Soms dienden situaties zich volkomen onverwacht aan.

Meestal moest je nogal wat plannen: de juiste tijd, de juiste plaats, de juiste persoon. Je moest iemand een tijdje volgen, wachten, afwachten, een beetje sluipen. Je moest je verspreiden en doen alsof je absoluut niet bij elkaar hoorde. Dan sloeg je toe. Als je er genoeg had, ging je er meteen mee op internet. Tussen een roof en de verkoop zat soms minder dan een uur.

'Pas gejatte mobiele telefoon te koop.' En dan een tijdstip.

Er kwamen altijd meteen reacties. Alsof mensen achter de computer zaten te wachten. De smerissen hadden het nakijken.

Maar soms had je een kans voor open doel. Die waren het gaafst. Onverwachte openingen. Een wijf alleen op een perron, bijvoorbeeld.

Hamid had het onmiddellijk in de gaten. Hij wisselde een korte blik met Adib en stapte uit de metrowagon. Meelopertjes volgden. Ze waren met hun vijven en ze waren gevaarlijk. Niemand verzette zich. Ze hadden op televisie gezien dat niemand zich verzette. Mensen gaven hun mobiele telefoon altijd meteen. Als iemand er stoer uitzag, kreeg hij een klap. Als iemand zich verzette, kreeg hij een jaap.

Het gebeurde wel eens dat mensen het in hun broek deden. Dat was goor.

Het was een lekker wijf. Dat kon hij zien, ook al stond ze met haar rug naar hen toe in haar mobieltje te kletsen. Lang, zwart haar, rood leren jack, strakke, zwarte broek, zwarte sportschoenen. Toen draaide ze zich om en zag hen. Ze drukte het gesprek weg.

Het was een heel lekker wijf. Als ze niet op het metroperron had gestaan maar een stukje verderop, had ze een speciale behandeling gekregen.

De adrenaline begon door zijn lichaam te stromen. Hamid trok zijn mes. Nu zou haar onderlip moeten gaan trillen.

De metro uit de andere richting was in de verte te horen.

'Je mobieltje, hoer', siste hij.

Maar haar onderlip begon niet te trillen. Die verstrakte. Haar donkere ogen versmalden.

Het mes vloog weg. Hij begreep niet hoe dat kon. Toen kreeg hij een trap in zijn gezicht. Hij zag de schoenzool. Reebok. Toen voelde hij hoe zijn tanden naar binnen werden geduwd. Als in slow motion zag hij Adib, ondersteboven, op een bankje gesmeten worden en volkomen levenloos ineenzakken. Hij hoorde de meelopertjes wegrennen.

Hij vond zijn mes. Hij kwam overeind. Allemachtig, dacht hij en hij ging met zijn tong langs zijn voortanden. Ze lagen naar binnen gevouwen tegen zijn tandvlees aan. Hij voelde een afgerukte tandwortel in zijn bovenlip steken.

Alles smaakte naar bloed.

'Sloerie', lispelde hij en hij raapte zijn mes van het perron en hield het voor zich.

Ze stond tegenover hem, volkomen roerloos. Hij wierp zich naar voren en pakte haar telefoon. Toen kreeg hij een keiharde trap in zijn maag. Hij kon geen adem meer halen en hij merkte dat hij weggeduwd werd. Zijn gevulde handen dansten wonderlijk over het perron. Hij hoorde de metro. Hij zag de lichten opdoemen in de tunnel.

Hij vocht als een bezetene. Hij zwaaide met zijn armen en viel met zijn kin op het perron. Hij vocht voor zijn leven. Maar er was niets om tegen te vechten. Zijn lichaam schoof over de rand, langzaam, meedogenloos langzaam, en het aanzwellende geluid van de metro mondde uit in een dollemansschreeuw, dat het allerlaatste geluid was dat Hamid zou horen.

Daarna was hij een verscheurd mens.

8

De kleine schepseltjes dronken water. Als schattige berenjongen hurkten ze onhandig neer om van het water te likken. De roze tongetjes bewogen als die van jonge katjes. Kinderen zouden ze het liefst mee naar huis willen nemen om mee te knuffelen.

Maar dat zou niet erg slim zijn van de ouders.

De kleine schepseltjes waren namelijk veelvraten.

Paul Hjelm zag de propjes weghobbelen, blijmoedig kwispelend met hun eekhoornstaart. Hij kon zich moeilijk voorstellen dat deze goedmoedige wezentjes een mensenschedel naar binnen konden werken.

'Kom mee', zei Jorge Chavez ongeduldig. 'Laat je niet door hen hypnotiseren. Denk aan Ellroy.'

Hjelm leunde tegen de houten balustrade, haalde een keer diep adem en vroeg luid: 'Wie is toch verdomme die Ellroy?'

Maar Chavez was al weggelopen bij de veelvratenkuil in Skansen en liep inmiddels langs de wolvenkuil aan de andere kant van de asfaltweg. Toen Hjelm hem had ingehaald, zei Chavez: 'De wolvenkuil is behoorlijk groot; hij loopt helemaal door tot aan de lynxen. Vlak voor de veelvraten eindigt hij. Wat is daar gebeurd?'

Het was opgehouden met regenen, maar de grond was nog steeds verraderlijk vochtig. Ze liepen achter de wolvenkuil naar beneden, en elke stap was levensgevaarlijk. Een kleine, gladde helling bracht hen langs het territorium van de wolven naar de afrastering. Bij iets wat op een hek leek zat een slungelige man gehurkt in een overall en met een veiligheidsbril op. Hij was aan het lassen. Blauwachtige vlammen spatten om hem heen als verdwaald nieuwjaarsvuurwerk.

Ze wachtten tot hij klaar was. Het vuurwerk hield op. Hij klapte zijn veiligheidsbril omhoog, die eigenlijk een gezichtsmasker met ingebouwde bril was. Ze kuchten even. Hij draaide zich om.

'Hallo', zei Hjelm. 'We zijn van de politie.'

De man in de overall knikte even en maakte aanstalten om verder te gaan met zijn werk. Chavez pakte zijn schouder beet.

'Heb je even?' zei hij. 'Wat is hier gebeurd?'

De man zette zijn gezichtsmasker af, kwam overeind en keek vanaf ruim twee meter hoogte op Chavez neer.

'Ik vind Skansen ook duur geworden', zei de man. 'En dan moet je met je kids ook nog naar dat verdomde aquarium met die Jonas met dat baardje van de televisie, en dan ben je weer vijfhonderd kronen lichter. En dan moet je natuurlijk wat drinken en een ritje maken in die achterlijke railautootjes en lootjes kopen om die Pokémon-rommel te winnen, waar Nintendo miljarden en nog eens miljarden aan verdient, en voor je het weet ben je duizend kronen kwijt. Dan kun je beter naar Gröna Lund gaan. Dat kost je wel een paar duizenden kronen, maar dan kun je in elk geval in de Mega Drop.'

De twee politiemannen keken niet-begrijpend om, om te kijken of de man misschien tegen iemand praatte die achter hen stond. Maar er stond niemand.

'Sorry', zei Hjelm. 'Ik begrijp niet ...'

'Iemand heeft het hek opengeknipt', zei de man en hij knikte naar het fijnmazige hekwerk. 'En dat snap ik wel.'

'Wanneer is dat gebeurd?'

'Ze hebben het gisteren kennelijk ontdekt. Ik werk hier niet.'

'Daar lijkt het anders wel op ...'

De lange man in de overall zuchtte diep.

'Ik ben van het hekwerkbedrijf. Ik repareer het tijdelijk. Het is vandaag vrijdag en we kunnen pas begin volgende week een nieuw hek leveren.'

'En dit is gebeurd, wanneer? In de nacht van woensdag op donderdag?'

'Daar lijkt het wel op. En twee dagen later komen er twee

politiemannen in burger om de inbrekers te vangen. Goeie prioriteiten stellen jullie in deze tijd van bezuinigingen. Denken jullie niet dat ze inmiddels al gevlogen zijn?'

'Jawel', zei Paul Hjelm. 'Daar zijn we vrijwel van overtuigd.'

Een geüniformeerde politieman kwam uit metrostation Odenplan gestormd en gaf vlak voor Viggo Norlanders voeten over.

O, dacht Norlander, hij bekeek zijn pas gekochte Italiaanse schoenen grondig en zuchtte inwendig. Zó'n geval.

Toen hij had vastgesteld dat zijn schoenen het er heelhuids vanaf hadden gebracht en hij de excuses van de schuldbewuste aspirant-politieagent had aanvaard, wendde hij zich tot Gunnar Nyberg, die zijn blik beantwoordde met een blik die zei: O, zó'n geval.

Zó'n geval.

Ze waren in het Norrboda Motell in Slagsta asielzoekers aan het verhoren, toen Hultin belde en zei: 'Ik denk dat jullie ergens poolshoogte moeten gaan nemen.'

Vervolgens waren ze teruggegaan naar de stad.

Terwijl ze onder het rood-witte plastic lint door kropen en de metro in gingen, vergezeld door de asgrauwe en snotterende aspirant, dacht Viggo Norlander aan braaksel. Het afgelopen jaar was hij er namelijk mee overstelpt. Wat een groot verschil was er toch, dacht hij, tussen het braaksel van kinderen en dat van volwassenen. En vooral het braaksel van baby's. De dunne, witte, bijna welriekende wolk, die als nectar over jonge ouders vloeit, maar ineens van karakter verandert. Ineens begint het te ruiken naar … braaksel.

Een cruciaal moment in het leven van elke ouder met jonge kinderen.

Dit moment had onlangs bij de familie Norlander plaatsgevonden. De verstokte vrijgezel Viggo, die op zijn vijftigste tamelijk onverwacht vader was geworden, had op een dag ineens gemerkt dat het braaksel van kleine Charlotte onaangenaam was gaan ruiken. Het was een vreselijke ontdekking. Over niet al te lange tijd zou ze ook gaan lopen. In één klap voelde hij zich stokoud. Hij besefte ineens dat hij Charlottes overgrootvader had kunnen zijn.

Overgrootvader.

Voor het eerst begon hij na te denken hoe het voor Charlotte zou zijn om zulke oude ouders te hebben. Hij raakte in een crisis. Die duurde een paar minuten, een ongebruikelijk lange crisis voor Viggo Norlander.

Het perron was verlaten. Het was een onbehaaglijk gezicht. De metro was ontruimd en tussen Rådmansgatan en St. Eriksplan waren er bussen ingezet. Binnen een half uur moest de boel weer gaan rijden. Dan begon de spits in de binnenstad van Stockholm, en dan zouden bussen niet volstaan.

Viggo Norlander en Gunnar Nyberg hadden dus een klein half uur de tijd om het hele incident te reconstrueren.

Hultin had onmiddellijk gebeld.

'Waarom?' vroeg Nyberg door de telefoon.

Het was even stil. In Nyberg weerklonk Hultins stem van de ochtendbriefing. 'Ik begin een beetje genoeg te krijgen van al die vage vermoedens.' En Hultin wist dat ook zo was.

'Ik weet het', zei hij zacht. 'Het is vaag. Maar helemaal normaal is het niet. Ga er onmiddellijk naartoe.'

'Mogen we hard rijden?' vroeg Nyberg hoopvol. In stijl met zijn nieuwe levenswijze had hij zijn oude, gammele Renault verruild voor een gloednieuwe. Sinds hij als tiener een Renault 4 had gehad, een levensgevaarlijke Laban van flinterdun plaatijzer, was hij het Franse automerk trouw gebleven. Het was een liefde voor het leven.

'Ja', zei Hultin inschikkelijk. 'Jullie móéten hard rijden.'

En ze reden hard. In een kwartier waren ze van Slagsta bij Odenplan. Op wegen met veel kans op aquaplaning.

Ze gleden met de roltrap naar beneden. In tegenstelling tot de meeste metrostations van Stockholm waren de perrons van

Odenplan heel ruim. Het plafond was hoog en de perrons waren open, zonder muren ertussen. Ongeveer halverwege het perron zat een jongeman met een verband om zijn hoofd. Om hem heen stonden twee ambulancemannen met een baar en drie politie-agenten in uniform. Links op het perron, naast de roltrap, lag een plastic hoes. Ernaast stond een politieagent. En op het spoor links lagen nog een paar plastic hoezen.

Een technisch rechercheur liep rond om foto's te maken.

Toen ze onder aan de roltrap waren, zei de aspirant, wiens braaksel Norlanders pas gekochte schoenen op twee centimeter afstand had gemist: 'Ik hoop dat jullie hierop voorbereid zijn.'

Zijn stem kon niet bepaald vast genoemd worden.

'Nee', zei Viggo Norlander, hij hurkte neer en tilde de dichtst-bijzijnde plastic hoes op. Nyberg stond aan de andere kant van de hoes en kon niet zien wat eronder lag. Norlander zat roerloos. Zonder een spier te vertrekken legde hij de hoes weer neer, kwam langzaam overeind en gaf over op zijn pas gekochte Italiaanse schoenen.

Zó'n geval, dacht Gunnar Nyberg en hij reikte zijn collega zijn zakdoek aan. Hij vermande zich, hurkte neer en tilde de plastic hoes op. Daar lag een onderlichaam. Met die constatering nam hij genoegen en kwam overeind.

'Zat er iets in zijn zakken?' vroeg hij de politieman die ernaast op wacht stond.

Deze knikte en overhandigde een verzegelde plastic zak. Nyberg zag een sleutelbos, een portemonnee en zes mobiele telefoons.

'Ja, ja', zei hij alleen maar en hij nam de plastic zak aan.

'Hamid al-Jabiri', zei de aspirant. 'Vierentwintig jaar. Uit Fittja. Twee veroordelingen voor mishandeling en grove dief-stal.'

'Toe maar', zei Nyberg en hij liep verder over het perron. Norlander zat op een bankje en veegde zijn schoenen af. Hij liet hem zitten. Toen haalde hij een keer diep adem en zei tegen de aspirant-politieagent: 'Zullen we de rest dan ook maar gaan bekijken? Hoe heet je eigenlijk?'

'Andersson', zei de aspirant en terwijl hij naar het spoor wees vervolgde hij: 'Er zijn nog drie delen. Het ene is erger dan het andere.'

Nyberg sprong op het spoor, direct gevolgd door Andersson, die zei: 'Het volgende deel is het ergst. Dat is alleen nog maar een hoopje vlees. Zijn bovenlichaam en hoofd. Van het hoofd word je niet blij.'

Nyberg tilde de plastic hoes op en kon vaststellen dat Andersson niet gelogen had. Daar viel weinig te doen. Ze liepen naar het volgende deel.

'Hier liggen zijn armen', legde Andersson uit. 'Kennelijk zijn ze allebei afgerukt. Ze zijn iets beter in tact gebleven.'

Norlander verscheen en was spierwit. Söderstedt? dacht Nyberg verbaasd en hij ving hem op toen hij het spoor op sprong.

'Zo, waar waren we gebleven?' zei Norlander heldhaftig snuivend.

De laatste twee plastic hoezen lagen vlak naast elkaar, zo'n tien meter bij het lichaam vandaan. In de ene hand, de rechter, zat een mes.

'Kijk eens aan', zei Nyberg.

In de andere zat een mobiele telefoon.

'Zijn laatste buit', zei Nyberg. 'Ik hoop dat hij er iets aan heeft.'

Andersson legde de plastic hoes terug en sprong kwiek het perron op. Hij was nu opvallend onaangedaan door de verschrikkelijke aanblik. Nyberg en Norlander werkten zich meer als vijftigers het perron op. Nyberg baalde ervan dat het niet makkelijker ging. Ondanks al die stomme natuurvoeding.

'Zullen we dan nu maar met zijn kompaan gaan praten?' vroeg Norlander hijgend.

'Adib Tamir', zei Andersson en hij knikte. 'Precies hetzelfde verleden: mishandeling en grove diefstal. Drieëntwintig jaar. Heeft een hersenschudding.'

Terwijl ze naar de andere kant van het perron liepen, hoorden ze een mobiele telefoon gaan. Nyberg en Norlander keken allebei of het hun telefoon was. Dat was niet het geval. Toen keek Nyberg in de plastic zak met de zes mobiele telefoons. Hij hield zijn oor tegen de zak. Die waren het ook niet. Hij wierp een blik op Andersson, die gebaarde dat hij het ook niet wist.

'Allemachtig!' riep Gunnar Nyberg en hij stormde terug naar het spoor. Norlander en Andersson kwamen hem achterna.

Ze sprongen het spoor op. Nyberg trok de plastic hoes van de linkerhand af.

Het was de telefoon in de hand die ging.

Nyberg boog zich voorover en probeerde de vingers los te wurmen. Maar de hand was net een grijpklauw. Uiteindelijk wist hij de telefoon los te krijgen. Hij wuifde naar Norlander en Andersson, die hun hoofden naar elkaar toe bogen als handbalspelers voor de aanvang van een wedstrijd.

Toen drukte Nyberg het groene knopje in. Iedereen was muisstil.

Uit de mobiele telefoon kwam een onbegrijpelijk lang verhaal. Een vrouwenstem in een vreemde taal. Toen was er even niets, toen kwam er iets wat op een vloek leek, en toen was het stil.

De drie politiemannen keken elkaar verbaasd aan. Uiteindelijk vermande Nyberg zich en zei: 'Probeer dat te onthouden. We proberen het op te schrijven, iedereen voor zich.'

'Waarom?' vroeg Andersson verward.

'Omdat dat een boodschap voor de moordenaar was', zei Gunnar Nyberg kalm.

9

Het leek nog het meest op een willekeurige verzameling letters. Letters die lukraak bij elkaar waren geslingerd. En veel leken ze niet op elkaar.

Epivu, dacht commissaris Jan-Olov Hultin. Dat was toch ook een willekeurige verzameling letters?

Hij zat in zijn steriele kamer terwijl het buiten pijpenstelen regende en bekeek drie papiertjes in het oninspirerende, snel knipperende schijnsel van de tl-buizen, die hun beste tijd hadden gehad. Het was vrijdagavond half acht, en het leek erop dat hij de enige was in de gang van het A-team op de afdeling van de rijksrecherche in het politiebureau in Polhemsgatan.

Vermoedelijk was het een Slavische taal. Ondanks de verschillen en de eigenaardige spelling had Hultin het idee dat het Russisch was. Nyberg en Norlander hadden hetzelfde gedacht. Welke Slavische talen had je behalve Russisch nog meer? Tsjechisch, Bulgaars, Servo-Kroatisch? Was Servo-Kroatisch nog steeds een taal? Of had je nu Servisch en Kroatisch? Hij wist het niet.

Er moest een talenkenner bijgehaald worden. Iemand die hij niet benijdde.

Verrassend snel bedacht van Gunnar Nyberg, trouwens. Maar aan de andere kant, hij was steeds beter geworden sinds Hultin god weet hoeveel jaar geleden het A-team had samengesteld om de Machtsmoorden op te lossen. Van een logge grizzlybeer op mensenjacht in de onderwereld was hij veranderd in een moderne, helder denkende, afgeslankte internetsmeris.

Hultin pakte een ander document. Het verslag van het verhoor van Adib Tamir. Hij bladerde het vluchtig door. Mooie vrouw alleen, met middellang, zwart haar, rood leren jack, strakke, zwarte broek, zwarte sportschoenen. Er was een groep meelopertjes bij geweest. Onbekende wannabe's. Die waren 'm gesmeerd.

Eerst had ze Hamid neergetrapt, die een mes droeg. Een trap in zijn gezicht. Daarna had ze Adib, die ook een mes droeg, met zijn hoofd voorover op een bank gesmeten. Hij was buiten bewustzijn geraakt. Toen hij weer bijgekomen was, had hij allemaal gillende mensen gezien. Hij had Hamids benen en darmen een paar meter verderop verspreid over het perron zien liggen en was weer flauw gevallen. Toen hij daarna weer bij was gekomen, was het perron leeg geweest, op een paar smerissen na. Dat was alles. Hij had geen flauw idee wie de meelopertjes waren. Van die jongens die erachteraan hobbelen. Die had je altijd. Hamid en Adib waren de professionals. Natuurlijk wilde hij helpen met een compositietekening, maar hij had haar amper gezien. Ze had met haar rug naar hem toe gestaan, voor ze zich had omgedraaid en in een paar tellen de onverslaanbaren had verslagen.

Afsluitende woorden: 'Ze moet een geheim agent geweest zijn of zo.'

Tja, Adib, dacht Hultin. Wie weet? Ze had in elk geval de benen van de bewapende Hamid gegrepen, hem als een kruiwagen over het perron gesleept en zijn lichaam half over het spoor gehangen toen de metro eraan kwam. Daarna was ze spoorloos verdwenen. In haar rode leren jack.

Maar haar mobiele telefoon had nog in Hamids hand gezeten. Dat zou een getrainde KGB-agent niet zijn overkomen.

Begonnen de gebeurtenissen van het afgelopen etmaal niet bij elkaar te komen? Begon er zich niet een soort verband af te tekenen?

Adib Tamir had in elk geval de foto's gezien van de acht vrouwen die uit het asielzoekerscentrum waren verdwenen: Galina Stenina, Valentina Dontsjenko, Lina Kostenko, Stefka Dafovska, Mariya Bagrjana, Natalja Vaganova, Tatjana Skoblikova en Svetlana Petruseva. Adib had zijn hoofd geschud.

'Nee', had hij gezegd. 'Nee, absoluut niet.'

'Absoluut niet?' Wat betekende dat? Hultin spreidde de pasfoto's van de acht vrouwengezichten voor zich uit op zijn bureau en bekeek ze nauwkeurig. Jawel, gaf hij toe. Hij begreep wat Adib met 'absoluut niet' bedoelde. Deze vrouwen zagen er verslagen uit. Hun ogen waren dof. Er zat geen leven in. Ze waren niet ouder dan vijfentwintig, maar stuk voor stuk zagen ze er ouder uit. Het leven had een zware wissel op hen getrokken, dat kon je zien. Vermoedelijk zaten ze al vanaf hun tienerjaren in de prostitutie, zoals alle andere Oost-Europese prostituees waarmee Zweden en West-Europa werd overstroomd. Een vreselijke vloedgolf van vrouwenvernedering spoelde over Europa, en het Westen nam actief deel aan de activiteiten.

Heel even voelde Jan-Olov Hultin misselijkheid opkomen. Vanwege zijn sekse. Vanwege zijn afkomst. Vanwege zijn o, zo veilige leven.

Hij ging weer verder met zijn werk. Volgens de technisch rechercheurs was het niet onmogelijk het abonnement van de mobiele telefoon te achterhalen. De simkaart zat erin. Dat het abonnement niet Zweeds was zou geen beletsel vormen. Over een tijdje zouden ze een volledige lijst van alle in- en uitgaande gesprekken hebben.

Daar keek hij naar uit.

Tot die tijd kon hij de puzzelstukjes in elkaar gaan passen. Die hij binnen handbereik had. De vraag was alleen of ze wel bij elkaar hoorden.

In vierentwintig uur tijd was er veel gebeurd. Maar het was geenszins zeker dat de drie gebeurtenissen enig verband met elkaar hadden.

Strikt genomen was er geen sprake van een misdrijf. De vrouwen waren misschien gewoon uit het Norrboda Motell in Slagsta gevlucht; dat zou hij zelf ook gedaan hebben als hij daar in bewaring had gezeten. De man in Skansen was misschien alleen maar op de vlucht geweest voor zijn eigen drugswaanbeelden; ook het pas ontdekte gat in het hek hoefde er niets mee te maken hebben. En zelfs het metro-incident kon een geval van pure zelfverdediging zijn.

Bovendien hoefden de gebeurtenissen helemaal niets met elkaar te maken te hebben.

Maar waar een wil is, is een weg.

Dus Jan-Olov Hultin zette zich aan het puzzelen.

Allereerst: waarom hingen de gebeurtenissen met elkaar samen? Alle ervaring en kennis van het A-team zei – zo goed als unaniem – dat het geval was. Kerstin had Paul, via Jorge, weliswaar een beetje zitten plagen, maar dat was onderdeel van een onderling spelletje waar Hultin niets mee te maken wilde hebben. Hij ontbeerde namelijk elke vorm van nieuwsgierigheid. Verwondering kende hij, evenals weetgierigheid en honger naar kennis. Maar nieuwsgierigheid niet. Zolang privéaangelegenheden geen negatieve invloed op hun werk hadden, liet hij ze begaan. Hij had nu zelfs een getrouwd stel in zijn team, en dat werkte beter dan je zou verwachten. Hultin was geen voorstander van richtlijnen en strenge regels. Daar mocht Mörner zich mee bezighouden. Dat interesseerde verder niemand.

Hij begon opnieuw: waarom hingen de gebeurtenissen met elkaar samen? Omdat het riekte naar internationale criminaliteit; Hamid en Adib waren nog het meest Zweeds. Omdat het allemaal zo snel was gegaan, in anderhalf etmaal. Omdat niets helemaal normaal was: moordende veelvraten, lichtekooien op de vlucht, gewelddadige vrouw.

Op woensdag 3 mei om kwart over tien 's avonds wordt een man, een vermoedelijk relatief hoge piet in het internationale criminele circuit, het wolvenverblijf van Skansen in gejaagd; de waarde van zijn gouden ketting wordt op bijna driehonderdduizend kronen geschat. Het feit dat zijn achtervolgers een aanzienlijk kortere weg nemen door het hek naast het wolvenverblijf dat ze hebben doorgeknipt, wijst op een zorgvuldige voorbereiding. Ze drijven hem naar de wolven. Ze gaan ervan uit dat hij over het hek klimt en vervolgens over de muur het wolvenverblijf uit klimt. Op de een of andere manier wachten ze hem daar op. Ze míkken dus waarschijnlijk op de veelvraten. Naar het zich laat aanzien is de daad zorgvuldig voorbereid, en het slachtoffer doet precies wat hij moet doen. De vraag is of ze er zelfs op gerekend hebben dat de veelvraten een kick zouden krijgen van de drugs in zijn bloed. In dat geval was het wel heel geraffineerd.

Waarschijnlijk hebben ze Ellroy gelezen.

Op donderdag 4 mei, iets over half drie 's nachts, verdwijnen acht prostituees uit het voormalige Oostblok uit een dependance van een asielzoekerscentrum. Dat gebeurt dus een paar uur later dezelfde nacht. Hoe kan dat eventueel met elkaar in verband worden gebracht? Sara Svenhagen zat er misschien het dichtstbij, toen een zekere commissaris haar aanviel op haar 'vage vermoedens'. Áls er een verband was – en dit was nog steeds de zwakste schakel van de keten – dan waren er twee mogelijkheden. Eén: de man van Skansen beschermde hen, en toen hij weg was werden ze ontvoerd of, in het ergste geval, vermoord. Twee: de man van Skansen vormde een bedreiging die uit de weg geruimd moest worden en van wie de vrouwen nu eindelijk bevrijd waren. In beide gevallen moet hij hun pooier zijn geweest, óf een goede óf een slechte. En aangezien goede pooiers dun gezaaid waren ...

Hultin graaide tussen de uitgeprinte verhoren van Slagsta. Zoals het een goede postindustriële werkgever betaamde, telde hij ze. Twee van Norlander, vier van Nyberg, zeven van Svenhagen en twaalf van Holm. Vooruit, Norlander en Nyberg hadden de plek een paar uur eerder verlaten, maar het verschil tussen twaalf en twee was desalniettemin markant. Verder waren er nog een paar verslagen van de dames van de dag ervoor. In totaal dertig stapels papier.

Gelukkig had Kerstin voor het weekend de situatie samengevat in een apart verslag. Mocht hij ooit – boven alle verwachting – met pensioen gaan, dan kon zij steeds meer worden gezien als zijn logische opvolger. Eigenlijk had ze allang commissaris moeten zijn. Maar dat gold eigenlijk ook voor Hjelm, Söderstedt, Chavez, Nyberg, ja, allemaal behalve Norlander, dacht hij gemeen.

Twéé miezerige verhoren.

Hij vatte de samenvatting van Kerstin samen. Helaas kon niemand in Slagsta zich iemand herinneren met een zware, gouden ketting in een lichtroze pak. Wel werd het steeds duidelijker dat er krap een week geleden iets was gebeurd. Verschillende hoerenlopers, die uiterst onwillig waren geweest, hadden bij alle acht vrouwen een duidelijke verandering van humeur opgemerkt. Ze leken daar erg verontrust over, maar wilden geen vragen beantwoorden. 'Ze neukte als een machine, verdomme', zoals een aan seks verslaafde beveiligingsman uit de wijk naast Slagsta over Mariya Bagrjana zei.

Fraai geformuleerd.

Een paar buren herinnerden zich het geluid van een motorvoertuig op de vroege donderdagochtend. 'Het klonk als een vuilniswagen', zei een oud vrouwtje met de eigenaardige naam Elin Belin. 'Maar waarom zou een vuilniswagen al om half vier 's nachts gaan rijden?' De andere buurman, een werkloze slager, die naar eigen zeggen 'het laatste half jaar niet meer dan zes uur had geslapen', beweerde dat hij tegen vieren 'iets hoorde wat leek op een verdwaalde stadsbus, want hier rijdt geen enkele nachtbus, en kunt u als overheidspersoon mijn klacht misschien doorgeven aan de directie van het gemeentelijke vervoersbedrijf van Stockholm?' Dit citaat was afkomstig uit het povere verhooraandeel van Viggo Norlander, wat nogal opmerkelijk was, want wie zou Viggo Norlander nou aan kunnen zien voor een overheidspersoon?

De belangrijkste informatie kwam echter van Jörgen Nilsson, de directeur. Na enige druk – Kerstin had hem duidelijk nogal hard aangepakt – had hij toegegeven een pooier te kennen. Al in november was hij benaderd door een man die er zich van wilde verzekeren dat hij zich niet met de werkzaamheden zou bemoeien. Hij kreeg vrije toegang tot de kamers 224-227 als hij zijn lippen op elkaar hield. Alles wees erop dat Nilsson ruimschoots gebruikgemaakt had van dit aanbod. 'Vaste klant', zoals de verontwaardigde Somalische tandarts van kamer 220 had gezegd toen hij was opgestaan van zijn bidkleedje. Ten slotte had Holm Nilsson zover gekregen dat hij meeging naar de politietekenaar, die een oude vertrouwde compositietekening had samengesteld. Morgen zou die door alle denkbare registers worden gehaald. Maar naar alle waarschijnlijkheid was deze spookpooier níét dezelfde als de Veelvratenman.

Een rinkelende telefoon deed hem niet alleen een ongeluk schrikken, maar zou hem er ook aan herinneren dat zijn redenering niet klopte. Dit was toch niet de belangrijkste informatie.

'Ik dacht wel dat je er nog zou zitten', bulderde een barse stem aan de andere kant van de lijn.

'Jij kennelijk dus ook, Brunte', zei Hultin terwijl zijn hartkloppingen afnamen.

'Ik heet geen Brunte', zei het hoofd van de technische recherche, Brynolf Svenhagen, gedecideerd. 'Is het misschien mijn ongemanierde schoonzoon die me zo door het slijk haalt?'

'Voor slijk moet je onder in de sloot zijn', liet Hultin zich ontvallen.

Het was een tijdje stil aan de andere kant van de lijn. Svenhagen zocht duidelijk naar een vernietigend antwoord. Maar aangezien vernietigende antwoorden niet de sterkste kant waren van de strikte technocraat, bleef het stil.

Een veelzeggende stilte, dacht Hultin.

Ten slotte zei het hoofd van de technische recherche weinig slagvaardig: 'Wil je mijn informatie nog of niet? Ik heb me een slag in de rondte gewerkt om het boven tafel te krijgen. Vergeet niet dat het vrijdagavond is.'

'Heel graag', zei Hultin, waarmee hij olie op de golven goot. 'Dank je', voegde hij er zelfs aan toe.

Dat was genoeg om Svenhagen tot bedaren te brengen. Hij stak enthousiast van wal: 'Ik heb een volledige lijst van de in- en uitgaande telefoongesprekken van kamer 224, 225, 226 en 227 in het Norrboda Motell in Slagsta. Kan dat van belang zijn?'

Hoewel het van heel groot belang was, werd Hultin eerder woedend dan dolgelukkig. Hij was de telefoons in de vier motelkamers glad vergeten. Begon hij zijn grip op de zaak te verliezen? Waren die gaten in de tijd alarmerender dan hij had aangenomen? Was een prop onverbiddelijk bezig een te nauwe ader in zijn hersenen te naderen?

'Ben je daar nog, Jan-Olov?' vroeg Brynolf Svenhagen bezorgd.

'Ja', zei Hultin en hij vermande zich. 'Uitstekend, Brynolf. Kun je ze faxen?'

'Ik heb ze al op de fax gezet', zei Svenhagen zelfgenoegzaam.

Terwijl hij wachtte tot het faxapparaat op gang zou komen, keek Hultin op zijn horloge. Het was dertien over acht. Binnenkort was het precies twaalf uur nadat het tijdgat een gat had geslagen in het ruimte-tijdcontinuüm. 'Acht uur, zestien minuten en tien seconden. Ting.'

Misschien bevond hij zich wel midden in de tijdruimte …

De fax begon te ratelen en bracht de beste commissaris weer terug in de werkelijkheid. Al was hij niet echt tevreden met dat begrip.

De werkelijkheid …

Hultin keek naar de groeiende stapel faxen en vroeg zich af of hij zich wel echt in de werkelijkheid bevond. Een hele tijd staarde hij naar de pompende papieren. Krrr-krrr-krrr-prriet. De stapel groeide. De tijd verdween in een hypnotiserende monotonie. Krrr-krrr-krrr-prriet. Krrr-krrr-krrr-prriet. Krrr-krrr-krrr-prriet. Krrr-krrr-krrr-prriet.

Een paar ogen staarden hem vanuit het donker aan. Hij deinsde abnormaal heftig terug en wierp een blik op zijn pols. Het was drie over half negen, exact dezelfde tijd als vanmorgen, toen het eigenlijk zestien over acht was. Goeie genade, dacht hij. Het gebeurt echt.

Paul Hjelm stond daar, in zijn veel te dunne linnen colbertje, met een paraplu met een politielogo in zijn hand en oortelefoontjes in zijn oren. Zijn hand, die hij als groet had geheven, zonk onzeker door de tijdruimte.

'Hoe gaat het?' brulde hij.

'Schreeuw niet zo', zei Jan-Olov Hultin en hij staarde naar zijn horloge. De secondewijzer tikte door, maar liep die niet ontzettend snel? Wat deed Paul hier? Was het ineens ochtend geworden? Was het tijd voor de ochtendbriefing in het commandocentrum van de strijdkrachten? Had hij een half etmaal door een zwart gat in de tijd gereisd?

'Sorry', zei Hjelm en hij trok de oortelefoontjes uit zijn oren. '"Kind of Blue". Miles Davis.'

'Muziek luisteren doe je maar in je vrije tijd', zei Hultin verward.

Paul Hjelm keek hem onderzoekend aan.

'Het gaat niet goed met je, Jan-Olov', zei hij uiteindelijk.

'Wat doe je hier ... op dit tijdstip van de dag?'

'Ik wilde net naar huis gaan. Ik heb al het materiaal doorgenomen en het blijkt potdomme nog allemaal verband te houden ook. Maar waar ben jíj mee bezig?'

Hultin zat roerloos. Hij streek met zijn hand langs de rand van het bureau. Jawel, dacht hij, dit is de werkelijkheid. Dit is materie die ik kan voelen. Ruimte is geen tijd. Ik bevind me op een andere manier in de tijd dan in de ruimte. Ik ben hier en nu. De rest kan me gestolen worden. Toen draaide hij zich om naar het faxapparaat. Een laatste krrr-krrr-krrr-prriet, en toen was de stapel compleet. Hij pakte de vellen papier, klopte ze tot een nette stapel op het bureau en zei gedecideerd: 'Gravitationele tijdsdilatatie. Dat moet je eens proberen. Het geeft je bestaan perspectief.'

Hjelms mond viel open van verbazing. Het was erg vermakelijk.

'Waar is de mobiele telefoon uit de metro?' vroeg Hultin scherp.

'In mijn kamer', zei Hjelm gedwee.

'Waarom ligt hij daar? Waarom heeft de technische recherche die niet?'

'Ik heb hem even geleend voor het weekend, als ze er toch niet zijn. Ik wilde hem nog eens goed bestuderen.'

'Uitstekend', zei Hultin. 'Haal maar op.'

'Alleen Hamid al-Jabari's vingerafdrukken blijkbaar. Hoe krijg je het voor elkaar om geen vingerafdrukken op je eigen telefoon achter te laten?'

'Haal op', zei Hultin opnieuw.

Toen Hjelm verdwenen was, wierp hij een snelle blik in de enorme stapel papieren die de fax had uitgespuwd. Onmiddellijk vond hij datgene waarvan hij wist dat hij het zou vinden.

Hjelm kwam binnen met het telefoontje.

'Leg het maar op mijn bureau', zei Hultin met de telefoonhoorn in zijn hand. Hij draaide een nummer.

De mobiele telefoon ging.

Het kwam niet als een verrassing.

'Nu', zei commissaris Jan-Olov Hultin, 'is het één zaak.'

10

Het was weekend. 'De speciale eenheid van de rijksrecherche voor geweldsdelicten van internationale aard' was vrij. De hele groep. Gelukkig was de regen uit de regio Stockholm weggetrokken, wat het mogelijk maakte de gebruikelijke weekendactiviteiten te ont-plooien.

Jan-Olov Hultin stapte het bos in voor de deur van zijn huis aan het Ravalen-meer, dwars door de verschrikkelijke verzame-ling onkruid in zijn tuin, die meer weg had van een bos dan het bos zelf, en speurde door het kapotte glas van zijn verrekijker naar terugkerende trekvogels. Het was alsof de tijdruimte in segmen-ten was opgedeeld. Gunnar Nyberg ging naar het gezin van zijn zoon, Tommy, in Östhammar, ten noorden van Stockholm. Hij had zijn joggingschoenen meegenomen en was erin geslaagd een rondje te lopen, ondanks het feit dat Benny, die binnenkort drie werd, continu aan zijn opa hing. Vijf kilometer lang hing hij om zijn nek, wat de training extra pit gaf. Viggo Norlander lag bijna de hele zaterdag in bed met zijn vriendin Astrid en de kleine Charlotte, die onvermoeibaar pogingen deed te gaan lopen door zich aan de rand van het bed omhoog te trekken. Geen moment stond ze stil bij de eigenaardige activiteiten van haar ietwat oude ouders in bed. Kerstin Holm had een groot concert met orkest en al in de Jakobskerk, waar ze de altstem zong in het kerkkoor. Tijdens de gouden, gecondenseerde minuten van het Kyrie in het *Requiem* van Mozart voelde ze haar verdunde schedelbeen duide-lijk vibreren en stond ze in direct contact met de kosmos. Kyrie eleison. Christe eleison. Kyrie eleison. Dat was de hele tekst. Heer, wees ons genadig. Christus, wees ons genadig. Het echtpaar Jorge Chavez en Sara Svenhagen maakte een lange wandeling in Vasastan en bleef hangen in Vasaparken, waar ze op een bankje belandden en aanvankelijk heel zakelijk de voor- en nadelen van het hebben van kinderen bespraken. Het eindigde ermee dat ze elkaar uitmaakten voor alles wat mooi en lelijk was. Toen een oud vrouwtje met een scheve pruik op vlak voor hun neus de politie belde, begaven ze zich naar hun pas gekochte driekamerwoning in Birkastan, waar ze even ongeremd als woordeloos de liefde bedreven.

Toch was het geen gewoon weekend. Geen van hen, zelfs Viggo Norlander niet, ontkwam er aan minstens een keer per uur aan een heel bijzondere zaak te denken.

Dit gold niet in de laatste plaats voor Paul Hjelm. Hij was met zijn gezin in hun vakantiehuisje op Dalarö. Een paar jaar geleden hadden ze de hand weten te leggen op dit bouwvallig krotje, met een fantastisch, verborgen stukje grond aan zee, en een eigen, zij het wat gammele steiger. De eigenaresse was een buitengewoon vitale, weliswaar rolstoelgebonden vrouw en de eerste vrouwelijke bokser van Zweden. Het werd Hjelm niet echt duidelijk of ze bewust de allesomvattende wetten van de Markt negeerde of dat de Markt deze plek simpelweg nog niet had bereikt. In dat geval was het de laatste witte vlek op aarde. Maja, zoals de voormalige bokser heette, had voor het stuk grond alleen al, pak 'm beet, drie, vier miljoen kunnen krijgen. Nu verhuurde ze het voor zevenduizend per jaar aan de familie Hjelm, en zelf woonde ze in haar tweekamerappartementje in het centrum van Handen. Een keer per jaar kwam Maja op bezoek en bracht ze een nacht in haar oude slaapkamer door. Dat gebeurde in de regel het eerste weekend van mei; daarna werd het, zo zei ze letterlijk: 'Veel te zweterig in haar slipje.'

Nu zat ze op de veranda, ademde de avondkoele zeelucht met diepe teugen in en zei: 'Het was waarachtig niet makkelijk om lesbisch te zijn in die tijd.'

Omdat elk bezoek van haar telkens een nieuwe verrassing met zich meebracht, keken Paul en Cilla haar alleen maar voorzichtig aan en wachtten op een vervolg. Dat ook kwam.

'Jazeker', zei ze en ze legde haar kromme maar loeisterke armen om het getrouwde stel heen. 'Jullie huren een echte schandplek, lieve kinderen. Oei, wat een orgies hebben we hier gehouden. Geen kerel zover het oog reikte. Alleen een heleboel naakt zwemmende nimfjes. De buurvrouwen waren hysterisch. Maar de mannen protesteerden niet bepaald heftig, dat kan ik je wel vertellen.'

'En een paar van de buurvrouwen zijn nog steeds in leven, begrijp ik', zei Paul Hjelm.

Maja barstte in schaterlachen uit en stompte hem op zijn bovenarm. Hij zag onmiddellijk dat het een blauwe plek zou worden.

'Ik vergeet de hele tijd dat je een detective bent', zei ze lachend. 'Je kunt niet zien dat je een detective bent, Paulus.'

'Dat vind ik anders wel', zei Cilla koeltjes.

'Kom kom', joelde Maja. 'Kibbelen doen jullie straks maar. Nu hebben jullie visite. En ik wil nog een Dry Martini, graag. Iets droger deze keer, als het kan.'

'Dan moeten we die zelf gaan stoken', zei Paul Hjelm en hij tuurde sluiks naar Cilla.

Hij stond op en schonk de schaterende Maja nog een pure Beefeater in.

'Je hebt gelijk', zei ze enigszins gekalmeerd toen ze haar drankje had gekregen. 'Hadden ze net de gegoede heren verleid en zich gevestigd op hun fraaie landgoederen, kregen ze een bende zwemmende nymfomanen als buren. Dat verwacht je niet helemaal als je omhoog trouwt en een afgezonderd leven denkt te gaan leiden. Zolang een van hen nog in leven is, ga ik de boel niet verkopen. En maak je geen zorgen, lieve kinderen, zulke wijven zijn taai, hoor.'

Cilla stond op om iets te gaan doen wat niet hoefde te gebeuren. Met haar rug naar de tafel zei ze: 'Weet je waarom je kunt zien dat hij een detective is? Omdat hij de hele tijd met zijn hoofd bij een zaak is. Hier is hij in elk geval niet.'

'Sorry dat ik besta', zei Paul volwassen.

'Een zaak?' riep Maja gelukzalig uit. 'Wat spannend! Vertel eens, Paulus.'

'Paulus', kraste een jongensstem met de baard in de keel vanuit het huisje.

'Zijn de kinderen er ook?' vroeg Maja verbaasd. 'Jullie hadden ze toch in de stad gelaten, zei je?'

'In de stad gelaten', zeurde de half gesmoorde stem.

Paul Hjelm zuchtte.

'Ik woon samen met een papegaai', zei hij met een blik naar Cilla. Ze stond nog steeds met haar rug naar hen toe en mompelde: 'Hij is zeker net wakker geworden.'

'Een echte papegaai?' zei Maja vol afkeer. 'Wat weerzinwekkend.'

'Vind je ook niet?' zei Paul Hjelm laf.

'Ik hou niet van dieren', ging de oude dame verder en ze slurpte als een zeebonk van de Beefeater. 'Dat had ik als kind al. Er bestaan echt mensen met dierenvrees. Geen angst voor slangen, spinnen of koeien, maar een algehele angst voor dieren. Ze raken volledig in paniek bij het minste contact met het dierenrijk. Het is behoorlijk lastig.'

'Jij lijkt me niet iemand die zomaar in paniek raakt', zei Cilla, die nog steeds van hen afgewend stond.

'Paniek is misschien een groot woord', gaf Maja toe. 'Maar het bestaat. Echte vrees voor dieren. Ik heb het van dichtbij meegemaakt. Ik heb weleens een grietje uit de stad op wie ik verliefd was hiermee naartoe genomen; dat moet eind jaren vijftig zijn geweest. Toen ik een keer een snoek uit het water haalde, gilde ze het zo hard uit van angst dat ze haar tong inslikte; die heb ik met de blinkerd weer uit haar keel moeten trekken. Toen ik haar een paar jaar later weer sprak, zei ze dat ze nog steeds de smaak van rauwe vis in haar keel had.'

Paul grinnikte, schonk een groot glas Beefeater voor zichzelf in en zei: 'Als ik niet belet werd om over de zaak te praten, zou ik ook het een en ander over dierenvrees kunnen vertellen.'

'Dierenvrees', krijste de papegaai vanuit het huisje. Paul en Maja lachten hard. Toen gaf Cilla zich gewonnen. Ze lachte, ging met een plof aan tafel zitten, schonk een enorm glas Beefeater in, nam een slok die overeenkwam met twee grote borrels en zei: 'Oké, verdorie. Ik hef je zwijgplicht op. Misschien kun je het ook maar beter kwijt zijn.'

Toen begon Paul Hjelm te vertellen. Terwijl de duisternis over Gränöfjärden viel en de grijsbewolkte dag in een goudglanzende schemering veranderde, vertelde hij over gedrogeerde veelvraten en Oost-Europese hoeren, over het merkwaardige lot van een mobieltjesdief en onzichtbare achtervolgers in Skansen, over een machovrouw in een rood leren jack en een buitengewoon ongeschikte directeur van een asielzoekerscentrum. Maja luisterde verrukt, en een paar keer scheelde het maar weinig of ze was uit haar rolstoel gevallen. Af en toe onderbrak ze zijn verhaal met opmerkingen, die afwisselend overdadig en verstandig waren. Maar het meest stimulerend was het feit dat zelfs Cilla leek te luisteren, niet alleen omdat ze aangeschoten en moe was, niet alleen omdat ze het beloofd had, maar uit oprechte belangstelling.

Toen hij klaar was, hing de zon nog steeds vlak boven het water. Paul pakte Cilla's hand en Maja zei: 'Gaan jullie op de steiger maar van de sfeer genieten. Ik rij naar bed.'

'Red je het alleen?' vroeg Cilla.

Maja legde haar hand op hun verstrengelde handen.

'In het ergste geval', zei ze, 'lig ik op de grond te wachten. Maar dat zou niet de eerste keer zijn.'

Ze liepen naar het water. De steiger, die ineens een zondig verleden bleek te hebben, verrees als een oud, zwart scheepswrak in een glinsterend oranjekleurig schijnsel, als op een romantisch schilderij. Omdat het op Gränöfjärden tot aan de horizon windstil was en er een paar heel droge Dry Martini's door hun keel waren gegleden, voelde deze meiavond niet fris aan. Eenmaal op de steiger trok Cilla haar kleren uit, een voor een, kalm en volkomen vanzelfsprekend, tot ze helemaal naakt in het donkeroranje schijnsel stond. Het danste een beetje in Pauls hoofd. Hij keek naar het kleine, blonde, lichtomrande lichaam dat zijn seksualiteit grotendeels had bepaald. Daar stond de moeder van zijn twee kinderen die oud genoeg waren om zelf kinderen te krijgen, en ze was jong. Eeuwig jong. Langzaam en sensueel haalde ze haar handen door haar warrige, blonde haar. Het was een lentegift, dat wist hij. Hij liep naar haar toe en sloeg zijn armen om haar heen. Ze maakte zijn kleren los; het was langgeleden dat ze dat gedaan had. Uiteindelijk was hij ook naakt, en ze stonden verstrengeld op de oude, bouwvallige steiger in het langzaam wegstervende licht. Hij tilde haar op, ze sloeg haar benen om hem heen, ze opende zich voor hem en hij drong in haar, en het werd donker op de steiger. Ineens doofde het licht op Gränöfjärden en de rest van de wereld was doodstil. De tijd verdween, de grenzen vervaagden, en alles was een. Ze trok zich terug en nam hem in haar, zo diep als ze kon, en toen ging hij uit haar en legde zich op zijn rug tussen de verspreid liggende kleren op de steiger, en ze zonk langzaam over hem heen en omsloot hem, en iets groters dan henzelf verbond hen. En toen bereed ze hem op het ritmische geluid van de kleine golven die op het strand sloegen, golven die alleen ontstonden door de beweging van de steiger in het spiegelgladde water. En de aarde leek zich te verheffen, leek naderbij te willen komen, leek zich naar hen toe te drukken, en de zwarte hemel zonk en zonk, tot hij werd doorboord door het ene lichtpuntje na het andere, en het licht van een andere, achterliggende, betere wereld dreef wiggen in het zwartsel en naderde en naderde en steeg en zonk en was geluid en bewegingen en patronen die zich uitspreidden over het wateroppervlak, en de maan kwam en legde een dun filmpje van licht over de duisternis, een brug van licht die hen naar die betere wereld bracht, en ze traden deze wereld binnen, die naar hen glimlachte, en alles was licht en schittering en uiteindelijk een imposant lichtschijnsel dat vertelde over iets anders en beters dan wat er hier en nu ook was, en alle geluiden waren slechts ritmes die door alle gaten en alle openingen stroomden in het zwarte dek van licht van het hemelgewelf, dat spoot en kwam en leegde en explodeerde in geluid dat licht was en licht dat geluid was en alles was voorbij.

En het was volkomen, volkomen stil op de kleine steiger.

Toen ging er een mobiele telefoon.

Hun gezichten waren verbonden. Ze zagen elkaar niet, ze voelden elkaar alleen. Hij schudde licht zijn hoofd, en zij knikte.

Zij was het die knikte.

In die knik zat een diep, heel diep begrip; dat voelde hij toen hij tussen de klerenhopen zocht en opnam.

Hij zei geen woord. Het enige wat ze hoorde was het korte, heel korte klikje toen hij het gesprek wegdrukte.

'Je verhaal was nog niet afgelopen, hè?' zei ze en ze streek over het rode blaasje op zijn wang.

'Nee', zei hij zacht. 'Het was nog niet afgelopen.'

II

Vijf dagen had hij gereisd. Het voelde als een heel leven. En dat was het eigenlijk ook. Nu begreep hij dat zijn omzwervingen hun einde naderden. Er was een verandering ophanden.

De aanwezigheid was nu sterker. Deze begon steeds fysieker te worden, als een oude vriend op wie hij lang had gewacht. Meer dan een halve eeuw. Twee oude, heel oude mannen die elkaar tegemoetkwamen van elk hun eigen kant van een volgekrabbeld vel papier. Het was alsof hij bezig was vooruit te komen, thuis te komen.

En daar wachtte iemand.

Onwankelbaar trouw.

Alles bestond nu uit beelden. Het kabbelde door hem heen. Het was de doodsrivier, die hij moest oproepen om te kunnen oversteken, om toestemming te krijgen om te sterven. Het enige wat hij nu nog nodig had, was een veerman. Hij was het die op hem wachtte. Hij was het die hem naar de overkant zou brengen. En hij zou niet stoppen voor hij de bodem van de trechter had bereikt. Maar alles was beter dan ronddolen, onbegraven op de oever van een rivier die niet bestond. De omzwervingen van Ahasverus. Nu was de rivier er. Nu begon het eeuwige lijden.

Hij keek ernaar uit.

Af en toe kreeg hij toestemming omhoog te komen uit de beeldenrivier om te kijken. Om adem te halen. Dan haalde hij zich de route weer voor de geest die hij de afgelopen vijf dagen had afgelegd. Elke reisdag vormde een letter. De eerste was een e, hoofdletter E. De tweede reisdag vormde een p, dat had hij voor zich gezien.

De beelden waren onverbiddelijk. Hij had niet veel tijd om te kijken. De vloedgolf spoelde over hem heen. Maar het verhaal bleef uit. De beelden hoorden niet bij elkaar. Ze waren niet geordend. Zodra ze geordend waren, zou hij klaar zijn. Dan zou hij niet meer hoeven reizen.

Er liggen armen op hem, er liggen benen op hem, dunne, heel dunne benen, dunne, heel dunne armen. Hij beweegt zich in een stapel mensen. Dode mensen. Een van de dode mensen is een man zonder neus, en hij ligt op de vloer van een woonkamer in Tyresö, en een hand met een keukenmes wordt weggetrokken en het bloed stroomt weg onder de man zonder neus en op de pols bij het mes staan nummers die bewegen, die hem verlaten. En hij hangt ondersteboven en er is een metaaldraad in zijn slaap gestoken en hij voelt geen pijn, al zou hij een pijn moeten voelen die alle voorstellingsvermogen te boven gaat. Maar hij is niet degene die ondersteboven hangt, het is de man die onwankelbaar trouw wacht op de oever van de doodsrivier. En het boek dat hij schrijft, dat spreekt over pijn, over pijn, pijn, pijn, waar is dat gebleven? Waar komt het vandaan? Is hij het die zijn eigen boek schrijft? En hij doet de voordeur van zijn eigen huis open, en daar staat een man zonder neus, en dan ligt de man zonder neus voor hem. Dan ziet hij een heel lichte man in uniform. De heel lichte man in uniform heeft een metaaldraad in zijn hand. Naast de heel lichte man staat een donkere man. Hij heeft een paarse moedervlek in zijn hals. Die heeft de vorm van een ruit. En achter die twee mannen, in een vreemd, kunstmatig tegenlicht, ziet hij een glimp van een derde man, en de derde man heeft ook een dunne metaaldraad in zijn hand, en hij zou hem moeten kunnen zien, maar hij ziet hem niet. En op zijn pols zijn de nummers bezig hem te verlaten. En de man zonder neus zegt: 'Sheinkman', en hij staat roerloos en hij neemt hem op, en de man zonder neus zegt nog een keer: 'Sheinkman', en deze keer wijst hij naar zichzelf en er verschijnt een stralende glimlach op zijn gezicht en dan komt hij omhoog uit de rivier en ziet dat het metrostation Sandsborg heet.

Dan is hij er bijna. De route van die dag is hem duidelijk. Hij vormt de letter u. Vandaag heeft hij gereisd als een u. Dat is de laatste letter. En hoe heeft hij gisteren gereisd? Hij moet opnieuw in gedachten de reis van gisteren maken. Langzaam vormt zich een teken. Een letter.

Als de metro het perron verlaat, merkt hij dat hij niet meer door tunnels rijdt. Het is licht buiten. Ook al is het avond en is er weinig licht. Het loopt tegen de avond, denkt hij, en nu voelt hij de aanwezigheid heel duidelijk. De dood zit naast hem, reist met hem mee en is een volkomen normaal iemand.

Maar dan wordt hij losgemaakt, de contouren van de dood worden losgemaakt. Waarom? Mag hij nu nog niet sterven? Of is het niet de dood die hem achtervolgt? Zijn het andere ... wezens?

Alles wordt weer ondoordringbaar.

Een wirwar. Armen, een man zonder neus, drie mannen in tegenlicht, nummers die reizen, een dunne metaaldraad, onderstebovén hangend gezicht, een boek waarin wordt geschreven, benen, dunne, heel dunne benen, een stank die elke beschrijving tart.

De letter van gisteren was een v. Dat is hem volkomen duidelijk als de metro bij de metrohalte Skogskyrkogården stopt en hij met bevende, onwennige benen uitstapt. Het spreekt helemaal voor zich. Hij volgt zijn innerlijke kaart.

Om hem heen valt de schemering langzaam in. Leunend op zijn stok steekt hij de straat over en strompelt het grote kerkhof op. Als vuurbakens verlichten de straatlantaarns zijn pad, en hier en daar brandt er een kaarsje op een graf. Het wordt steeds minder stad en steeds meer bos. Alleen de rijen grafstenen onderscheiden de plek van een bos. Onder zijn voeten reizen de doden. De bomen, struiken en planten halen voedsel uit de rottende lichamen. Heel even heeft hij het idee dat de begroeiing er hier anders uitziet dan op andere plaatsen.

Alsof planten die door lijken worden gevoed een andere vorm hebben.

Hij strompelt verder door de lenteavond. De geur van pas ontloken voorjaar wordt vermengd met de stank van het verleden.

Er hangt een wolk van verrotting over het kerkhof. Christelijke graven geven hem altijd een onbehaaglijk gevoel; eindelijk begrijpt hij waarom.

De merkwaardig gevormde bomen staan roerloos. Het is volkomen windstil. Toch voelt hij een soort aanwezigheid, maar niet meer die veilige van de dood. De veilige dood heeft hem verlaten. De aanwezigheid is heel tastbaar, toch is ze vaag aanwezig, als een luchtspiegeling. Dingen die vlak buiten zijn gezichtsveld lijken te glijden.

De angst mag geen grip op hem krijgen. Hij mag niet in het moeras van de angst wegzinken. Hij werkt zich met moeite omhoog naar het oppervlak. Hersengymnastiek. Vijf dagen lang heeft hij gereisd. Er ontbreekt een letter op zijn reis. De middelste letter. De reis van eergisteren. Hij roept hem op terwijl hij voortstrompelt over het kerkhof. Een dier laat zich horen. Het is een uil die krast.

Hij herinnert zich dat hij in het uiterste noorden uit de metro is gestapt en een zinloos rondritje met een bus heeft gemaakt. Dat vormde een ring, of een punt.

Het puntje op de i.

De derde letter is een i. Dat betekent dat alle andere letters, alle, behalve de beginletter e, kleine letters zijn. Onderkast.

Ongemerkt heeft hij de christelijke graven achter zich gelaten. Hij is op Beth Hachajiem, op de grond van de Joodse gemeente: Södra Begravningsplatsen. Op een aantal graven liggen kleine stenen. Boven aan de grafstenen staan twee Hebreeuwse letters: 'Hier rust'. Onderaan vijf Hebreeuwse letters, die staan voor: 'Moge zijn/haar ziel opgenomen worden in het verbond van het eeuwige leven'. Het voelt als thuis. En tegelijkertijd ook helemaal niet.

En dan ziet hij vanuit zijn ooghoek een schim die achter een boom glijdt. En dan nog een.

Hij staat stil. De uil krast opnieuw. Het is het geluid van de dood, en dat is volstrekt logisch. Hij staat daar en zet de vijf dagen van zijn laatste reis op een rij. Vijf letters, die als speelkaarten achter elkaar gaan liggen. Eerst de E, dan de p, daarna de i, vervolgens de v en tot slot de u. Epivu.

Volstrekt betekenisloos. Tragisch om te sterven met nog een onopgelost, ondoordringbaar raadsel. Hij lacht in stilte. Een galgenlachje.

Maar dan gebeurt er iets bijzonders, de beelden gaan ook op volgorde liggen, als speelkaarten, in een volkomen duidelijke volgorde.

Hij komt weer in beweging. Al kun je het amper bewegen noemen. Hij strompelt, half op zijn stok leunend. De hele natuur om hem heen lijkt gehuld in glijdende schimmen, de bomen lijken zich te bewegen, een bos dat nadert, en hij pakt de eerste speelkaart en kijkt erop.

En zijn hele leven verandert van karakter.

Dan ziet hij in het donker dat een aantal grafstenen omvergeduwd is. Een ligt helemaal aan stukken. En natuurlijk is het die. De steen waarnaar hij al die tijd op weg was. Hij lacht even. Hij hoort zijn eigen lach, die hol klinkt. Onvoorstelbaar hol.

Het is volstrekt logisch dat deze grafsteen vernield is. Hij knielt ernaast en kijkt omhoog. In de verte onderscheidt hij een paar gestalten. Ze joelen en gooien met flessen en vernielen grafstenen, hun hoofden zijn kaalgeschoren. Hij snuift even en hij voelt aan de vernielde grafsteen. Hij is teleurgesteld. Zijn de skinheads zijn lot? Neonazi's? Wat ... banaal.

Hij bekijkt zijn innerlijke, inmiddels geordende beelden. Dit zal wel het heldere moment zijn dat je hebt vlak voordat je sterft. Wanneer je hele leven aan je voorbij ziet trekken.

Ja, denkt hij. Het is volkomen, volkomen duidelijk. Vanzelfsprekend. Zo is het.

En daar valt natuurlijk niet mee te leven.

Dan begrijpt hij ook de letters Epivu. Natuurlijk.

Je moet gewoon je perspectief veranderen.

Er stond geen puntje op de i.

En de skinheads waren zijn lot niet. Dat gaf een goed gevoel. Rechtvaardiger.

'Jullie hebben lang gejaagd', zegt hij hardop, en hij weet niet in welke taal hij spreekt.

'Ja', antwoordt een vrouwenstem. 'Behoorlijk lang.'

Hij voelt dat hij omhooggehesen wordt. Het is aardedonker. Oerdonker. De ijskoude wind huilt. Zijn lichaam tolt. Alles staat ondersteboven. Hij ziet de maan tussen zijn voeten. Hij hoort de sterren uitbarsten in lichtjaargezang. En hij ziet de duisternis donker worden.

Dan ziet hij een gezicht. Het hangt ondersteboven. Het is een vrouw die de man is, die onwankelbaar trouw meer dan een halve eeuw heeft gewacht en hem nu op de boot over de doodsrivier helpt, die eindelijk, eindelijk uit hem is gestroomd. En hij is het zelf die ondersteboven hangt.

Dan komt de pijn.

Een halve eeuw later.

En die is precies zoals hij hem zich had voorgesteld.

12

'Wel heb ik ooit', zei Jan-Olov Hultin. 'Ruik je naar gin?'

'Hoe kom je daarbij?' zei Paul Hjelm. 'Misschien een klein beetje naar Dry Martini.'

De maan kwam langzaam tevoorschijn vanachter de onzichtbare wolken, en de plek veranderde van karakter. Het was geen vochtig, donker oerbos meer waar het krioelde van onzichtbaar leven, het was de schrale, wrede, starre verblijfplaats van de dood. Samen met de maan kwamen de grafstenen tevoorschijn, een voor een, tot alles eruitzag als een gedicht van Edward Young.

Grafpoëzie.

'Zijn de anderen hier?' vroeg Hjelm.

'Gunnar was de enige die ik te pakken kon krijgen, maar die zat in Östhammar. De rest had zijn telefoon uitgezet; heel begrijpelijk. En jij, hoe ben jij hier gekomen? Je hebt toch niet gereden, hoop ik.'

'Taxi', zei Hjelm kort terwijl ze langzaam over het smalle paadje liepen waar het christelijke kerkhof overging in de Joodse Södra Begravningsplatsen. De grafstenen zagen er iets anders uit, maar in wezen was het hetzelfde.

Een plaats voor de doden.

'Vertel maar', zei Hjelm, terwijl ze een hoek om gingen en er een groep politieagenten in uniform zichtbaar werd. Ze zagen er bleek uit in het zwakke maanlicht. Om hen heen hing het obligate rood-witte plastic lint, en de twee politieoversten gingen voorovergebogen de ring in.

'Ik zeg niks', zei Hultin en hij knikte kort naar een van de aspirant-politieagenten, die in het donker tastte, waarna er een felle schijnwerper aanging. Hjelm werd onmiddellijk verblind. Ergens in de vlammende, bijtende vuurzee die in de plaats kwam van het gezichtsveld achter zijn oogleden kon hij vaag een persoon onderscheiden. En toen de vuurzee afnam zag hij – nog steeds achter zijn oogleden – dat die persoon ondersteboven hing. Op dat moment lukte het hem pas zijn ogen te openen.

Toen werd het duidelijker.

Aan een eik hing een heel oude man. Het touw waarmee zijn voeten vastgebonden waren, liep omhoog de boom in. Zijn handen hingen in het grind. De grijze plukken haar kwamen bijna tot aan de grond, vlak naast een wandelstok en een vernielde grafsteen. En uit zijn hoofd, ter hoogte van zijn slaap, stak een dunne maar stevige metaaldraad. Op het gezicht van de man speelde een merkwaardige glimlach.

Het was een eigenaardig, griezelig schouwspel in het felle licht van de schijnwerper. Als een slotscène van een toneelstuk. Een klassieke tragedie.

'Allemachtig', zei Paul Hjelm.

Hultin plukte een paar keer aan het touw, als was het een contrabas. Een gebroken toon verspreidde zich door de nacht.

'Zijn voeten zijn vastgebonden met een platte knoop in een acht millimeter dik, rood-paars gestreept polypropyleentouw.'

'Racistische daad?' vroeg Hjelm en hij wees naar de vernielde grafsteen.

'Daar lijkt het op', zei Hultin. 'Een eindje verderop liggen meer omvergeduwde en vernielde grafstenen. En kapotte brandewijnflessen.'

'Geen voetsporen', zei Hjelm en hij knikte.

'Nee. Niet direct.'

'Geen voetsporen in de veelvratenkuil, bedoel ik. Terwijl hij zo hing heeft hij met bloederige vingers het woord in de aarde geschreven.'

'Waarschijnlijk. Weet jij wie het is?'

'Nee. Een Jood?'

Hultin schoof de mouw van het colbertje van de oude man omhoog. Het witte overhemd met manchetten schoof mee.

Op de pols stond een reeks getatoeëerde nummers.

Hjelm merkte dat zijn gezicht vertrok en hij deinsde terug.

'O, allemachtig!' riep hij uit.

'Emeritus hoogleraar Leonard Sheinkman', zei Hultin zacht. 'Wereldberoemd medisch wetenschapper. Geboren in Berlijn in 1912, achtentachtig jaar dus.'

'En zo opgehangen? Godsamme.'

'Dat kun je wel zeggen, ja.'

Hjelm boog zich voorover en bekeek het oude, rimpelige gezicht. Hij voelde voorzichtig aan de harde metaaldraad die uit zijn slaap stak. Hij huiverde en dacht aan een eerdere zaak waarin weerzinwekkende metalen voorwerpen in hoofden werden gestoken. Een zaak waar hij niet graag aan terugdacht.

'Kwaad bloed kruipt waar het niet gaan kan.'

Maar dat zouden ze nooit meer zeggen.

'Ik weet niet wat het is,' zei Hultin en hij zonk naast hem neer, 'maar het doet me ergens aan denken.'

'Marteling?' zei Hjelm.

'Zou kunnen.'

Ze stonden weer op.

'Ik denk dat we Brunte maar weer eens naar de veelvraten moeten sturen', zei Hjelm.

'Er zit niks anders op.'

Hultin gebaarde opnieuw naar de aspirant bij de schijnwerper, en het licht doofde. Het werd aardedonker. Het zicht was in het donker helemaal verdwenen en de maan had zich teruggetrokken achter de onzichtbare wolken.

'Getuigen?' zei Hjelm.

'Ik heb een gezin gesproken dat rond half negen een groepje skinheads in hoog tempo door Skogskyrkogården zag lopen.'

'Skinheads?' riep Hjelm uit.

'Dit is wel de manier waarop ze te werk gaan', zei Hultin en hij haalde aarzelend zijn schouders op. 'Joodse grafstenen omvergooien. Het zou niet de eerste keer zijn.'

'Maar dit ...' zei Hjelm en hij wees naar de oude man die in het donker tussen de boomtakken bungelde. 'Dit zou wel de eerste keer zijn.'

'Inderdaad. Toch moeten we die skinheads zien te vinden.'

'Natuurlijk, dat lijkt me logisch.'

Woorden werden onbeduidend en irrelevant. Er maakte zich een vreselijk onbehaaglijk gevoel van hen meester. Hun huiveringen zeiden meer dan duizend woorden. Een oude concentratiekampgevangene opgehangen en gemarteld op een Joodse begraafplaats in Zweden. Daar waren geen woorden voor.

Waren Zweedse skinheads werkelijk tot zoiets in staat? En zo ja, wat had dat met de anonieme Veelvratenman in Skansen te maken? Hadden skinheads de vermoedelijk donkere man door de bossen van Djurgården achtervolgd? Net zoals ze in dat geval de oude Joodse professor door de bossen van Skogskyrkogården hadden achtervolgd?

Dat leek ... onwaarschijnlijk. Weliswaar had het A-team nog niet zo heel lang geleden een rechts-extremistische groep bestreden die contacten had in alle geledoren waar ondemocratische en inhumane activiteiten in zwang waren. Weliswaar hadden ze alle zogeheten patriottische internetsites bekeken waarop de namen stonden van bekende Zweedse Joden die onderdeel zouden vormen van de grote, wereldwijde Joodse samenzwering. Maar dit was van een heel andere orde.

Helemaal normaal was het niet.

Met een laatste blik op de oude, bungelende man zei commissaris Jan-Olov Hultin onverwacht: 'Adem eens in mijn gezicht.'

Paul Hjelm staarde hem aan.

'Wat?' blies hij in het gezicht van zijn chef.

'Dank je', zei Jan-Olov Hultin. 'Ik kon wel een borrel gebruiken.'

13

Kerstin Holm staarde naar de man met het kortgeknipte haar en probeerde nors te kijken. Ze had moeite om nors te kijken omdat het zondagochtend acht uur was en ze last had van de nawerkingen van het uitbundige feest dat ze de avond ervoor had gevierd met een groep koor- en orkestleden, die de feesttradities van de familie Mozart in ere hield. Bovendien had ze pas amper vijf minuten geleden een uiterst beknopt overzicht van de zaak gekregen. En terwijl ze nors trachtte te kijken, probeerde ze tegelijkertijd allemaal vaag aangeduide lijntjes met elkaar te verbinden. Het was een indrukwekkende evenwichtsoefening, niet in de laatste plaats omdat ze ook nog eens misselijk was.

'Ik weet dat je niet goed voorbereid bent', zei Hultin, die haar nog geen drie kwartier daarvoor wakker had gebeld terwijl ze een knallende, gekmakende hoofdpijn had. Ze wist niet of ze de dag zonder over te geven door zou kunnen komen, om maar te zwijgen van een gedegen kruisverhoor van een verdachte die per definitie onwillig was.

'Maar', ging Hultin verder, 'jij bent onze beste ondervrager. En Paul zit erbij.'

Alsof dat een troost was. Hjelm zat naast haar en leek er nog slechter aan toe dan zij. Een hopeloze situatie. Ze las snel de papieren door die voor haar lagen en probeerde uiterst competent over te komen.

Ze bestudeerde de man voor haar in de steriele verhoorkamer en probeerde hem voor te stellen als een geraffineerde moordenaar. Dat was niet makkelijk. Hij zag eruit als een klein, doodsbang snotjochie. Maar, dacht ze, en ze vermande zich, het is en blijft natuurlijk een skinhead.

'Dus, Andreas Rasmusson', zei ze en ze keek de jongen strak aan. 'Dus jij zwierf vannacht rond op het Centraal Station, "als een spook" volgens het preliminaire rapport. En vanmorgen ben je geïdentificeerd door een gezin dat gisteravond om half negen bloemen legde op het graf van hun oma op Skogskyrkogården. Je kwam toen van de Joodse begraafplaats rennen, waar net tientallen grafstenen waren vernield. Je vingerafdrukken zijn op een stukgeslagen fles Renat gevonden die daar lag. Je bent achttien jaar en je hebt geen strafblad. Als je nou vertelt wat er is gebeurd, is de kans groot dat je er ook geen krijgt.'

Paul Hjelm observeerde Kerstin Holm. Hij voelde zich niet lekker. Zij leek daarentegen totaal geen last te hebben van de slechte toestand waarin ze verkeerde, de onchristelijke tijd en haar bezigheden van de dag ervoor. Hoe kon ze zich zo goed voelen?

Kerstin Holm voelde dat ze moest overgeven. Ze stond op en zei streng, maar met een enigszins gesmoorde stem: 'Denk hier maar een paar minuten over na.'

En weg was ze.

Aha, dacht Hjelm. Een experiment met een nieuwe verhoortechniek. Fraai.

Hij keek naar Andreas Rasmusson. Over een paar jaar zou hij waarschijnlijk zijn skinheadleven opgeven en deelnemen aan de samenleving. Hij zou zijn oude leven achter zich laten, maar nooit afstand doen van zijn ideeën. Hij zou het ene zeggen en het andere denken. En dat was een explosieve situatie. Vroeg of laat zou het zich tegen hem keren.

Een moment lang dacht Paul Hjelm aan de Situatie. De Zweedse Situatie. Hij wist niet zeker of hij die helemaal begreep. De Markt regeerde, dat was duidelijk. De waarde van de aandelen had de waarde van de mens vervangen. De vraag was niet zozeer wat dat voor het heden betekende, want dat was wel duidelijk: een geldelijke herverdeling van de armen naar de rijken. Niet werken, maar geld leverde geld op, en dat geld moest ergens vandaan komen. Geklets over 'volksaandelen' en 'gesubsidieerde aandelenfondsen' was een zwak alibi om door te kunnen gaan met waar het echt om draaide: om geld te verdienen aan geld had je grote sommen geld nodig. En gewone mensen hebben geen grote sommen geld. Zo simpel was het. Natuurlijk, gewone mensen kunnen enkele tienduizenden verdienen op de beurs, maar dat was niet van belang. Behalve voor de kijk van het publiek op de Markt; het was gewoon een kwestie van marketing. Spelen op de beurs was hetzelfde als meedoen met de Lotto. Als je geluk had, won je wat geld. En dus had niemand daar problemen mee. De marketingstrategie was geslaagd. Kosteloos eigenlijk.

Nee, de vraag was wat het voor de lange termijn betekende. Op welke manier veranderde deze ongelooflijke, algehele fixatie op geld de mens?

Paul dacht het te weten. Er was een grote fundamentele verandering gaande. Daar was hij in zijn werk al vaak op gestuit. Alle vormen van democratie en humaniteit waren gebaseerd op het vermogen je in te kunnen leven in je gesprekspartner. Niets meer en niets minder. Je kunnen verplaatsen in de ander, met alle ervaringen van de ander. Pas dan waren twee mensen gelijkwaardig. De afgelopen jaren had hij gezien dat eenvoudige, basale vermogen bezig was te verdwijnen. Er was een soort scherm verrezen tussen de mensen en men begon elkaar als object te zien. Als investeringsobject. Levert dit gesprek met deze persoon me iets op?

Er bestond geen wereld buiten de economie. En zonder die vrijzone was je vrij om mensen te behandelen zoals je wilde. Het aantal gewetenlozen nam toe, dat dacht hij te weten.

Maar, aan de andere kant was er veel dat hij dacht te weten.

Kerstin staarde hem van bovenaf aan.

'Hallo', zei ze. 'Is er iemand thuis?'

'De mens is geen baas in zijn eigen huis', zei Paul Hjelm en hij kwam weer tot zichzelf.

Haar blik bleef nog een paar tellen hangen. Toen richtte ze zich tot de achttienjarige skinhead en zei: 'En, Andreas, heb je erover nagedacht?'

'Ik weet niet waar je het over hebt', zei Andreas en hij zag er blauwbleek uit.

Blauwbleek? dacht Hjelm. Waar komen deze eigenaardige woorden toch vandaan?

'Oké', zei Kerstin en ze klopte de papieren op de tafel tot een stapel. 'Dan arresteren we je wel en brengen we je naar de officier van justitie. Dan kom je voor de rechter en beland je jarenlang in de gevangenis tussen gewelddadige allochtonenbendes, waarna je de rest van je leven als ex-bajesklant mag slijten.'

Daarna verliet ze met papieren en al de verhoorkamer.

Paul staarde een tijdje naar de dichte deur. Toen verliet ook hij de ruimte. Hij ging de kamer in die achter de eenzijdige spiegel lag en zag Andreas Rasmusson aan de verhoortafel verward met zijn ogen knipperen. Hij had verwacht dat Kerstin daar zou zijn, maar ze schitterde door afwezigheid. Een tijdje sloeg hij de skinhead gade. Als vage contouren in een vuurzee zag hij de onderste-boven hangende gestalte van de man voor zich. De grijze plukken haar die boven de vernielde grafsteen hingen.

Hij voelde zich niet helemaal lekker.

Kerstin kwam binnen en ging naast hem staan. Ze rook ... vies. Hij draaide zich verbaasd om. 'Allemachtig!' riep hij uit. 'Heb je overgegeven?'

'Waarom denk je dat ik de hele ochtend als een kip zonder kop in en uit ren?' vroeg ze met een blik in de spiegel. 'Ik dacht dat ik vandaag vrij zou zijn. Jij ruikt ook niet bepaald fris', voegde ze eraan toe en ze draaide zich naar hem toe.

'Nee', zei hij. 'Dat kan wel kloppen.'

'Heeft hij al gereageerd?' vroeg ze.

'Hij kijkt alleen maar doodsbang.'

'Nieuwe poging doen?'

'Lijkt me wel.'

Ze gingen weer naar binnen. Andreas Rasmusson keek naar hen zonder noemenswaardige reactie.

'Meestal ben je veel ad remmer', zei Kerstin Holm. 'Volgens

mijn dossiers ben je hier al veertien keer voor verhoor geweest, en toen was je veel slagvaardiger. Waarom ben je vandaag zo kort van stof? Omdat het zondag is? De christelijke sabbat?'

Hij keek haar aan zonder haar te zien.

Paul Hjelm zei: 'Volgens de politieagenten in het Centraal Station was je bijna gek van angst toen ze je meenamen. Wat heb je gezien?'

'Ik wil een advocaat', zei Andreas Rasmusson.

Zondag 7 mei was een merkwaardige dag. Op de gang van het A-team in het politiebureau in Kungsholmen in Stockholm heerste iets wat wellicht kon worden aangeduid als passieve chaos. Enerzijds hadden ze verschillende aanknopingspunten, in allerlei richtingen, waarmee ze aan de slag konden, maar anderzijds stonden ze met lege handen. Het was zondag. De christelijke sabbat.

Waldemar Mörner, afdelingschef bij de rijkspolitie en formele chef van 'De speciale eenheid van de rijksrecherche voor geweldsdelicten van internationale aard', was helemaal doorgedraaid. Omdat ze met een lopende zaak bezig waren en er geen sprake was van een speciaal weekendevenement, kon hij door de gangen lopen zonder dat iemand aandacht aan hem schonk. Hij deed de deur open van commissaris Jan-Olov Hultins kamer en wees op de klok.

'Persconferentie over een kwartier, J.O. Spijkers zonder koppen.'

Waarna de deur werd dichtgedaan.

De gedachtegang van het echtpaar Jorge Chavez en Sara Svenhagen, die zojuist op de hoogte waren gesteld van de situatie nadat ze de hele ochtend onvindbaar waren geweest, werd onderbroken door deze uitdrukking. Spijkers zonder koppen? Welke wijsheid er lag verscholen in deze gevleugelde woorden?

Hultin zei met een kleine grijns: 'Hij was een Nobelprijskandidaat.'

Twee seconden later zwaaide de deur open en Mörners dikke

blonde haardos – waarvan algemeen werd aangenomen dat het een toupet was – vloog weer naar binnen. Uiterst opgewonden brieste diens bezitter: 'Hij was een Nobelprijskandidaat.'

Sara en Jorge staarden Hultin aan, die alleen maar met een onduidelijke blik zijn schouders ophaalde.

Waldemar Mörner liep verder door de gang. Nu was er haast geboden. Hij trok opnieuw een deur open en stak zijn hoofd in de kamer van twee robuuste heren van middelbare leeftijd, die propjes papier in een prullenmand aan het mikken waren.

'Wat doen jullie hier?' riep hij uit.

'Dit is onze kamer', zei Gunnar Nyberg.

'We zijn opgeroepen', zei Viggo Norlander.

Dat klopte. Het hele A-team was opgeroepen. Maar eenmaal op het bureau was er eigenlijk niet zoveel te doen. Het besluit kon wellicht enigszins overijld worden genoemd. Het was Waldemar Mörners besluit.

'Waar is Holm?' riep de laatste uit, in opperste staat van verbazing.

'Het is niet heel onwaarschijnlijk', zei Nyberg, 'dat ze in haar kamer is.'

'En niet in die van ons', verduidelijkte Norlander.

Mörner haastte zich verder door de gang, met zijn blik gericht op zijn splinternieuwe, maar zeer onechte Rolex. Het was dertien minuten over één. En de wereldpers stond voor de deur te wachten. Zo dadelijk zou hij naar buiten glippen en de naam van de Nobelprijswinnaar in zes verschillende talen meedelen.

Nee, hij zat verkeerd.

Met grof geweld trok hij een deur open. Nee, weer verkeerd. Het was het damestoilet.

Hij wilde zich net verder een weg banen door het politiebureau, toen Kerstin Holm vanaf de wastafel naar hem opkeek, waar ze bezig was water in haar nogal bleke gezicht te gooien.

'Wat doe jij hier?' riep hij uit.

'Dat zou ik jou eigenlijk moeten vragen', zei ze en ze gorgelde.

'Maar ik was op zoek naar jou', zei hij verward.

'En ...' zei ze pedagogisch en ze begon haar gezicht af te drogen met een handdoek die er zeer gebruikt uitzag.

'Ik heb je nodig', zei Waldemar Mörner als een hartstochtelijke minnaar onder een balkon.

Kerstin Holm legde de handdoek weg, trok een grimmige grimas en staarde hem sceptisch aan.

'De persconferentie', verduidelijkte hij en hij voelde aan zijn nep-Rolex. 'Die begint zo. Over twaalf minuten. Elf.'

'Je hebt een vrouwelijke gijzelaar nodig', zei ze op een toon die vuur in ijs kon veranderen.

'Precies', zei Mörner zonder ook maar de minste temperatuur-verandering te voelen.

'Ik ben ziek', zei Kerstin Holm en ze droogde zich verder af. 'Vraag Sara maar.'

'Maar zij is zo jong.'

'Des te beter.'

Waldemar bleef nog een paar tellen in het damestoilet staan en dacht na.

Zo kwam het dat Sara Svenhagen, zonder voldoende geïnformeerd te zijn over de situatie, rechtstreeks van het baantjes zwemmen in Eriksdalsbadet, tussen Waldemar Mörner en Jan-Olov Hultin op een podium in een grote zaal in het politiebureau belandde en aan een bundel in speeksel gedrenkte microfoons rook. Ze staarde in de tv-camera's en voelde dat haar gechloreerde haar recht overeind stond.

Paul Hjelm zat in zijn kamer aantekeningen te maken in de vorm van een coördinatenstelsel, toen het beeld van het groenige, gemillimeterde haar op het televisiescherm verscheen.

'Groen?' zei hij.

'Chloor', zei Kerstin Holm, die naast hem zat. 'Ze zwemmen elke zondag duizend meter. Dan wordt je haar na een tijdje groen.'

'Duizend meter? Jorge?'

'Twintig baantjes. Stil nou.'

Waldemar Mörner schraapte zijn keel. Dat beloofde altijd veel goeds. Nu stonden taalpuristen een feestelijk moment te wachten.

'Geachte leden van het perskorps en overige eregasten', opende Mörner de persconferentie. 'Gezien de redelijk hoge eisen die gesteld worden aan publieke openheid in verband met de recentelijk gepleegde racistische moord op een zeer bekende Zweedse wetenschapper in de cerebrale branche – als je dat tenminste zo noemt – hebben wij besloten vooruit te lopen op uw uiterst gerechtvaardigde eis en in een initiële toestand van openheid te treden, aangezien wij in een open samenleving leven en de middelen van de politie beperkt zijn, zodat wij nu uw welgeformuleerde vragen tegemoetzien betreffende emeritus hoogleraar Leonard Sheinkman.'

De leden van het perskorps keken elkaar afwachtend aan. Hopelijk had iemand het begrepen. Ten slotte zei een dappere jongeman: 'Om wie gaat het?'

Waldemar Mörner knipperde hevig en riep uit: 'Hij was nota bene een Nobelprijskandidaat.'

Het beeld verdween. Paul keek verontwaardigd naar Kerstin.

'Nu is niet het moment om ons te verkneukelen in Mörners blunders', zei ze en ze legde de afstandsbediening op tafel.

Daar was hij het mee eens. Hij zag een reeks nummers op een pols en voelde een onmiskenbaar onbehagen.

'Oké', zei hij en hij wees op het papier waarop hij een coördinatenstelsel had getekend dat eruitzag als een plusteken. Vier ruiten, vier gebeurtenissen. De horizontale streep was een grenslijn. Boven de streep stond 'Skansen' en 'Skogskyrkogården'. Onder de streep stond 'Slagsta' en 'Odenplan'. 'Is er iets concreets wat de twee dingen boven de streep verbindt met de dingen onder de streep?'

'Wat de twee bovenste dingen verbindt,' zei Kerstin, 'is het touw. Een platte knoop in een acht millimeter dik, rood-paars gestreept polypropyleentouw. Verder nog iets?'

'Niet echt', zei Paul. 'Het is mogelijk dat er geen voetafdrukken waren in de veelvratenkuil. Hij kan dus ondersteboven aan de balustrade zijn opgehangen en volledig versuft met zijn vingers in de aarde hebben geschreven; professor Sheinkman had zijn handen immers vrij. We moeten nagaan of de technisch rechercheurs misschien zo'n ding bij de veelvraten hebben gevonden.'

Hij hield een lange, harde, ruim een millimeter dikke metaaldraad met een vlijmscherpe punt omhoog. Kerstin pakte het ding en bekeek het.

'Deze zat ... waar? In zijn hoofd?'

'In zijn rechterslaap gestoken. We wachten op nadere informatie van de hersenchirurg die Qvarfordt helpt met de sectie. Ik weet niet of ze al klaar zijn.'

'Heeft iemand een bepaalde reden gehad om zo'n draad in de hersenen van een hersenonderzoeker te steken?' vroeg Kerstin en ze legde, niet zonder afschuw, de akelige draad weg.

'Dat is niet helemaal onwaarschijnlijk', zei Paul. 'We moeten in elk geval een bezoek brengen aan zijn familie. Misschien is het een wraakactie vanwege een verkeerde behandeling? Een vergeten scalpel in de hersenschors?'

De deur ging open. Jorge Chavez stormde naar binnen, wierp zich op de afstandsbediening en zette de televisie aan. Hij ging boven op het coördinatenstelsel van Hjelm zitten, waardoor het verkreukelde.

'Kijk', zei hij ademloos.

Het gezicht van zijn vrouw vulde het televisiebeeld. Haar piekerige, gemillimeterde haar was onmiskenbaar groengetint.

'Ik begrijp wat je bedoelt,' zei Sara Svenhagen tegen het publiek, 'maar op dit moment hebben we geen enkele aanleiding om te vermoeden dat de Kentucky-moordenaar weer heeft toegeslagen.'

'Wat weet zij van de Kentucky-moordenaar?' vroeg Paul met een donkere blik.

'Alles wat ik ook weet', zei Jorge. 'Stil nou.'

'We weten niet eens of het een racistische moord is', vervolgde Sara. 'Het is te vroeg om daarover te speculeren.'

'Maar alles wijst erop dat het een racistische moord is', onderbrak Waldemar Mörner haar. 'We hebben al een verdachte opgepakt.'

In de rechterhoek van het beeld was een glimp van het halve gezicht van Hultin te zien. Het was zo verwrongen dat het leek alsof er net een hele reeks nierstenen in zijn luier terecht was gekomen.

'Allemachtig!' zei Paul en hij gooide zijn pen tegen de muur.

'Hebben jullie een verdachte opgepakt?' riepen minstens zes persstemmen. Een van hen, een bitse dame van het halfachtjournaal, ging verder: 'Hebben jullie ons de hele tijd voor zitten liegen?'

Even hoorde je een hoop geknetter. Hultin greep de hele bundel microfoons en trok deze naar zich toe.

'Er is iemand meegenomen voor verhoor', zei hij met glasheldere stem. 'Binnenkort zullen er meer mensen verhoord worden. Maar er is niemand gearresteerd. Ik herhaal: er is niemand gearresteerd.'

'Waarom beweerde jij dan, Waldemar Mörner, dat er een verdachte was opgepakt?' vervolgde de bitse dame van het halfachtjournaal.

Mörner knipperde driftig met zijn ogen. Toen bewoog zijn mond, zonder dat er geluid uit kwam.

'Kunnen de microfoons weer op hun plaats worden teruggezet?' zei een geïrriteerde stem van een technicus.

Toen zette ook Jorge de televisie uit. Het drietal wisselden blikken die laveerden tussen woede, irritatie en schaterlachen.

'Hoelang kan zo iemand als Mörner op zijn plek blijven?' vroeg Kerstin Holm uiteindelijk. 'Ergens moet toch een grens zijn?'

'Hier heel, heel ver vandaan', zei Jorge. 'Wat was ze goed, hè?'

'Televisie accentueert kleuren', zei Paul. 'Twintig baantjes?'

'*Say no more*', zei Jorge afgemeten. 'Waar zijn jullie mee bezig?'

'Zou je even op kunnen staan?'

'Als je zegt waar jullie mee bezig zijn.'

'Dat kan ik je pas vertellen als je opstaat.'

De situatie was dus met andere woorden in een impasse geraakt. Een clinch. Er woedde nu een vreselijke machtsstrijd tussen de twee mannen in de kamer. Kerstin Holm zuchtte diep. Uiteindelijk tilde Chavez een bil op, waardoor Hjelm het papier onder hem vandaan kon trekken.

'Onbeslist', zei Chavez en hij sprong van de tafel, trok de extra stoel langs de muur erbij en ging zitten.

'Laten we het daar maar op houden', zei Hjelm en hij streek het gekreukte papier glad. Hij wees op het grote plusteken en ging verder: 'Een klein coördinatenstelsel van de afgelopen dagen. We vroegen ons af of er iets concreets is wat het bovenste deel met het onderste verbindt.'

Chavez liet zijn blik over het schema gaan. Omhoog naar 'Skansen' en 'Skogskyrkogården'. Omlaag naar 'Slagsta' en 'Odenplan'. Tussen 'Skansen' en 'Skogskyrkogården' stond 'het touw'.

'Het was hetzelfde touw, dus', zei Chavez. 'Ik heb het bekeken. De kleurencombinatie rood en paars is redelijk ongebruikelijk, maar verder lijkt het een volkomen normaal polypropyleentouw dat je in elke grote supermarkt kunt kopen. Ik heb contact gehad met verschillende fabrikanten in en buiten Zweden, en die zouden monsters sturen van hun paars-rood gestreepte, acht millimeter dikke polypropyleentouw. Die moeten deze week binnenkomen.'

'Oost-Europa?' vroeg Hjelm.

'Daar ook, ja. Rusland, Bulgarije, Tsjechië en nog een paar landen.'

'Mooi', zei Kerstin Holm. 'Dan komen we bij de link tussen de twee onderste vierkanten, "Slagsta" en "Odenplan". Tussen een van de motelkamers in Slagsta en de ninjafeministe van Odenplan is over en weer telefonisch contact geweest. Beide kanten op, dus. Het gaat om kamer 225, waar Galina Stenina en Lina Kostenko uit de Oekraïne zaten.'

'De ninjafeministe?' zei Hjelm.

'Dat woord was een paar jaar geleden in zwang. Dat begrijpen jullie toch niet, mannen.'

'Nina Björk', zei Chavez nonchalant. '*Under det rosa täcket.* Over de structuur van vrouwelijkheid. Ze wijst bepaalde varianten van het feminisme af, zoals verschilfeministen, die geloven in een soort aangeboren moederlijkheid bij vrouwen, en ninjafeministen, die de wapens van de man stelen om deze vervolgens tegen hem te gebruiken.'

Zowel Hjelm als Holm staarde hem verrast aan.

'Dus je bent je niet alleen op zwemmen gaan toeleggen', stelde Hjelm vast.

'Het is een veelzijdige training', zei Chavez. 'Alle spiergroepen worden getraind.'

'Laten we ons proberen te concentreren', zei Kerstin Holm en ze gebruikte de wapens van de man tegen hem. 'Beetje rationeel denken, graag, heren. Dit is interessant. Het laatste gesprek tussen de twee partijen vond plaats op woensdagavond om 22.54 uur, toen onze ninjafeministe naar de Oekraïense Galina Stenina en Lina Kostenko in Slagsta belde. Zoals jullie wellicht nog wel weten, sloeg er om 22.14 uur dezelfde avond een kogel in de arm van de tienjarige Lisa Altbratt. Dat was misschien geen toeval.'

'Of misschien ook wel', zei Paul dwars.

'Denk nou even na', ging Kerstin verder. 'Sinds een week is het onrustig bij onze acht dames in het asielzoekerscentrum. Er is iets gebeurd. Op zaterdag 29 april, amper een week voordat ze verdwijnen, belt de ninjafeministe voor het eerst naar kamer 225 van Galina Stenina en Lina Kostenko. We weten dat ze een Slavische taal spreekt, te oordelen naar wat Gunnar en Viggo door de telefoon hebben gehoord. Daarna hebben ze vijf dagen lang over en weer contact, in totaal negen gesprekken. Het allerlaatste telefoontje naar Slagsta vindt woensdagavond vlak voor elven plaats; dat is het allerlaatste geregistreerde telefoongesprek. Dat wordt vervolgens ijverig besproken in kamer 224, 225, 226 en 227 van het Norrboda Motell, in elk geval tot half drie 's nachts. Daarna zijn de acht vrouwen verdwenen. Maar een paar buren horen tussen half vier en vier uur 's nachts een groot gemotoriseerd voertuig. Een vuilniswagen of een verdwaalde stadsbus.'

Jorge knikte driftig.

'Maar dan hebben we de link toch!' riep hij uit.

Paul knikte ook. Toen zei hij: 'Kunnen we achterhalen waar de ninjafeministe vandaan heeft gebeld? Uit Zweden de hele tijd?'

Kerstin bladerde in haar papieren.

'Wat ik nu lees is afkomstig van de vier abonneenummers in Slagsta, de lijst van Telia die Brunte afgelopen vrijdagavond naar Jan-Olov heeft gefaxt. Je kunt hier niet uit opmaken waar de gesprekken vandaan komen, nee, niet of ze een landcode heeft ingetoetst of zo. Misschien wel als het lukt om een gespreks- specificatie van de mobiele telefoon te krijgen. De technisch rechercheurs hadden het nummer immers vrij snel achterhaald, het nummer van het mobieltje, bedoel ik. Ik neem aan dat je dat op de een of andere manier van de simkaart kunt halen.'

'Welke verband is er dan precies?' vroeg Paul Hjelm. 'Heeft de ninjafeministe onze man bij de veelvraten gegooid?'

'Zo zou je het kunnen zien', zei Kerstin Holm.

'Er bestaan dus verbanden in allerlei richtingen', zei Jorge Chavez. 'Maar welk verband is er in godsnaam met een acht- entachtigjarige emeritus hoogleraar die Buchenwald – heb ik het goed? – heeft overleefd.'

'Buchenwald', zei Hjelm en hij knikte. 'Ja, Kerstin, welke link is er met hem?'

'Die verpest alles', zei Holm en ze gooide haar pen tegen de muur.

'Zulke rare dingen moet je niet overnemen', zei Chavez streng.

'En wie is zij dan?' riep Hjelm uit. 'Als we ervan uitgaan dat alles klopt wat we zeggen, wie is zij dan? De ninjafeministe? Wat doet ze met de acht prostituees? Is ze bezig een superbordeel op te richten achter het voormalige IJzeren Gordijn?'

'Natuurlijk', zei Kerstin Holm azijnzuur. 'Een antisemitisch superbordeel met veelvratenelementen in het centrum van Moskou. Dat spreekt voor zich.'

'Niet ironisch worden', zei Chavez, die zich buitengesloten voelde. 'We laten dit even voor wat het is. Zullen we proberen een verband te vinden voordat we naar de kinderen van Sheinkman gaan? Drie heeft hij er, toch?'

'Drie', zei Hjelm en hij knikte.

'Dat kan geen toeval zijn. Maar laten we eerst elk segment van jouw vierkant apart doornemen. Of kwadranten, zoals ze eigenlijk heten. Alles wat gedaan moet worden en alles waar we nog op wachten. Eerste kwadrant: "Skansen". Blijft over: identificatie. We wachten op de uitslag van de vingerafdrukken van Interpol. Die zouden snel moeten komen. Ergens heeft onze man een strafblad, daar durf ik mijn nekhaar om te verwedden. Het serienummer van de Luger met de geluiddemper is ook naar Interpol gestuurd. Ook daar wachten we nog op. Verder?'

'De metaaldraad', zei Hjelm. 'De technisch rechercheurs hebben in de veelvratenkuil een halve ton materiaal verzameld, dat in het gerechtelijk laboratorium ligt. Wie het eerst klaar is bij een van Sheinkmans kinderen, gaat erheen. Misschien is er al een scherpe, harde metaaldraad gevonden zonder dat die met de Veelvratenman in verband is gebracht.'

'Aan het touw wordt gewerkt, zoals ik al zei', zei Chavez.

'En dan hebben we nog dat woord "Epivu"', zei Holm.

'O ja, lieve hemel', zei Hjelm. 'Dat woord zit me al nachtenlang dwars. Ik kom geen steek verder.'

'Samengevat', zei Kerstin Holm. 'Vingerafdrukken, pistool,

metaaldraad, touw, Epivu. We verwachten over alles uitsluitsel behalve het laatste. Dat moeten we zelf uitpluizen. Schrijf op, Paul.'

En Paul schreef.

'Tweede kwadrant', zei Chavez. 'Het recentste. "Skogskyrko-gården", wat eigenlijk niet klopt, want er zou "Södra Begrav-ningsplatsen" moeten staan, maar laat maar zitten. De gesprek-ken met de naasten zijn nabij. Verder?'

Hjelm nam het over: 'Over de vernielde grafstenen zal snel opheldering komen zodra Andreas Rasmusson zijn mondje gaat roeren. Waarschijnlijk hebben de skinheads geen klap met de zaak te maken. Waarschijnlijk waren ze toevallig bezig met hun weer-zinwekkende activiteiten toen een nog weerzinwekkendere acti-viteit hun pad kruiste. Waarschijnlijk komt de angst van Ras-musson voort uit het feit dat hij getuige is geweest van iets gruwelijkers dan hij zelf had kunnen bedenken.'

'Twee dingen', zei Kerstin Holm. 'Ten eerste: de modus ope-randi. Waarom deze uiterst ongebruikelijke liquidatiemethode? Iemand ondersteboven ophangen aan een touw en vervolgens een lange naald in zijn schedel steken, is niet helemaal normaal.'

'Nee', zei Chavez. 'Helemaal normaal is dat niet. Het duidt op iets specifieks, denk je niet? Er zit een verhaal achter. We moeten alle denkbare bronnen raadplegen, op zoek naar soortgelijke methoden. Als we geen leidraad vinden, mogen jullie me aan mijn nekvel ophangen.'

'Dat willen we niet', zei Hjelm. 'Wel een fles maltwhisky, graag.'

'Ik wed niet', zei Kerstin Holm stijfjes. 'Welk merk?'

'Cragganmore.'

'Oké. Ten tweede: de plaats delict. Naar de reactie van Andreas Rasmusson te oordelen is Södra Begravningsplatsen ook de plaats van de moord; het lijdt geen twijfel dat hij getuige is geweest van een moord. Waarschijnlijk is Sheinkman zelf naar de plaats van de moord gegaan. Wat moest hij daar? Had hij een doel met zijn bezoek aan de begraafplaats? Wilde hij een graf bezoeken? Is het toeval dat hij daar opgehangen werd? Welke graven liggen er in de buurt? Et cetera.'

'Goed', zei Hjelm en hij noteerde in zijn schema. 'Naasten, check modus operandi, verklaring hersenchirurg betreffende het effect van een metaaldraad in de hersenen, skinheadgetuige, andere getuigen, check plaats delict. Verder?'

'Verder niks', besloot Chavez. 'Derde kwadrant: "Slagsta". De rest van de in- en uitgaande gesprekken met het motel doorlopen, dat is een flinke lijst. Het forensisch technisch onderzoek van kamer 224, 225, 226 en 227 goed doorlezen. Tot nu toe is er niks bijzonders naar voren gekomen. Weggegooid geld om de technische recherche erbij te halen. Daar moet vrouwelijke logica achter hebben gezeten.'

'Het voertuig', zei Kerstin, terwijl ze hem – zoals dat heet – ijskoud negeerde. 'Een bus kan zich niet om half vier 's nachts ongemerkt door het kleine Slagsta hebben geperst. Laat staan een tank of een kernonderzeeër. Ik stuur er wel wat voetvolk naartoe.'

'Uitstekend', zei Paul. 'Dan hebben we nog die spookpooier.'

'Natuurlijk', zei Kerstin. 'Hoerenloper-directeur Jörgen Nilsson had in november al contact met een pooier. Jullie willen niet weten wat ik er allemaal voor heb moeten doen om dat uit hem te krijgen.'

'Jawel', zei Jorge, die opnieuw volkomen werd genegeerd.

'Er is een compositietekening die we door het register moeten halen. Schrijf je wel, Paul?'

'Ik doe niks anders. Check telefoongesprekken, technisch onderzoek, voertuig, spookpooier.'

'Hebben onze acht vluchtelingen hun paspoort trouwens bij zich?' vroeg Jorge.

'Nee, die lagen in de kamer van de directeur', antwoordde Kerstin.

'Dan zijn we bij het laatste kwadrant', zei Jorge. 'Het metro-incident. Kunnen we niet meer informatie krijgen uit die – hoe heet hij ook alweer? – Tamir?'

'Adib Tamir', zei Paul. 'Daar heeft Gunnar zich mee beziggehouden, en volgens mij heeft hij hem al flink onder druk gezet. Het belangrijkste in Odenplan is toch de mobiele telefoon. We hopen dat die geïdentificeerd kan worden en er een gespreksspecificatie geproduceerd kan worden. Dat is eigenlijk onze grootste hoop. Verder moet ik toegeven dat ik wat heb zitten pielen aan die telefoon – een goeie ouwe grote Siemens E10 trouwens – en ik heb nagedacht over hoe je een mobiele telefoon kunt gebruiken zonder er ook maar een vingerafdruk op achter te laten.'

'En dan hebben we de taaldeskundige,' zei Kerstin, 'die het twijfelachtige genoegen heeft om met Gunnar, Viggo en een aspirant met de naam Andersson fonetiek en slavistiek te bespreken.'

'Hebben we nog meer?' vroeg Paul Hjelm en hij schreef alsof zijn leven ervan afhing. Mobiele telefoon, gespreksspecificatie, taaldeskundige.

'Wat kunnen we eigenlijk opmaken uit het gedrag van onze ninjafeministe op het perron?' zei Jorge Chavez. 'Het is zo onberispelijk. Paf, boem en weg zijn de overvallers. Maar haar telefoon laat ze achter. Wat gebeurt er? Goed, ze wordt agressief aangevallen door Hamid, hij zwaait met zijn mes en zo, maar toch. Was het nou echt nodig om hem als een kruiwagen over het perron te slepen en hem voor de trein te duwen? Kon ze hem niet gewoon nog zo'n trap in zijn gezicht geven? Hij moet toch al versuft zijn geweest. Wat gebeurt er? Is het puur sadisme?'

'Ik denk eerlijk gezegd', zei Kerstin Holm, 'dat ze op dat moment de situatie al aan het incalculeren was. Ze rekent erop dat er niks van het mobieltje overblijft. Het is een wonder dat het niet gebeurt. Zijn beide armen belandden dus, volgens het sectierapport, onder de metro, werden afgerukt en stuiterden onder de wagons door. Zijn vingers hebben de telefoon beschermd, die heel blijft. Fraai.'

'Siemens-kwaliteit', zei Hjelm. 'Net zoals de ovens.'

'Welke ovens?'

'De verbrandingsovens in de concentratiekampen van de nazi's. Die waren ook van Siemens.'

Het was even stil. Er gleed een spook door de kamer. Het spook van emeritus hoogleraar Leonard Sheinkman. Het was alsof hij iets wilde.

Ze huiverden even.

'Er is één ding waar we niet aan gedacht hebben', zei Paul Hjelm na een tijdje en hij keek naar zijn uitgebreide schema.

'Wat dan?' vroegen twee hoopvolle stemmen in canon.

'Is dit eigenlijk niet de taak van Hultin?'

14

Het was zondagmiddag en ze reden in drie verschillende auto's naar drie verschillende adressen. Het lot had beslist. Op het briefje van Chavez stond 'Channa Nordin-Sheinkman, Kungsholmen', op dat van Holm 'David Sheinkman, Näsbypark', en op dat van Hjelm 'Harald Sheinkman, Tyresö'. Het waren de drie kinderen van de hoogleraar, en aangezien hij achtentachtig jaar oud was geworden en pas na 1945 op drieëndertigjarige leeftijd in Zweden was gekomen, zouden ze rond de vijftig moeten zijn. Zo'n tien jaar ouder dan Paul Hjelm zelf.

Pas onderweg naar Tyresö ontdekte hij dat het adres waar hij naartoe reed – ene Bofinksvägen in iets wat Nytorp heette – overeenkwam met het adres van Leonard Sheinkman in de telefoongids.

Vermoedelijk had hij bij zijn oudste zoon gewoond.

Paul Hjelm baande zich een weg langs de zondagsrijders op Tyresövägen en hij voelde zich een tikje opgelucht over het feit dat hij niet de boodschapper van de dood hoefde te zijn; de gruwelijke dood van de vader kon de zoon onmogelijk zijn ontgaan, want de media hadden er de hele dag bol van gestaan. En hopelijk was de plaatselijke politie al bij hem geweest om het doodsbericht over te brengen.

De zon stond laag en de hemel was ongewoon donkerblauw. Maar het was niet hetzelfde als een verraderlijke onweerswolk die zich had gecamoufleerd als een helderblauwe hemel en met een donkere lach zijn grove geschut losliet op verbaasde zonaanbidders. Het was eerder alsof er een film over het firmament was geplakt, om te verhullen dat de hemel niet blauw meer was. Er rustte een zware druk op het mooie voorjaarslandschap, en het licht deed gekunsteld aan, alsof een operascenograaf had getracht de natuur te imiteren.

Of misschien was het Paul Hjelm die doodsangsten uitstond. Doodsangsten uitstond om een sterfhuis binnen te dringen. Doodsangsten uitstond om zijn conventionele vragen te stellen aan rouwende mensen. Doodsangsten uitstond omdat hij blond was en een seculiere christen en opgegroeid was in een beschermde omgeving. En – uiteindelijk gaf hij de echte reden voor zichzelf toe – doodsangsten uitstond om de Holocaust, de concentratiekampen en het Europese antisemitisme te moeten aanroeren.

Hij was namelijk een Zweed, en Zweden praten niet graag over onderwerpen die taboe zijn. Het angstzweet breekt ons uit. Het liefst vermijden we ze, en als het dan toch moet, praten we erover met een soort afstandelijke eerbied en zeggen we met allerlei clichés dat het niet weer mag gebeuren. De Holocaust is een abstractie waarover men graag met grote woorden vanaf een spreekgestoelte spreekt, maar waar men nooit in detail over zal spreken. We hebben er geen deel aan genomen, we kunnen het nooit begrijpen, we hebben er niets mee te maken, los het zelf maar op. Gebrek aan geschiedenisbesef en gefingeerde neutraliteit in een onzalige alliantie. We hébben er in hoge mate aan deelgenomen. We hébben er in hoge mate mee te maken. We kúnnen het in hoge mate begrijpen. We móéten.

Wereldkampioen onder-het-tapijt-vegen.

Ja, Paul Hjelm moest het toegeven. Dat hij zo uit zijn doen was, kwam omdat het over hem zelf ging. Deze armzalige, oppervlakkige wetenschap. Fragmentarische beelden van dode, uitgemergelde lichamen. Jaargetallen. 1939. 1945. D-day. De woestijnoorlog. Stralingrad als keerpunt van de oorlog. Steriel en overzichtelijk als vliegrampbrochures op vliegtuigstoelen. Braaf en blij pakken we ons zuurstofmasker, halen rustig adem, waarna we ons een voor een naar de nooduitgang begeven en glimlachend van de opblaasbare glijbaan glijden, de blauwe golven in, die uitnodigend deinen onder een helderblauwe hemel.

En straks zijn alle getuigen dood.

Inderdaad, er rustte echt een zware druk op het landschap. Het blauwe was niet blauw. Het groene niet groen.

En toen was hij op Bofinksvägen in Nytorp.

Het vrijstaande huis waar Leonard Sheinkman had gewoond en waar zijn zoon Harald woonde kon niet luxueus genoemd worden, maar het was wel mooi. Een huis in origineel functionalistische stijl. Een fraai, apart gelegen jarendertighuis met een fraai uitzicht op zee. Waarschijnlijk een oorspronkelijk architectonisch werk uit de tijd dat dit soort huizen niet alleen werd gebouwd voor de nieuwe rijken die per se alles zelf wilden ontwerpen. Geheel volgens de smaak van IKEA.

Hij stapte uit de oude Audi, die zich op de heenweg bij gebrek aan files heel goed had gedragen, en hij hoopte dat men zijn okselzweet niet kon ruiken. Er bestaan, zoals bekend, twee soorten okselzweet: zweet dat je ruikt en zweet dat je niet ruikt. Het zweet dat je niet ruikt, is het gevolg van inspanning. Het zweet dat je wel ruikt, is het gevolg van nervositeit. De tijd moest uitwijzen welk soort zweet hij onder zijn oksels en zijn katoenen colbertje en lichtgele T-shirt had.

Had hij zich niet wat netter moeten kleden?

Het is zover, dacht hij en hij belde aan.

Een knap meisje van een jaar of zestien deed open. Dezelfde leeftijd als zijn eigen dochter, Tova. Ze was donker en sober gekleed en ze zag er oprecht verdrietig uit.

'Hallo', zei hij en hij liet zijn legitimatie zien. 'Ik ben Paul Hjelm, ik ben van de politie. Zijn je ouders thuis?'

'Gaat het over opa?' vroeg het meisje.

'Ja.'

Ze verdween. In haar plaats verscheen een goed geklede man van ruim vijftig.

'Ja?' zei hij.

'Paul Hjelm, rijksrecherche. Harald Sheinkman?'

De man knikte en gebaarde hem binnen te komen.

Paul Hjelm ging naar binnen en werd meegenomen naar een

kamer, waarvan hij aannam dat het de bibliotheek was. In elk geval waren alle muren bedekt met boeken, en de verder pretentieloze kamer was gehuld in een behaaglijke schemering. Leesschemering. Hij voelde zich er onmiddellijk thuis. Hij wilde naar de boekenkast lopen en de ruggen van de boeken gaan bekijken, maar in plaats daarvan ging hij op de oude bank zitten. Harald Sheinkman ging pal naast hem zitten. De nabijheid voelde niet eens onbehaaglijk.

'Hij was bijna negentig', zei hij rustig. 'We wisten natuurlijk dat hij elk moment kon heengaan, maar de manier waarop ...' Hij zweeg en staarde omlaag naar de grove grenenhouten tafel.

'Gecondoleerd', zei Hjelm en hij voelde zich onhandig.

'Wat wilt u weten?'

U. Moest hij Harald Sheinkman 'u' of 'jij' noemen? Hij koos het eerste. Op de een of andere manier paste dat bij hem.

'Ten eerste of u enig idee hebt wat hij op Södra Begravningsplatsen deed. Is daar familie van u begraven?'

'Nee. Aan mijn vaders kant was er geen familie, om begrijpelijke redenen, en de familie van mijn moeder ligt op Norra Begravningsplatsen. In Solna.'

'En u weet niet waarom hij daar was?'

'We hebben zijn verdwijning bij de politie gemeld.'

'Verdwijning?' riep Hjelm, enigszins bars.

Sheinkman keek op. 'Wist u dat niet? Staan de verschillende politieafdelingen niet met elkaar in contact?'

Hjelm dacht even na. 'Ik zal nagaan waarom ik die informatie niet heb gekregen, en het spijt me. Uw vader was dus verdwenen?'

'Sinds vijf dagen.'

'Was dat abnormaal?'

'Hij zorgde voor zichzelf en hij was ook nogal op zichzelf, dus we hadden niet voortdurend contact met elkaar, maar voorzover ik weet is hij nooit eerder 's nachts weg geweest. Niet sinds de dood van mijn moeder. We hebben het meteen na de eerste nacht gemeld.'

'Uw vader was bijna negentig jaar oud. Was hij misschien ... in de war? Op die leeftijd is dat niet ongebruikelijk.'

'Absoluut niet', zei Sheinkman en hij keek op. 'Hij was hersenonderzoeker en trainde heel bewust zijn hersenen om elke vorm van seniliteit te voorkomen. Toen hij verdween, heeft hij de grote kruiswoordpuzzel van *Dagens Nyheter* achtergelaten. Tot de laatste letter opgelost.'

'Hebt u naar hem gezocht?'

'Ja, tevergeefs. Ik ben in het Karolinska-ziekenhuis geweest, zijn vroegere werkplek, ik ben in de KB geweest, waar hij altijd zat.'

'In de Koninklijke Bibliotheek bedoelt u?'

Harald Sheinkman glimlachte flauw.

'De meeste mensen vroegen: KB? De kroeg? Nee, naar de kroeg ging hij nooit, maar wel naar de bibliotheek. Hij zat daar graag hele dagen, voorzover ik weet. Maar wat me ineens opviel was dat ik zo weinig over zijn dagelijkse bezigheden wist. Ik werkte te veel en ik heb hem verwaarloosd, en toen was het te laat, dat wist ik. Ik wist niet waar ik hem moest zoeken. En niemand die ik het vroeg had hem gezien.'

'En er waren geen aanwijzingen dat er iets was gebeurd? Iets ongewoons?'

'Nee. En ik kan ook geen enkele reden verzinnen waarom hij op Södra Begravningsplatsen was. Hij was een uitgesproken atheïst en materialist, weliswaar met respect voor onze Joodse traditie, maar ik heb geen idee waarom hij daar naartoe is gegaan.'

'Mag ik vragen waarom uw vader bij u inwoonde?'

'Het was andersom. Dit is mijn ouderlijk huis. Hij heeft dit huis in de jaren vijftig gekocht, rechtstreeks van de architect. Anders Wilgotsson, als u dat iets zegt. Mijn vader stelde voor dat ik, als oudste zoon, het huis zou overnemen en dat hij zelf de zolder zou inrichten. Ik vond het een goede regeling. Een familieband en tegelijkertijd volledige zelfstandigheid. Misschien een beetje te zelfstandig ... Hij verdween immers zonder dat ik het merkte. En toen werd hij vermoord. Ongelooflijk.'

'Wat doet u voor werk, meneer Sheinkman?'

'Zullen we ophouden met "meneer" en "u" te zeggen? Dat is zo geforceerd. Ik heet Harald en jij heet … Paul?'

'Ja. Maar natuurlijk.'

'Ik vrees dat ik in de voetsporen van mijn vader ben getreden. Ik ben arts. Echter niet in de … cerebrale branche.'

Hjelm slaagde erin een schaterlach in gehoest te dempen, gevolgd door een vredige glimlach.

'Je hebt onze hooggeëerde chef op televisie gezien.'

'Een niet bepaald waardige bijeenkomst, als ik het zo mag uitdrukken', zei hij op een neutrale toon, die niet onderdeed voor die van Hultin.

'Nee', zei Hjelm. 'Niet bepaald.'

'Maar jullie schijnen nogal goed te zijn. Het A-team. Heten jullie echt zo?'

'Het is een koosnaam. Of een scheldnaam, hoe je het maar wilt zien. De officiële naam is "De speciale eenheid van de rijksrecherche voor geweldsdelicten van internationale aard".'

'Het klinkt alsof jullie hier geknipt voor zijn.'

'Dat zijn we helaas ook. Wat je vader heeft ondergaan, kan zeker een "geweldsdelict van internationale aard" genoemd worden. Ken je de toedracht?'

'Ja', zei Harald Sheinkman en hij keek naar de tafel. 'Het klinkt als een soort marteling.'

'Misschien. Is er niks wat je bekend voorkomt? Als arts? Als nazaat van … een concentratiekampgevangene?'

Sheinkman keek op naar Hjelm met een andere blik. Het was alsof hij net had besloten alle nonsens over te slaan, de verzachtende leugentjes achterwege te laten. Misschien had hij vertrouwen gekregen in een bleke politieman met ernstig zwetende oksels en een rood blaasje op zijn wang. Hij zei: 'Over zijn kamptijd weet ik heel weinig; mijn vader was erg gesloten, alsof hij het doelbewust verdrong. En mijn capaciteiten als medisch expert zijn beperkt. Ik heb mijn hele leven als huisarts gewerkt in zogeheten probleemwijken. Ik heb voor mensen gezorgd die gevlucht waren voor marteling, honger en ontberingen. Ik moest vaak vierentwintig uur per dag klaarstaan, soms was het bijna ondraaglijk. Het was onmogelijk om het niet mee naar huis te nemen. Ik heb ook voor Artsen zonder Grenzen gewerkt en de wereld rondgereisd. Uiteindelijk kreeg ik een burn-out. Maandenlang was ik volkomen passief; pas nu journalisten het krijgen, wordt er aandacht aan besteed. Ziekenhuispersoneel is al decennialang opgebrand. Mijn vrouw ging bij me weg en nam onze dochter mee. Ik kon de hypotheek van ons appartement in Södermalm niet meer betalen en ben weer bij mijn vader gaan wonen. Hier. Dat was twaalf jaar geleden. Ik lag hier, op deze bank, en ik was helemaal op. Ik was negenendertig jaar, en van de ene op de andere dag was ik alles kwijt. Toen kwam mijn vader op het idee het huis aan mij over te dragen en de zolder om te bouwen tot een appartement voor zichzelf. Je kunt wel zeggen dat het mijn redding is geweest. Ik ben opnieuw begonnen. Heb alles opnieuw opgebouwd. Kreeg omgangsrecht met mijn dochter. Begon weer te werken, en begon ook te schrijven. Nu zit ik weer op mijn oude niveau. Al ziet het er iets anders uit. Ik ben rapporten gaan schrijven over de Zweedse gezondheidszorg in de voorsteden met veel allochtonen. Het was moeilijk om ze gepubliceerd te krijgen. De laatste tijd ben ik, ja, literatuur gaan schrijven. Ik heb een paar novellen in cultuurtijdschriften gepubliceerd en ben nu bezig met een roman. Je kunt zeggen dat ik precies de tegenovergestelde kant van mijn vader op ga.'

Hij zweeg. Paul Hjelm nam hem op. Het was een waarschuwing: zo makkelijk was het om een verkeerde indruk van iemand te krijgen. Zo makkelijk was het om er op voorhand van uit te gaan wat voor type iemand was. Hij dacht dat Harald Sheinkman een hoogleraarzoon zou zijn die met een zilveren lepel in de mond geboren was, en dat klopte eigenlijk ook wel. Maar eigenlijk ook niet. Een levenswijsheid: trek nooit overhaaste conclusies over andere mensen. Daar komt nooit iets goeds uit voort.

Hij had zijn overpeinzingen over de moderne tijd met Harald Sheinkman willen delen. Dat we het huidige rechts-extremisme weliswaar goed in de gaten moeten houden, maar dat de geschiedenis zichzelf niet exáct op dezelfde manier zou herhalen. Dat het fascisme terugkwam, daarvan was hij overtuigd, maar het zou op een sluipende, indirecte manier gebeuren; het zou ons van achteren besluipen, terwijl we op onze hoede waren voor de vanzelfsprekende en eenvoudige verschijningsvormen ervan. En dan zitten we ineens tegenover iemand en zien die persoon als een object, een voorwerp, een winstpotentieel. Hij was ervan overtuigd dat het economisme het voorstadium van het nieuwe fascisme was.

Maar hij zei niets. In plaats daarvan werd hij weer politieman.

'Wat bedoel je met dat je precies de tegenovergestelde kant van je vader op gaat?'

'Ik ben een arts die schrijver is geworden. Hij was een schrijver die arts werd. Voor de oorlog was hij schrijver; dat is alles wat ik van zijn verleden weet. Hij kwam uit Berlijn en had een gezin: een vrouw en een zoontje, die in een concentratiekamp zijn overleden. Ik heb dus een halfbroer die al heel lang dood is. De hele familie is uitgemoord. Hij is als enige overgebleven. Daar viel niet mee te leven. Dus hij is opnieuw begonnen. Hij heeft de bladzijden van zijn levensboek omgeslagen, neem ik aan. Hij was vroeger dus schrijver, een dromerige en lyrische dichter, naar zijn dagboek te oordelen. Maar na de oorlog is hij zich met natuurwetenschap en geneeskunde gaan bezighouden. Ik neem aan dat hij iets concreets en duurzaams nodig had. Zijn ziel is in het kamp gestorven, maar de materie heeft het overleefd. Zo moet je het volgens mij zien.'

'Heeft hij in Buchenwald een dagboek bijgehouden? Is dat bewaard gebleven?'

Sheinkman knikte. 'Het ligt boven.'

'Nu we het daar toch over hebben', zei Hjelm. 'Ik zou graag een kijkje willen nemen in zijn appartement.'

'Geen probleem', zei Harald Sheinkman, hij knikte weer en stond op. Hjelm liep met hem mee door het huis en een wenteltrap op, die redelijk recent geplaatst leek te zijn. Toen kwamen ze in het stekje van Leonard Sheinkman. Het was er licht en warm. Ook hier waren de muren bedekt met boeken, voornamelijk medische vakliteratuur, maar ook behoorlijk wat literaire klassiekers. Op de keukentafel lag inderdaad een opgeloste *Dagens Nyheter*-kruiswoordpuzzel ... maar verder niets. Het was er klinisch schoon.

'Heb jij de afwas gedaan?' vroeg Paul Hjelm.

'Nee', zei Sheinkman. 'Dat hield hij allemaal keurig bij. Hij hield niet van rommel, dat is de voornaamste herinnering uit mijn jeugd. Alles schoon en ordelijk. Dat was best vermoeiend. Ook voor mijn moeder, als ik het me goed herinner. Maar ik herinner me haar niet zo goed meer. Mijn herinneringsbeelden vervagen langzaam. Binnenkort heb ik geen enkele meer over.'

'Vind je het goed als ik even alleen rondkijk in het appartement? We sturen hier straks ook een paar technisch rechercheurs naartoe.'

'Prima', zei Harald Sheinkman en hij verdween geruisloos.

Paul Hjelm keek hem even na. Toen drentelde hij ongemakkelijk door het kleine appartement; hij telde twee kamers en een keuken. Het licht stroomde naar binnen door een reeks hellende dakramen. Ook alle buitenmuren helden. Het was een soort hellend bestaan. En zonder twijfel werd dit hellende bestaan keurig bijgehouden. Geen stofje te bekennen.

Eerst een Joodse dichter in het kosmopolitische Berlijn in de jaren twintig en dertig. Toen vrouw en kinderen. En daarna het concentratiekamp, waar zijn zoon en vrouw en moeder en vader en alle familieleden onder vreselijke omstandigheden omkomen. Daar komt hij als ondervoede en gemartelde overlever uit. Alle illusies, alle geloof, alle hoop zijn vervlogen. Hij verhuist naar een ander land, weg van alles. Hij begint opnieuw, met niets. Hij leert de taal, sticht opnieuw een gezin, studeert, krijgt een goede baan, wordt een gewaardeerd onderzoeker, koopt een huis in functionalistische stijl rechtstreeks van de architect, redt zijn bijna verloren zoon en blijft na de dood van zijn vrouw samen met zijn zoon in het huis wonen. Het klinkt alsof Leonard Sheinkman erin geslaagd is het onmogelijke te doen, zoals opmerkelijk veel anderen. Hij kreeg een goed, nieuw leven. Maar hoe hij zich diep van binnen voelde, kon je niet weten. Dat hij een manie had voor orde en netheid was heel normaal na zoveel jaren in een concentratiekamp; daar kon je niets uit opmaken.

Paul Hjelm moest het dagboek lezen.

Dat was absoluut noodzakelijk.

En hij vond het uiteindelijk in een boekenkast boven op een rij boeken, het enige in het appartement wat een beetje scheef lag. De vergeelde, handgeschreven bladzijden waren intensief doorgelezen, gevouwen, beduimeld en versleten. Bij elkaar was het niet meer dan tien pagina's dik.

En in het Duits.

Een streep door de rekening. Maar vergeleken met de prestatie van Leonard Sheinkman stelde het niets voor. Het enige wat hij hoefde te doen was zijn weggezakte schoolduits een beetje opfrissen.

De pagina's waren nauwkeurig gedateerd en genummerd, en het dagboek leek compleet. Hij moest gewoon beginnen.

Gewoon ...

Hij pakte de vergeelde bladzijden en draaide de wenteltrap af. Harald Sheinkman zat op de bank en zag er vermoeid uit. Hij stond op toen Hjelm naar beneden kwam gecirkeld en op hem af liep.

'Dit is het dagboek, lijkt me', zei Paul Hjelm en hij wapperde met de bladzijden. 'Vind je het goed dat ik het meeneem? Je krijgt het weer terug.'

'Natuurlijk', zei Harald Sheinkman. 'Je kunt dus Jiddisch lezen?'

Hjelm knipperde met zijn ogen en staarde verbaasd naar de vergeelde vellen. De woorden veranderden voor zijn ogen van karakter. Toen keek hij weer naar Sheinkman. Een flauw glimlachje speelde om zijn mondhoeken.

'Nee', zei Harald Sheinkman. 'Ik maakte maar een grapje. Het is Duits.'

Paul Hjelm nam hem op. Toen begon hij te grinniken. Hij mocht deze man wel.

'Nog een vraag', zei hij ten slotte. 'Wat was je vader voor iemand?'

Sheinkman knikte alsof hij de vraag had verwacht. 'Daar heb ik een tijdje over nagedacht. Moeilijk te zeggen, eigenlijk. Toen we klein waren, stelde hij hoge eisen aan ons. Behoorlijk streng, een beetje een klassieke patriarch. We moesten en zouden alle drie arts worden, dat stond niet ter discussie. Zijn campagne slaagde redelijk. Het meeste succes heeft hij gehad bij mijn jongste broer, David; die werkt als hersenchirurg en docent in het Karolinskaziekenhuis, en binnenkort zal hij wel hoogleraar worden. Later dan mijn vader weliswaar. Hij is nu drieënveertig. Het middelste kind, Channa, was degene die rebelleerde en in de jaren zeventig actief werd in linkse bewegingen; nu is ze docente aan de sociale academie. En ik, de oudste zoon, heb mijn studie geneeskunde succesvol afgerond, maar vervolgens heb ik me nergens in willen specialiseren, behalve in algemene geneeskunde. Eerst had mijn vader daar erg veel moeite mee; hij zag mij als de uitverkorene. En hij keek hoofdschuddend toe toen ik in Tensta en Rinkeby ging werken. Maar na verloop van tijd leek het erop dat hij respect kreeg voor wat ik deed. Het was geen onmogelijke man. Toen ik er helemaal doorheen zat, was hij echt een rots in de branding. Toen mijn hele leven op zijn kop stond, was hij mijn enige zekerheid. Toen was onze relatie heel goed. Hij was net met pensioen gegaan, hij was vitaal en eindelijk over de dood van mijn moeder heen. Maar daarna zijn we uit elkaar gegroeid, en ik kan eigenlijk niet zeggen dat ik hem echt heb gekend. Hij was een man die ooit een heel ander leven had, en tot dat leven kregen wij geen toegang, niemand van ons, zelfs mijn moeder niet.'

Hjelm knikte en hij stak zijn hand uit. 'Hartelijk dank', zei hij. 'We spreken elkaar nog.'

'Leuk je gesproken te hebben', zei Sheinkman, en voegde eraan toe: 'Paul.'

'Insgelijks, Harald.'

Op weg naar buiten nam Hjelm afscheid van de dochter. Hij bleef nog even in de oude Audi zitten en bladerde de gele blaadjes door. Dit was dus in een concentratiekamp geschreven, in het gruwelijke Buchenwald. Op de een of andere manier was het Leonard Sheinkman, dichter uit Berlijn, gelukt pen en papier te bemachtigen en bovendien alles voor de kampwachten verborgen te houden. Een heel bijzondere prestatie.

Hij startte de auto, reed Bofinksvägen uit en Breviksvägen in, die al snel zou overgaan in Tyresövägen. De hemel was nog steeds helderblauw, maar het was alsof de film doorgeprikt en wegge-waaid was, en dat de hemel daarachter écht blauw was. De druk die op het landschap rustte, was geëgaliseerd en de natuur was rustig en voorjaarsachtig mooi.

Ze kregen dit jaar vast een echte zomer, ondanks alles.

Zijn mobiele telefoon ging. Jorge Chavez zei: 'Inderdaad.' Meer niet.

En Paul Hjelm begreep het onmiddellijk. 'Gevonden?' zei hij.

'De technisch rechercheurs hebben een ongelooflijke hoeveel-heid materiaal in de veelvratenkuil verzameld. Van stukjes brood – alsof het eendjes zijn – tot muizenvallen. Twee muizenvallen hebben ze in de veelvratenkuil gevonden. Een was nog gespan-nen.'

'Dat is een nieuw volksvermaak. Dierenmishandeling. Er wor-den regelmatig paarden mishandeld in ons prachtige landschap.'

'En ook acht bierblikjes. In een van de blikjes zat de lange, scherpe naald. Een gedrogeerde veelvraat moet de schedel hebben opgepeuzeld, de naald als een visgraat in zijn bek hebben gekregen

en deze op de een of andere manier in een bierblikje hebben ge-
spuwd.'

'Gods wegen zijn ondoorgrondelijk', zei Paul en hij reed naar
huis.

Dat wil zeggen, naar het politiebureau.

15

Op maandag 8 mei om half negen 's morgens deed zich een wonder voor op het politiebureau in Kungsholmen in Stockholm. Voor het eerst in de wereldgeschiedenis scheen namelijk de zon in het commandocentrum van de strijdkrachten.

Een voor een traden de leden van het A-team het trieste vergaderzaaltje binnen, een voor een hielden ze stil bij de aanblik van de kleine weerspiegeling van de zon op de vloer aan de binnenkant van de deur. Ze glipten er eerbiedig langs en gingen verderop in het zaaltje op hun plek zitten. Toen Viggo Norlander als laatste arriveerde en de deur achter zich dicht deed, verdween de weerspiegeling. Hij deed de deur weer open, en floep, daar was de weerspiegeling van de zon weer.

De mensen in het commandocentrum van de strijdkrachten waren echter detectives en geen mystici. De oorzaak moest worden uitgeplozen en het wonder moest worden verklaard. Gezamenlijke inspanningen herleidden de weerspiegeling naar vijf factoren. De eerste: de zon scheen buiten. De tweede: de zon scheen naar binnen door het raam van het damestoilet dat we al eerder hebben bezocht. De derde: de deur van het genoemde damestoilet was in open toestand blijven steken door een verfrommeld pakje sigaretten op de grond. De vierde: de zonnestralen schenen via het raam van het damestoilet op het glas van een kitscherig schilderij dat in Waldemars kamer opgehangen moest worden en in afwachting van de komst van de genoemde hoogwaardigheidsbekleder op de grond was neergezet tegenover de deur van het commandocentrum van de strijdkrachten. En de vijfde: de zonnestralen weerkaatsten op het genoemde kitschschilderij van een huilend kindje en schenen door de openstaande deur van het commandocentrum van de strijdkrachten naar binnen.

De deur werd dichtgedaan. En het wonder was verklaard. Jan-

Olov Hultin liet zijn uilenbril langs zijn enorme neus zakken tot die even ver uitstak als zijn onberispelijk geschoren bovenlip.

Of hoe je dat stukje tussen je mond en je neus ook noemt.

'Goed nieuws', zei Hultin neutraal. 'Maar dat bewaren we voor later. Allereerst wil ik mijn excuses aanbieden aan Sara dat ze betrokken werd bij het televisiedebacle van gisteren. Je moet goed voorbereid zijn als je plaatsneemt naast Waldemar Mörner.'

'En je moet niet een hele bundel microfoons gaan zitten verplaatsen.'

Wie zei dit? Wie was deze roekeloze mens die zo onverschrokken zijn hoofd in de muil van de leeuw had gestoken? Ze keken om zich heen en wachtten op een bevestigende oogwenk.

Gezamenlijke inspanningen herleidden de uitlating echter naar Jan-Olov Hultin zelf. Zelfkritiek? Er was een onmiskenbaar drastische persoonlijkheidsverandering in aantocht. Beroerte? dachten vier mensen, wier naam tot in alle eeuwigheid geheim moest blijven.

'Het overviel me een beetje', zei Sara Svenhagen mild.

'We gaan verder', zei Hultin alsof er niets gebeurd was. 'Het voorlopige technisch onderzoek op Södra Begravningsplatsen heeft niks opgeleverd. Geen enkele bruikbare voetafdruk, geen enkele vingerafdruk op het touw of het lichaam. Wel vingerafdrukken van Leonard Sheinkman op sommige brokstukken van de vernielde grafsteen onder hem. Moeten we dat simpelweg interpreteren als een teken van pijn, of had die grafsteen een bepaalde betekenis voor hem? Was hij op weg naar die steen?'

'De naam op de grafsteen', zei Jorge Chavez, 'is gereconstrueerd tot "Shtayf". Meer niet. We zijn van plan om meer over dit lijk te weten te komen.'

'Dat wordt jouw taak, Jorge', zei Hultin. 'Verder? Wat is er gebeurd met onze skinhead? Andreas Rasmusson?'

Kerstin Holm keek op een papier.

'Die is vannacht in een soort psychose geraakt. Hij is naar het Söder-ziekenhuis gebracht.'

'Onder bewaking?'

'Hij is een verdachte. Hij wordt dag en nacht bewaakt door een aspirant. Volgens de berichten is hij volkomen van de wereld.'

'Het lijkt me belangrijk om uit te zoeken wat de skinheads hebben gezien', zei Hultin. 'We moeten er toch achter kunnen komen met wie hij omging, met wie hij gisteren was, et cetera, et cetera? Gunnar?'

'Goed', zei Gunnar Nyberg.

'Maar eerst de universiteit. Jij en Viggo en aspirant Andersson hebben om tien uur een afspraak op het Slavisch Instituut met slaviste Ludmila Lundkvist. Zoek Andersson en ga naar de universiteit in Frescati.'

'*Da*', zei Nyberg, die zijn talen kende.

'Nu', zei Hultin op zijn allerneutraalst en hij hield een vel papier omhoog dat een groot plusteken voorstelde, 'wil het geval dat dit schema mij volkomen anoniem is bekomen. Het bestaat uit vier segmenten ...'

'Kwadranten', zei Chavez.

Hultin wierp hem een heel langdurige en heel neutrale blik toe.

'... vier segmenten die achtereenvolgens "Skansen", "Skogs-kyrkogården", "Slagsta" en "Odenplan" worden genoemd. Onder "Skansen" staat "vingerafdrukken, pistool, metaaldraad, touw, Epivu". Onder "Skogskyrkogården" staat "naasten, check modus operandi, verklaring hersenchirurg betreffende het effect van een metaaldraad in de hersenen, skinheadgetuige, andere getuigen, check plaats delict". Ik heb er zojuist op eigen initiatief "Shtayf" aan toegevoegd. Wordt dat geaccepteerd door mijn superieur in de groep?'

'Jazeker', zei Chavez. 'Goed gedaan, jongeman.'

Opnieuw een heel langdurige blik. En toen: 'Verder. Onder "Slagsta" staat "check telefoongesprekken, technisch onderzoek, voertuig, spookpooier". En onder "Odenplan" staat "mobiele telefoon, gespreksspecificatie, taaldeskundige".'

Jan-Olov Hultin stond op en liep naar het whiteboard. Met

een theatraal gebaar draaide hij het zo dat de achterkant naar voren kwam. Daar manifesteerde zich hetzelfde plusteken als op het papier.

'Laat dit anonieme meesterwerk de spil van ons onderzoek worden. Dat ben ik niet. Laten we bij het laatste punt beginnen, "taaldeskundige". Dat onderdeel wordt dus vandaag afgehandeld. De twee andere punten, "mobiele telefoon en gesprekspecificatie", dragen we over aan de technische recherche, die op dit moment bezig is met de simkaarten en zo. Hopelijk hebben we in de loop van de dag duidelijkheid over het abonnement en een gespreksspecificatie. Voorafgaand … kwadrant: "Slagsta". Laten we het punt "spookpooier" eens onder de loep nemen. Het gezicht dat gemodelleerd is aan de hand van aanwijzingen van Jörgen Nilsson van het Norrboda Motell. Viggo gaat aan de gang met de identificatie ervan als hij klaar is in Frescati. Oké?'

'Oké', zei Chavez. Norlander keek hem grimmig aan en zei: 'Oké.'

'Wat wordt er met "voertuig" bedoeld? Een onbekend motorgeluid in Slagsta om half vier, vier uur donderdagochtend. Niet echt makkelijk, maar wel interessant. Diverse buren met wie gesproken moet worden, busmaatschappijen controleren en uitzoeken welke bussen via verschillende douaneposten Zweden hebben verlaten. Klinkt dat ondraaglijk, Sara Svenhagen?'

'Nee, geen probleem', zei Sara en ze zuchtte inwendig.

'Het punt "technisch onderzoek" kan ik zelf beantwoorden, omdat ik het materiaal vannacht heb bekeken. In de vier motelkamers is sperma van – luister goed – achttien verschillende mannen aangetroffen. Zo ging het eraan toe in dat Zweedse asielzoekerscentrum. Ook hebben we een groot aantal vingerafdrukken, maar tot nu toe hebben we geen enkele match in het strafregister gevonden. Die achttien mannen zijn dus naar het schijnt gewone, eerzame Zweden.'

'En misschien een enkele buurman in het Norrboda Motell', zei Kerstin Holm.

'Geen bloedvlekken in elk geval, niks wat op geweld duidt. Fysiek geweld, bedoel ik. Verder niks. Alle persoonlijke bezittingen waren uit de kamers gehaald. Tot slot het punt "check telefoongesprekken". Is dat iets voor Paul Hjelm? Als dank hiervoor.'

Hultin wees op het plusteken op het whiteboard.

'Mits er tijd voor is', zei Hjelm.

'Daar is tijd voor', zei Hultin neutraal en hij vervolgde: 'Tweede kwadrant, "Skogskyrkogården". Het nieuwe punt: "Shtayf", is dus voor Jorge. Verder hebben we "check plaats delict". Dat is afgehandeld: geen resultaat. Dan hebben we nog "skinheadgetuige" en "andere getuigen": Gunnar gaat op zoek naar de andere skinheadgetuigen. Meer getuigen zijn er naar ons weten niet. De media herkauwt de zaak nu al vierentwintig uur; misschien melden zich vandaag nieuwe getuigen. We zullen zien. Het omslachtige punt "verklaring hersenchirurg betreffende het effect van een metaaldraad in de hersenen" is werkelijkheid geworden, zij het hier en daar ondoorgrondelijk. Qvarfordt deelt het volgende op gebruikelijke wijze mee: "Het achtentachtig jaar oude lichaam is goed geconserveerd voor zijn leeftijd. Niets wijst op enige vorm van atherosclerosis. Niets wijst op leeftijdsgebonden encefalomalacie. Cerebrum abnormaal groot. Getatoeëerde nummers vlak boven de linkerpols. Neiging tot spondylosis cervicalis. Circumcisio postadolescent. Reumatoïde artritis, initiaal, in de polsen en enkels." Assistent lijkschouwer, hersenchirurg Ann-Christine Olsson, vervolgt iets pedagogischer: "De metaaldraad in zijn hersenen kan niet aangemerkt worden als directe doodsoorzaak. Deze is in zijn slaap gestoken en daarna door de hersenschors heen en weer bewogen. De hersenschors vormt het pijncentrum van de hersenen, waar we ons bewust worden van de pijn. Een dergelijke directe stimulering van de hersenschors zou een maximale pijnbeleving teweeg moeten brengen. Mogelijk – en daarover verschillen de onderzoekers van mening – kan deze pijnbeleving zo sterk zijn dat die tot de dood leidt. Mogelijk kan

ook het feit dat het slachtoffer met zijn hoofd naar beneden hing –
waardoor de bloedtoevoer naar de hersenschors wordt vergroot –
de pijnbeleving hebben versterkt. Derhalve is de doodsoorzaak
onzeker. Hij heeft een hartstilstand gehad. Die kan zowel door
een shock als door pijn veroorzaakt zijn." '

Hultin zweeg even.

'Een soortgelijke metaaldraad is zondagmiddag aangetroffen
tussen het materiaal uit de veelvratenkuil in Skansen. Dat betekent met een aan zekerheid grenzende waarschijnlijkheid dat de
twee mannen zijn overleden doordat hen zo veel en zulke over-
weldigende pijn werd toegebracht dat die hen het leven benam.
De pijn zelf, dus.'

'Als de veelvraten niet eerder waren', zei Chavez.

'Inderdaad', gaf Hultin toe. 'Maar dit is in elk geval iets om in
het achterhoofd te houden. Er is sprake van veel haat. Zo'n
geraffineerde en gruwelijke liquidatiemethode uitdenken, kan
alleen een man …'

'Of vrouw', zei Holm.

'Of vrouw', gaf Hultin wederom toe. 'Daarom is het volgende
punt: "check modus operandi", van groot belang. Is een dergelijke liquidatiemethode weleens eerder gebruikt? Wanneer, waar,
hoe? Kerstin?'

'Jazeker', zei Kerstin Holm. 'Ik zal me erover buigen.'

'Het punt daaraan voorafgaand, "naasten", is al uitgevoerd.
Kerstin, Jorge en Paul zijn gistermiddag ieder bij een nog in leven
zijnd kind van Leonard Sheinkman geweest. De verslagen van de
ontmoetingen met de kinderen Sheinkman zijn op jullie aller
bureaus neergelegd. Kunnen we een samenvatting krijgen?'

'Ik ben bij het middelste kind geweest', zei Chavez. 'De dochter Channa Nordin-Sheinkman in Fridhemsgatan. Een heel ra-
dicale vrouw met uitgesproken meningen. Kind van de mei '68-
beweging. Had sinds de dood van haar moeder in 1980 minimaal
contact met haar vader. Had dus niet veel te vertellen, behalve dat
hij een buitengewoon autoritaire man was, bij wie ze zo snel

mogelijk vandaan wilde. Ze wilde dat ik noteerde dat ze niet rouwde. Dat heb ik genoteerd. Ze bood me een flinke hasjpijp aan, trouwens. Ik wil dat jullie noteren dat ik ervan af heb gezien om daaraan te lurken. Hij zag er bacterieel uit.'

'Ik ben bij zijn jongste zoon geweest', zei Holm. 'David Sheinkman, in Näsbypark. Hij had in feite het werk van zijn vader voortgezet als hersenchirurg en dito onderzoeker in het Karolinska-ziekenhuis. Vrouw, en kinderen in de leeftijd van acht tot zeventien jaar. In tegenstelling tot zijn vader is hij redelijk religieus en actief in de Joodse gemeente. Hij heeft de tamelijk gecompliceerde begrafenis geregeld, en ik had de indruk dat hij behoorlijk in de rouw was. Maar het lijkt een liefde op afstand te zijn geweest. Ze zagen elkaar alleen op hoogtijdagen, en dan alleen op een nogal formele manier. David kan omschreven worden als een formeel iemand. IJverig en beheerst. Ik kreeg de indruk dat hij op zijn vader leek. David Sheinkman lijkt waarschijnlijk het meest op Leonard Sheinkman. Maar hij kon weinig vertellen over hoe hij als mens was.'

'Het lijkt erop dat het beste contact met de familie via Harald Sheinkman loopt, zijn oudste zoon', zei Hjelm. 'Leonard woonde op de zolder van zijn huis, dat oorspronkelijk van hem was, van Leonard dus. Ergens in de jaren tachtig is Harald ingestort; hij was opgebrand en is gescheiden. Hij is arts, geen onderzoeker, en nu ook schrijver. Een heel aardige man met een ondoorgrondelijke humor. Dat kan ik waarderen. Ik heb het appartement van Leonard doorzocht. Misschien moet dat nog een keer gebeuren. Ik kan dat bij gelegenheid nog wel een keer doen. Ik ben ook vrij veel te weten gekomen over het leven van Leonard van voor de oorlog, als dichter en huisvader. Ik heb er een uitgebreid verslag over geschreven, voor de liefhebber. En ik heb zijn dagboek uit Buchenwald. Dat ga ik lezen. Maar het is in het Duits.'

'Uitstekend', zei Hultin. 'In je vrije tijd, uiteraard.'

'Uiteraard.'

'Jullie beginnen er moe uit te zien. Maar we hebben nog één

zogeheten kwadrant over: "Skansen". Laten we kijken wat de anonieme kunstenaar heeft geschreven. Het woord "Epivu". Daar weten we nog steeds niet meer van. Ik ga ervan uit dat het woord opgeslagen ligt in jullie hersenen, het liefst in jullie pijncentrum. Dan het woord "touw". Jorge zoekt uit waar het touw vandaan komt, als ik het goed begrepen heb.'

'Zeker weten', zei Chavez. 'Als het goed is, moeten er vandaag allemaal stukjes touw van verschillende fabrikanten binnenkomen.'

'"Metaaldraad" is ook een punt. Teruggevonden. Hoort bij de modus-operandicheck van Kerstin. "Pistool" is het tweede punt. Tot nu toe hebben we nog geen duidelijkheid over het serienummer van de Luger. Maar ik had jullie goed nieuws beloofd, en dat gaat over het allereerste punt van de anonieme kunstenaar: "vingerafdruk".'

Zoals de dramaturgie gebood, kreeg commissaris Jan-Olov Hultin de onverdeelde aandacht van zijn gehoor. 'Interpol heeft de vingerafdruk twee keer gevonden. In twee landen. Griekenland en Italië. De door veelvraten geconsumeerde was een Griek. Hij heette Nikos Voultsos, geboren in 1968 in Athene. In 1983 werd hij in Griekenland voor het eerst veroordeeld voor mishandeling. Toen was hij vijftien. Daarna volgt er een hele reeks min of meer ernstige misdrijven, waaronder koppelarij. Als hij in 1993 wordt verdacht van de moord op drie vrouwen, verdwijnt hij. Hij duikt weer op in Italië. Alhoewel, écht opduiken doet hij niet. Nikos Voultsos staat kennelijk onder voortdurende verdenking van de Italiaanse politie, maar ze krijgen hem nooit te pakken. In Italië gaat hij ondergronds, in Milaan om precies te zijn, waar hij op zijn minst twintig zware misdrijven pleegt: afpersing, drugsmisdrijven, mishandeling, verkrachting, moord. En opnieuw koppelarij. We hebben dus met een echte pooier te maken.'

Sara keek naar Kerstin. Kerstin keek naar Sara. Hun blik was redelijk tevreden.

'De informatie van de Italiaanse politie is nogal vaag', vervolgde Hultin. 'Tussen de regels kun je misschien "georganiseerde misdaad" lezen. En wat dat in Italië betekent, laat zich raden.'

'De maffia?' vroeg Chavez.

'Heel strikt genomen', zei Hultin, 'is de maffia een Siciliaans verschijnsel. In Napels heb je de camorra, een soortgelijk fenomeen. En dan heb je ook nog een Noord-Italiaanse tegenhanger, die minstens even machtig is. Het lijkt erop dat Nikos Voultsos bordelen bestierde voor de Noord-Italiaanse maffia. Als we de organisatie zo willen noemen.'

'En toen ging hij naar het onbeduidende Zweden', zei Kerstin Holm. 'Om bordelen te runnen voor de Noord-Italiaanse maffia?'

'Maar in plaats daarvan werd hij door veelvraten opgegeten', zei Chavez. 'Dat kun je wel een carrièreswitch noemen.'

'De Italiaanse politie hield hem blijkbaar in de gaten. Half april zijn ze hem uit het oog verloren. Op 3 mei is hij in Skansen overleden. Het is heel goed mogelijk dat al die aandacht de bobo's in Milaan een beetje te veel werd, en dat ze hem weggestuurd hebben. Net zoals in *The Godfather*. Michael Corleone. Maar vermoedelijk had hij ook een opdracht. En het lijkt me niet onwaarschijnlijk dat het met koppelarij te maken had.'

Kerstin Holm dacht hardop na: 'Ruim een week voor de verdwijning gaat er een golf van onrust door de kamers 224, 225, 226 en 227 in het Norrboda Motell in Slagsta. Dat is rond 25 april. Het is heel goed mogelijk dat Nikos Voultsos toen in Zweden is aangekomen. Het eerste telefoongesprek tussen de gewelddadige Odenplan-vrouw en Slagsta vindt plaats op zaterdag 29 april. Tot 22.54 uur woensdagavond, een paar minuten na de dood van Voultsos in Skansen, hebben ze telefonisch contact met elkaar. En een paar uur na zijn dood verdwijnen ze.'

'Ze worden bevrijd', zei Sara gretig.

'Het is écht een ninjafeministe', zei Jorge Chavez en zijn vrouw wierp hem een verbaasde blik toe.

'Als dit klopt', ging Kerstin verder, 'heeft ze een maffioso vermoord, en dan moet je maken dat je wegkomt.'

'Het houdt allemaal verband met elkaar', zei Paul Hjelm. 'Het is een coherent geheel. Maar hoe past Leonard Sheinkman in godsnaam in het verhaal? Wat heeft de achtentachtigjarige emeritus hoogleraar Leonard Sheinkman met Nikos Voultsos, de hoerenkasten van de Noord-Italiaanse maffia en extreem gewelddadige ninjafeministen te maken? Waarom wordt hij op dezelfde manier vermoord als een notoire verkrachter en vrouwenmoordenaar? Dat klopt niet.'

'Daar ben ik het mee eens', zei Hultin. 'Is het toeval? Liep hij toevallig in de weg? Ik denk het niet. Iemand heeft hem intens gehaat, maar het is geenszins zeker dat het die vrouw is die jullie de ninjafeministe noemen – wat dat ook mag zijn. De link met haar is te vaag.'

'Is er een foto van die Nikos Voultsos?' vroeg Kerstin Holm.

'Jazeker', zei Hultin en hij hield een kleurenfoto omhoog van een donkere man met kille ogen. Een klassieke gangster. Hij glimlachte scheef, droeg een lichtroze, zomers pak en om zijn hals had hij een heel zware, gouden ketting.

'Ik hoop dat hij lekker heeft gesmaakt', zei Sara Svenhagen.

'Neem deze foto mee als je naar Slagsta gaat, Sara', zei Hultin. 'En laat hem aan iedereen zien. Misschien heeft iemand hem daar gezien, je weet maar nooit.'

Sara knikte zwijgend.

'We moeten nauwer contact met de Italiaanse politie hebben', zei Hjelm. 'Er ontbreekt nog veel informatie.'

Jan-Olov Hultin stond op en leunde naar voren over het bureau. 'Dat is nou net de grap', kraste hij. 'We hebben daar immers een man zitten.'

16

Anja had het veel eerder door dan hij zelf. Vijf kinderen hadden het veel eerder door dan hij zelf. Alle mensen op de wereld hadden het veel eerder door dan hij zelf.

Dat hij misschien een klein, heel klein beetje te veel 'schoonheid' en 'rust' kreeg.

Arto Söderstedt ijsbeerde door het kleine stenen huis in Chianti en hij maakte zichzelf wijs dat hij nog steeds evenveel genoot. Hij zat op de veranda terwijl de lenteavond overging in de lentenacht en hij dronk zijn glaasje Vin Santo, doopte er een amandelkoekje in en dacht: wat zit ik te genieten, zeg. En, zeker, hij genoot nog steeds. Zeker, de wedergeboortegolven van de Renaissance bereikten nog steeds de robuuste slaapkamer. Zeker, zijn huwelijksleven floreerde als nooit tevoren; hij verdacht Anja er zelfs van stiekem een zesde kind te plannen – hoe zat het eigenlijk met de anticonceptie? En zeker, het was nog steeds heerlijk om 's morgens zo lang te uit kunnen slapen als je maar wilde en je over te geven aan de boeken die je maar wilde, de muziek die je maar wilde, de wijn die je maar wilde, de koffie die je maar wilde, de bezigheden die je maar wilde. Maar ergens was het niet genoeg. Ergens was de vrucht van Pertti's geld niet genoeg.

Anja Söderstedt genoot met des te vollere teugen, maar ze maakte er niet zoveel ophef over. Arto had de neiging, zoals de meeste mannelijke wezens, zijn welbevinden duidelijk te demonstreren. Maar een demonstratie heeft zoals bekend de neiging het gedemonstreerde op te slokken, waarna uiteindelijk alleen de demonstratie overblijft. Hij bevond zich nu in een schaal van levensvreugde; en als iemand onvoorzichtig aan die schaal zou peuteren, zou deze craqueleren en in kleine stukjes uiteenvallen, en dan zou Arto Söderstedt aan een heel diepe, donkere inferno-afgrond staan.

Nou ja, dat ging misschien wat ver. Maar soms als hij op de veranda zat en uitkeek over het steeds indrukwekkender wordende kruidenveld van Anja, besefte hij dat hij verslaafd was.

Een werkverslaafde in een ontwenningskliniek.

Anja had namelijk naast Arto, van wie ze evenveel hield als hij van haar, nog een passie in haar leven, namelijk kruiden. In hun vrijstaande huis in Västerås had ze zich met een manische bezetenheid aan deze passie gewijd; in de plantenpotten voor de ramen in Bondegatan groeiden ze iets aarzelender. Maar hier, hier in Toscane, in het hart van Chianti, in de onmiddellijke nabijheid van het prachtige, ommuurde middeleeuwse stadje Montefioralle, dat de heuvels bij de wijnhoofdstad Greve bekroonde, hier kwam haar passie tot bloei als nooit tevoren. Hier wilde ze nooit meer weg. De tuin was gehuld in heerlijke geuren. Haar vingers waren groener dan ooit, en volgens plaatselijke waarnemers was het in Chianti nog nooit iemand gelukt zestien verschillende soorten basilicum te kweken. Eigenlijk wisten ze niet eens dat er zo veel verschillende soorten bestonden. Maar ze waren onder de indruk, hun buren.

De buren, ja.

Er was iemand die het nog meer naar zijn zin had dan Anja. Dat was hun oudste dochter Mikaela. Ze was zestien jaar en het mooiste wat er in heel de wijde wereld bestond. Op een ochtend zat ze aan de keukentafel in de aanzienlijke Toscaanse keuken, en ze was geen maagd meer. Arto Söderstedt zou er nooit de vinger op kunnen leggen hoe hij dat had kunnen zien, maar er was geen twijfel mogelijk. Ze glom. Haar hele voorkomen straalde. En hij bedacht dat hij nu eigenlijk de rol op zich zou moeten nemen van een vader wiens eer was gekrenkt, en dat hij met een jachtgeweer de bosjes in moest rennen en elke Italiaanse jongeheer die in de wijde omtrek aan elk jong onderlijf hing, eraf moest schieten. Maar dat gebeurde niet. Er verscheen alleen een glimlach op zijn gezicht, die vermoedelijk net zo gelukzalig was als die van Mikaela, want die van haar verschrompelde toen ze werd geconfronteerd met haar gedegenereerde spiegelbeeld. Ze rende naar buiten, tussen de wijnranken door en schaamde zich rot. Hij ging haar achterna en riep door de wijngaard dat er niets aan de hand was zolang ze er maar op lette dat de jongen een condoom gebruikte. Vier witte hoofden op verschillende hoogten vanaf de grond stonden hem aan te staren terwijl hij p-woorden tegen de wijnranken riep. Zelfs kleine Lina had van p-woorden gehoord, en ze wist dat p-woorden niet goed waren, maar ze wist niet wat p-woorden waren. 'Pornowoorden', zei de op een na oudste dochter met een verboden gloed in haar ogen. 'Oeps', zei Lina, maar wat pornowoorden waren, wist ze ook niet.

Uiteindelijk kroop Mikaela als een bespoten coloradokever met blozende wangen uit de wijnplantage.

Toen Anja uit bed was gekrabbeld en het terras op kwam, zag ze haar man en dochter elkaar in de milde ochtendzon omhelzen, geflankeerd door vier witte hoofden op verschillende hoogte vanaf de grond. De kruiden omhulden het tafereel met een hemelse geurdeken en het gezang van de vogels weerklonk tussen de olijfbomen in de tuin. Het was een beeld dat ze nooit zou vergeten. Het paradijs bestond.

Maar voor Arto bleef het slechts een schaal. Anja zag dat heel duidelijk en stiekem zette ze zijn mobiele telefoon aan. Vroeg of laat zouden ze bellen, dat wist ze.

Wat een paar dagen later ook gebeurde.

De familie Söderstedt was in Florence. Het was de tweede keer tijdens hun verblijf in Toscane. De eerste keer was Arto overmand geraakt door de Medici-kapel van Michelangelo in de San Lorenzokerk, en hij was simpelweg gebleven. Na een half uur op de luttele vierkante meters had zijn gezin er genoeg van gehad en was de stad in gegaan. Ze hadden uitgebreid geluncht in een goed restaurant op de Lungarno Acciaioli aan de rivier de Arno. Daarna waren ze rustig via Piazza della Signoria en Il Duomo teruggeslenterd, waarna ze drie uur later weer bij de Medici-kapel waren geweest. Toen stond hun vader nog steeds op de luttele vierkante meters met zijn ogen vastgeplakt aan de groenwitte marmeren muren. Hij verbeeldde zich dat hij ineens, als in een openbaring, het geheim van de hele Renaissance doorgrondde. De ingehouden buitensporigheid die in het altijd minutieuze handwerk van Michelangelo verborgen lag, was hypnotiserend. Alles was mogelijk, maar toch werd niet alles gedaan. Er was een onthouding die niet ascetisch was, en die liet zien dat nu, op dit moment, aan het einde van de vijftiende eeuw in Florence, alles, echt alles mogelijk was. Hij moest met geweld weggesleurd worden.

Daarom mocht het gezin terugkomen voor een iets normaler bezoek. Om zich te gedragen als een normaal toeristisch gezin uit het barbaarse Scandinavië.

Ze zaten aan de overkant van de Arno, om een ronde tafel in een restaurant aan de Piazzale Michelangelo, en keken uit over de stad. Vanuit de lucht moeten ze eruitgezien hebben als een volkomen ronde parelketting.

Toen ging zijn mobiele telefoon.

Arto Söderstedt, die niet hoefde te rijden, had een fles wijn besteld en negeerde hem. De telefoon bleef overgaan en hij bleef hem negeren. Zijn gezin bekeek hem steeds sceptischer.

'Is papa dood?' vroeg kleine Lina en ze was bang dat ze misschien een p-woord gebruikte.

'Misschien wel, misschien niet', zei Anja. 'Het scheelt niet veel.'

Uiteindelijk sprak hij met mechanische stem: 'Dat kan onmogelijk mijn telefoon zijn. Die staat uit. En telefoons die uit staan, gaan niet over.'

Ze wachtten. De tijd stond stil.

Later zou Arto Söderstedt, met een schietijzer van zwaar kaliber in zijn mond, op dit moment terugblikken en denken: toen, op dat moment, was alles mogelijk. Toen, op dat moment, was het mogelijk geweest me te onthouden, een onthouding die niet ascetisch was. Op dat moment had ik me kunnen onthouden van het opnemen van mijn telefoon. Dan had alles bij het oude kunnen blijven, een paradijselijke situatie, die jij, schelm, in je dwaasheid niet op waarde wist te schatten. Je kreeg de mogelijkheid je te onthouden, maar je koos ervoor die kans te laten liggen. Dat was een slechte keuze.

Hij nam op: 'Met Arto aan de Arno.'

Daarna was hij exact veertien minuten helemaal stil.

'Nu dan?' vroeg kleine Lina. 'Is hij nu wel dood?'

Dat waren de enige woorden die geuit werden. Anja hield de wijnfles een beetje schuin om te bepalen hoeveel haar man gedronken had. Toen ze vaststelde dat het niet meer dan één glas kon zijn geweest, klokte ze de hele fles naar binnen. Dat deed ze in exact veertien minuten. Toen hij ophing, zei ze, mogelijk niet helemaal helder: 'Ik kan helaas niet naar huis rijden.'

Hierop antwoordde Arto Söderstedt met een glasheldere logica: 'We moeten een fax zien te vinden.'

Het gezin slingerde naar een nabijgelegen chic hotel, waar Arto meedeelde dat hij van de politie was en een fax zou willen ontvangen. De receptionist zou nog lang spijt hebben van zijn bereidwilligheid.

Söderstedt belde Hultin met zijn mobiele telefoon en gaf het faxnummer door. Vervolgens stroomden er vierenzestig pagina's uit de fax. De receptionist dacht aan inktpatronen en geblokkeerde lijnen, maar behield al die tijd zijn geoefende gelaatsuitdrukking van welwillende inschikkelijkheid. Toen de vellen papier compleet waren, kreeg hij tot zijn verbazing honderdduizend lire in zijn hand gestopt.

'Zou ik hier een bonnetje van kunnen krijgen?' vroeg Arto Söderstedt.

Nadat hij de allereerste fooienbon van zijn leven had geschreven, nam de receptionist afscheid van het merkwaardigste gezin dat hij ooit had gezien. Hoe het nou precies was gegaan, begreep hij niet, maar hij was in elk geval honderdduizend lire rijker.

Milaan was een heel andere grote stad dan Florence. Alles maakte geluid. Arto Söderstedt zigzagde met de grote gezinsauto door de stad en slaagde erin voortdurend op exact hetzelfde punt terug te komen, een walmende vuilnisbelt met tien meter hoge vlammen. Hoe hij de kaart ook draaide, hij begreep niet hoe die vermaledijde vuilnisbelt erin slaagde te veranderen in het absolute centrum van deze miljoenenstad.

Milaan was een stad met een echt centrum. De stad was gebouwd in concentrische cirkels rondom de majestueuze, bijna groteske dom, waar Arto uiteindelijk uitkwam en langsreed. Als een uitlaatgasterrorist zwierf hij rond en had na veel mitsen en maren het grote geluk een parkeerplek te vinden minder dan vijf kilometer bij het politiebureau Corso Monforte vandaan.

Want daar moest hij naartoe.

Na een wandeling die eerder de term 'stadsoriëntatie' verdiende, liep hij door de entree en trad de jaren vijftig binnen. Jawel, het was een tijdmachine. Op de een of andere manier was hij in een tijdgat gestapt en vier decennia terug in de tijd geworpen. Het leed geen twijfel dat hij zich in de jaren vijftig van de twintigste eeuw bevond. Stijve mannen met witte overhemden en smalle, zwarte stropdassen, dames die jurken en hooggehakte schoenen droegen, rijen bureaus met als belangrijkste werkgereedschap pen en papier. En natuurlijk stempels. Stempels, stempels, stempels. Geen computer zover het oog reikte.

Hij liep naar een dame achter een van de bureaus en vroeg: 'Commissaris Italo Marconi?'

Zonder op te kijken wees de dame op een dichte deur zo'n dertig meter verder. Terwijl hij deze dertig meter aflegde, telde hij de bureaus die hij passeerde. Hij scheelde niet veel of hij viel al lopend in slaap. Het leek op schaapjes tellen.

Op de deur stond inderdaad in piepkleine letters: 'I. MARCONI.' Kort en bondig.

Hij klopte aan en kreeg een mompelende reactie.

Hij stapte naar binnen.

Zo warm, vochtig en stoffig als de grote kantoortuin uit de jaren vijftig was geweest, zo koel en aangenaam was het hier. En op het massieve, antieke eiken bureau stond een hypermoderne computer. Hij begreep het. Hij was de *twilight zone* gepasseerd, en nu was hij weer in het heden.

De man achter het bureau was van dezelfde leeftijd als Arto Söderstedt, net over de vijftig, en hij had een enorme snor. Door zijn tengere lichaam leek zijn snor nog groter, als een enorme propeller midden in zijn gezicht. Söderstedt was bang dat hij elk moment kon opstijgen en door het raam naar buiten zou pruttelen. De man staarde hem een tijdje aan, alsof hij een albino-moordenaar in een heel slechte gangsterfilm was. Toen klaarde zijn gezicht op.

'*I see*', zei hij en hij wandelde het hele eind om zijn bureau en stak zijn hand uit. '*Mister Sadestatt from Sweden.*'

'*That's right*', zei mister Sadestatt from Sweden. '*And you must be Italo Marconi.*'

'*Yes, yes. I believe you have animals who have killed one of my nastiest pimps. May we import them?*'

Arto Söderstedt lachte beleefd en werd onmiddellijk geconfronteerd met een woord dat moeilijk te vertalen was naar het Engels. Wat was veelvraat potdomme in het Engels? *Wasp?* Nee, dat was een snoek. Of … ?

Hij liet het erbij.

'Yes', zei hij alleen maar. 'U was toch degene die verantwoordelijk was voor het onderzoek naar de Griek Nikos Voultsos?'

Italo Marconi's glimlach verdween; al zijn vooroordelen over sociaal incompetente Noord-Europeanen werden bevestigd. Hij gebaarde naar de stoel aan de andere kant van het bureau, en Söderstedt zonk erop neer. Of eerder erín. De stoel was nogal zacht.

'Dat klopt', zei Marconi. 'Nikos Voultsos is een zeldzaam onaangename misdadiger. Volkomen gewetenloos. We waren blij dat hij verdween en we zijn nog blijer nu hij dood is.'

De ongezouten waarheid, dacht Söderstedt en hij vroeg: 'Was u degene, commissaris, die verantwoordelijk was voor de samenvatting van de zaak zoals die naar Interpol is gestuurd en vervolgens is doorgestuurd naar Stockholm?'

'Dat klopt', zei Marconi en hij knikte. 'Wilt u koffie, signor Sadestatt?'

'Ja, graag', zei Söderstedt.

'Ik zal het doorgeven', zei de commissaris, waarna hij opstond en uit de kamer verdween. Na een paar minuten kwam hij terug. Hij zag eruit alsof hij gelachen had.

'De koffie komt er zo aan', zei hij en hij volbracht de wandeling om het bureau, ging weer zitten, boog over het bureau en vervolgde: 'Ik besef dat mijn rapport een beetje mager lijkt, maar al die informatie past niet in een dergelijk rapport. Dus ik sta volledig tot uw beschikking; ik heb het net met mijn superieuren overlegd. Wat wilt u weten?'

'Was Voultsos een maffioso?'

Marconi hoestte even. Hoe moest je nationale verhoudingen uitleggen aan een dorpsgek?

'Wij hebben geen maffia', zei hij. 'Die zit op Sicilië. Wel hebben we een aantal misdaadsyndicaten. Wij denken dat Nikos Voultsos verbonden was aan een van deze syndicaten.'

'Hoe kan hij zo veel zware misdrijven hebben gepleegd zonder dat jullie hem hebben kunnen pakken?'

'U bent echt een olifant in een porseleinkast', zei Italo Marconi en hij nam zijn spierwitte pendant aandachtig op. 'Het is belangrijk dat u een aantal fundamentele dingen over het Italiaanse rechtssysteem weet. Je moet hier voorzichtig te werk gaan en goed kijken waar je loopt. Je moet met veel verschillende dingen tegelijkertijd rekening houden. Maar daar kan ik niet verder op ingaan. Waar het om gaat, is dat wij Nikos Voultsos bewaakten.'

'Bewaakten jullie zijn bordeel?'

Marconi lachte even.

'Je hebt bordelen en bordelen', zei hij. Hij keek Söderstedt strak aan en vervolgde: 'Ik begrijp dat u ongeduldig bent, signor Sadestatt. U hebt lange tijd niks gedaan en met uw teen in de droge Toscaanse aarde zitten wroeten op zoek naar gras. En nu krijgt u de kans. U bent als een drugsverslaafde gretig op zoek naar uw eerste shot van de week.'

Arto Söderstedt was niet blij met de beeldspraak die Marconi gebruikte. Verre van blij. Maar hij begreep wat hij bedoelde.

Zonder zijn stem te verheffen, maar met snorhelften die op het punt stonden rond te gaan draaien, ging Marconi verder: 'Uw chef heeft u omschreven als een van de intelligentste politiemannen van Zweden. Ik heb geen reden om signor Oltin te wantrouwen. Hij klonk als een verstandige man. Hij heeft me er echter op gewezen dat u zich in het begin vermoedelijk zou gedragen zoals u tot nu toe hebt gedaan. Opgewonden. Zo dadelijk komt mijn secretaresse met koffie en een heel klein beetje grappa, om een toost uit te brengen op uw Toscaanse leven, dat ook voor ons in het noorden paradijselijk lijkt, maar tevens een tikje saai. Laten we deze drankjes nuttigen en proberen op een andere toon te communiceren.'

Söderstedt, die situaties normaal gesproken redelijk goed kon peilen en de stemming kon aanvoelen, besefte onmiddellijk dat Italo Marconi gelijk had. Hij knikte en zei: 'U hebt helemaal gelijk. Het spijt me.'

Dat gebeurde niet overdreven vaak.

Toen het gesprek op het gezinsleven en huizen werd gebracht, begon Arto Söderstedt in te zien hoe de Italianen te werk gingen. Het was alsof hij aan het herstellen was van een ongeluk.

Een cultuurshock.

De koffie werd gebracht. Het heel kleine beetje grappa bleek een boordevol drinkglas te zijn. Marconi hief zijn glas een beetje, en Söderstedt beantwoordde het gebaar. Toen nipte hij van de grappa, die van het goede soort was en niet naar industrieafval smaakte, maar echt naar druiven. Zoals bekend wordt de Italiaanse brandewijn, grappa, op de wijngaarden van de restanten van de wijnproductie gemaakt.

'Erg lekker', zei Söderstedt.

'Ik ben blij dat u hem waardeert', zei Marconi. 'Hij komt uit uw streek, van de wijngaard Castello di Verrazzano in de onbegaanbare heuvels ten noorden van Greve. Naar mijn mening maken zij behalve een voortreffelijke grappa, een van de beste wijnen van Chianti, wat verder niet bepaald een Toscaanse specialiteit is.'

Toen dronken ze een magnifieke espresso, en de zeer stevige schuimlaag duidde erop dat het politiebureau zijn eigen espressomachine had, ergens verstopt in de bureaujungle.

'Nu', zei Marconi en hij zette het kleine koffiekopje weg. 'Nu zou ik een paar woorden willen wijden aan Nikos Voultsos. De gebeurtenissen in Stockholm zijn me behoorlijk duidelijk, en heel veel komt overeen met wat we over Voultsos en zijn werkgever weten. Wat buiten het kader valt, is uiteraard uw Nobelprijswinnaar.'

Kandidaat, dacht Söderstedt, maar hij zei het niet. Hij wist nu hoe hij zich moest gedragen. Ook al was hij een ouwe vos.

Marconi ging verder: 'Nee, van onze kant kunt u geen link verwachten tussen Nikos Voultsos en – hij las van zijn papier – Leonard Sheinkman. Ik kan u ook weinig tips geven wat betreft de identiteit van de moordenaar. Wel kan ik misschien bijdragen met ideeën over een motief. Er is momenteel een soort oorlog gaande in Europa. Oost-, West-, Noord- en Zuid-Europa komen steeds dichter bij elkaar, wat meer verschillende soorten criminaliteit oplevert en een voortdurende strijd om de macht over de belangrijkste terreinen: drugs zijn lange tijd het belangrijkst geweest, wapens zijn uiteraard belangrijk, evenals drank en sigaretten, terwijl bijvoorbeeld computers en gestolen waar naar het oosten smokkelen relatief nieuw is, met name in het westen gestolen auto's en boten. Maar de echt grote nieuwe markt vormen vrouwen, en dan vooral Oost-Europese vrouwen. De grote misdaadsyndicaten hebben deze handel net ontdekt en zijn serieus begonnen de prostitutiebranche binnen te dringen. Bordelen is niet echt het goede woord – ze zijn er natuurlijk wel, maar dat is van ondergeschikt belang. Het gaat erom wie de macht heeft over de prostitutie in het algemeen, van de chicste escortservice tot de meest aftandse hoeren op straat. Seks is kennelijk datgene waar wij mannen bereid zijn het meeste geld aan te spenderen, meer dan aan drank en drugs. Misschien is er ergens in dit monstrueuze gegeven nog een verborgen sprankje hoop te vinden. Hoop is echter niet echt het juiste woord als het gaat om de activiteiten zelf. Prostitutie gaat steeds vaker gepaard met de handel in drugs. Ze houden de vrouwen vaak in toom met drugs, tot ze opgebruikt zijn. Dan worden ze aan de kant gezet en halen ze nieuwe uit de onuitputtelijke Oost-Europese voorraad. We zien dat vrouwen veel eerder versleten zijn dan vroeger. Tegenwoordig heb je op je dertigste al afgedaan als hoer. En dan ben je in de regel dood. Althans, als je uit Oost-Europa komt.'

Marconi stak een sigaret op en hield Söderstedt het pakje voor, die er zonder nadenken een uit pakte. Aangezien hij in zijn hele leven bij elkaar drie sigaretten had gerookt, was het alleen de grappa die de tien minuten erna draaglijk maakte.

En de enorme hoeveelheid informatie die Marconi gaf.

'Dit vertel ik als achtergrond', vervolgde hij. 'De Italiaanse misdaadorganisaties, die een beetje in de schaduw zijn komen te staan van de Russische, proberen nu aan te haken bij de ontwikkelingen in de moderne slavenbranche. Ze betalen geroutineerde pooiers, die ze Europa in sturen om groepen hoeren zonder pooier over te nemen. Nikos Voultsos was zo'n pooier; naar alle waarschijnlijkheid is hij uitgezonden door een misdaadsyndicaat hier in Milaan. Het lijkt erop dat dit syndicaat hem al in 1993 heeft ingelijfd, toen hij drie prostituees had vermoord die hadden geprobeerd aan hem te ontsnappen in Pireas, de havenstad van Athene. De organisatie in Milaan, Ghiottone genaamd, zag dat ze hem goed konden gebruiken en namen hem mee hiernaartoe. Ik heb mijn hele werkzame leven gewijd aan deze organisatie, en ik weet hoe diep die in de Noord-Italiaanse samenleving verankerd is. Dat is de reden waarom ik zo ontzettend voorzichtig te werk moet gaan. Alles wijst erop dat maatschappelijk zeer hooggeplaatste figuren op verschillende manieren bij Ghiottone betrokken zijn. Ik moet u dus verzoeken minstens even voorzichtig te werk te gaan als ik. Eén onbehoedzame stap van uw kant, signor Sadestatt, en we zijn een paar decennia werk kwijt. Het is belangrijk dat u dat inziet. Maar u ziet helemaal wit.'

'Ik bén wit', zei Söderstedt, die wist dat hij eerder groen zag. 'Dat ben ik van nature.'

Toen hij de helft van de sigaret had opgerookt, mocht hij hem van zichzelf doven; dat moest genoeg zijn om te laten zien dat hij wel degelijk sociaal vaardig was. Marconi keek sceptisch naar de sigaret en het lege grappaglas, maar ging evenwel verder: 'Met veel moeite hebben we de spin in het web gelokaliseerd. We weten vrijwel zeker dat een zeer gerespecteerde oude bankier uit deze stad het brein is van het misdaadsyndicaat Ghiottone. Ook is hij actief geweest in de lokale politiek, en nu is hij een van de drijvende krachten achter Lega Nord, als u dat kent.'

'De separatistische partij uit het noorden die het land wil opsplitsen in een rijk Noord-Italië en een arm Zuid-Italië', zei Söderstedt hikkend.

'Zoiets, ja. Ik wil de naam van deze man niet onthullen, maar de reden waarom we Nikos Voultsos zijn gang hebben laten gaan, hoewel hij op goede gronden wordt verdacht van ten minste vijf grove misdrijven, is dat we grotere vissen willen vangen. Als we Ghiottone van bovenaf kunnen ontmantelen, bijt iedereen in de organisatie in het stof. Maar nu blijkt dat niet nodig te zijn. Uw otters hebben dat deel van het werk overgenomen.'

'Ik begrijp het', zei Söderstedt en hij voelde dat het kleine beetje pigment dat hij had na zijn ballingschap weer terug begon te keren. En aangezien hij er nog steeds niet op kon komen wat veelvraat in het Engels was, deed hij geen moeite de zoölogische versprekingen te corrigeren, maar vervolgde: 'En het motief van de moord op Voultsos?'

'Concurrenten', zei Marconi nonchalant. 'Er is zoals ik zei een oorlog gaande in Europa om de macht in de prostitutie. Alles wijst erop dat een Oost-Europees misdaadsyndicaat met ambities in Zweden hem om het leven heeft gebracht. Via de dassen.'

Söderstedt knikte. Marconi was kennelijk van plan alle marterachtigen te gaan noemen die deze planeet rijk was, behalve de veelvraat. Het irriteerde hem een beetje.

Marconi hield een vel papier omhoog dat op een fax leek.

'Uw opdracht is officieel gesanctioneerd, signor Sadestatt. U hebt een voorlopige benoeming gekregen bij het samenwerkingsverband van de Europese politiediensten, Europol. Dat betekent officieel dat u nu volledige toegang hebt tot mijn onderzoeksmateriaal. Hoe goed is uw Italiaans?'

'Niet echt op conversatieniveau', zei Söderstedt. 'Maar ik kan het redelijk goed lezen.'

'Uitstekend', zei Marconi en hij overhandigde een kubusvormig doosje aan zijn nieuwe Europolcollega, die hem verbaasd aankeek. Marconi ging verder: 'Een verzameling cd-roms met het hele Ghiottone-onderzoek erop. Ik ga ervan uit dat u een computer hebt.'

Söderstedt knikte. Hij had zijn laptop voornamelijk gebruikt om te hartenjagen, een banaal maar rustgevend spel dat op Windows stond. Hij won hoogstzelden.

'Hierop staan ook alle namen van de verdachten, inclusief de belangrijkste man, onze bankier. Uw contract legt u een zwijgplicht op, en elke aanwijzing dat iemand anders dan u zelf deze cd's heeft aangeraakt, zal als een criminele handeling worden aangemerkt. Is dat duidelijk?'

'Heel duidelijk', zei Söderstedt. 'Eén ding nog. Die uiterst opmerkelijke liquidatiemethode. Hebt u zoiets ooit eerder gezien?'

'U bedoelt de wezels?' zei Italo Marconi en hij glimlachte.

166

'Nee, ik bedoel de naald in de hersenen. Ik bedoel het onderste-boven ophangen.'

De commissaris knikte. Hij had het wel begrepen. Dat gepraat over otters en dassen en wezels was een spelletje dat Söderstedt niet helemaal begreep. Nog niet. Maar hij wist dat het niet lang zou duren voor hij het door zou hebben. Hij wachtte af.

'Ik heb er een paar mannen op gezet', zei Marconi. 'Op dit moment lopen we alle moordzaken in ons land na op zoek naar soortgelijke moorden.'

'Dat vermoedde ik al', zei Söderstedt. Hij ging ervan uit dat Marconi de waardering zou oppikken die in de uitspraak verborgen lag. Zijn glimlach liet zien dat het geval was. Hij stond op en stak zijn hand uit. Söderstedt schudde de hand. Zijn respect voor de Italiaanse politieman was aanzienlijk toegenomen.

'Ik heb het gevoel dat we elkaar nog wel eens zullen spreken', zei Italo Marconi en hij streek met zijn hand over zijn enorme snor.

'Dat gevoel heb ik ook', zei Arto Söderstedt, hij draaide zich om en liep naar de deur. Toen hoorde hij Marconi zeggen: *'By the way, do you know wat "ghiottone" means?'*

Söderstedt draaide zich om.

'No', zei hij.

'Ghiottone means wolverine', zei Italo Marconi.

Söderstedt begon te lachen.

Wolverine betekent namelijk veelvraat.

17

Anderssons voornaam luidde Hubald.

Hubald Andersson.

Gunnar Nyberg wist niet goed wat hij aan moest met het feit dat een vierentwintigjarige, sportieve, tamelijk ruwe, pas opgeleide smeris met een dodelijke blik in zijn ogen Hubald heette.

Schaterlachen was nu in elk geval niet op zijn plaats.

De kleine, donkere vrouw van een jaar of vijftig zat in haar werkkamer en had een Russisch uiterlijk. In zuiver Zweeds zei ze: 'Ik heet dus níét Ludmila Engquist. Zij is hordenloopster, en volgens mij is ze nu zo geblesseerd dat ze niet mee kan doen aan de Olympische Spelen in Sydney. Binnen een paar maanden zal ze via de media meedelen dat ze gaat stoppen. Let op mijn woorden. Ik heet Ludmila Lundkvist en ik ben docente Slavische talen hier aan de universiteit van Stockholm. En jullie zijn rechercheur Gunnar Nyberg, rechercheur Viggo Norlander en aspirant Hubald Andersson. Klopt dat?'

'Viggo?' zei Hubald Andersson spontaan.

'Hubald?' zei Viggo Norlander spontaan.

Toen barstten ze allebei in schaterlachen uit.

Ludmila Lundkvist praatte daarna uitsluitend met Gunnar Nyberg, die duidelijk een rustige, verstandige, elegante, forse man in de bloei van zijn leven was.

'Ben je Russisch?' vroeg de rustige, verstandige, elegante, forse man in de bloei van zijn leven.

'Ja', zei Ludmila Lundkvist en ze glimlachte. 'Ik kom uit Moskou. Eind jaren zeventig ben ik op een conferentie in Moskou verliefd geworden op een Zweedse onderzoeker van het Oudrussisch, Hans Lundkvist. Via allerlei omwegen ben ik uit de Sovjetunie gevlucht en hem gevolgd naar Zweden, waarna we zijn getrouwd. Vijf jaar geleden is hij overleden aan teelbalkanker.

We hebben nooit kinderen gekregen.'

Gunnar Nyberg had niet zo'n gedetailleerde uiteenzetting verwacht, en hij was nog te kort actief op de huwelijksmarkt om te zien dat ze met hem flirtte.

'Gecondoleerd', zei hij alleen maar.

'En jij, ben jij getrouwd?'

'Nee', zei Nyberg verbaasd. 'Gescheiden', voegde hij eraan toe.

Ludmila Lundkvist knikte glimlachend, legde drie stukjes papier voor zich op haar bureau en zei: 'Ik neem aan dat jij degene was, Gunnar, die op het idee kwam om te noteren wat jullie in de mobiele telefoon hoorden?'

Nyberg kon niet ontkennen dat het zo was.

'Dat dacht ik al', zei Ludmila Lundkvist en ze wierp hem een blik toe die circa achtenveertig procent van 's lands mannelijke bevolking als sexy zou bestempelen. Maar Gunnar Nyberg voelde zich voornamelijk verward.

'Ik wil dat jullie naar twee stemmen luisteren', vervolgde ze. 'Ze spreken twee verschillende talen die behoorlijk veel op elkaar lijken. Hier komt de eerste.'

Ze zette een cassetterecorder aan die op het bureau stond. Een mannenstem begon glijdende diftongen te ratelen. Toen was er een pauze. In deze pauze zei Ludmila Lundkvist: 'Zo meteen komt de andere.'

Toen kwam de tweede stem. Deze klonk hetzelfde, maar toch niet helemaal. De diftongen gleden bij deze stem ook, maar niet helemaal op dezelfde manier. Aan het eind zei de docente Slavische talen: 'Welke van deze twee talen hebben jullie gehoord?'

Hubald Andersson wees zinloos naar de cassetterecorder. Verder gebeurde er niets in de kamer.

'Dit is een stem die in twee verschillende talen hetzelfde zegt', verduidelijkte Ludmila Lundkvist. 'Gunnar?'

Nyberg begreep nog steeds niet waarom hij was verkozen tot lievelingsleerling, maar hij voelde de druk. Hij zette zijn geheugen flink aan het werk en zei: 'De tweede. Er is iets met het klankbeeld in de eerste wat niet klopt. De diftongen', gokte hij.

Ludmila Lundkvist begon te stralen. 'En jullie twee?' vroeg ze met een onverschillige klank in haar stem.

'Misschien', zei Hubald Andersson.

'Zou kunnen', zei Viggo Norlander.

De docente bevoelde de stukjes papier en zei: 'Mijn beoordeling van jullie nogal uiteenlopende lettercombinaties komt overeen met die van jou, Gunnar. Het is de tweede. De eerste stem sprak Russisch, de tweede Oekraïens. De meeste mensen weten niet eens dat het Oekraïens een aparte taal is. Toch wordt het door vijftig miljoen mensen gesproken. Vroeger werd het "Kleinrussisch" genoemd en pas in het begin van de twintigste eeuw werd het erkend als zelfstandige taal. Het is overigens sterk beïnvloed door het Pools, en sommige klanken bevinden zich ergens tussen het Pools en het Russisch. Het best waarneembare verschil in het klankbeeld – zoals je zo correct zei, Gunnar – is dat deze taal de onbeklemtoonde o nog heeft, terwijl het Russisch die reduceert, en dat de Russische g een stemhebbende h is geworden.'

Ze keek naar de verbijsterde politiemannen en zette de cassetterecorder weer aan. Toen ze nog niets hoorden, zei ze: 'Wat we hoorden, waren de klassieke beginregels van *De mantel* van de Oekraïner Gogol. Nu gaan we naar iets anders luisteren, namelijk mijn poging om te reconstrueren wat jullie op je papiertjes hebben gekrabbeld. Ik ben degene die het voorleest, want het was een vrouwenstem die jullie hoorden. Luister goed en probeer te horen of het klopt.'

Het bleef stil. De cassetterecorder produceerde uitsluitend ruis. Als een gefrustreerde televisiepresentator die op een reportage zit te wachten die maar niet komt, zei Ludmila Lundkvist: 'Het komt zo.'

En dat gebeurde ook.

Gunnar Nyberg was mogelijk de goede richting op gestuurd, maar hij vond dat Ludmila's sensuele stem vrij veel leek op de stem die hij in de telefoon had gehoord die hij uit Hamid al-

Jabiri's hand had gerukt op het spoor van metrostation Oden-plan. En dat zei hij ook: 'Het lijkt behoorlijk op elkaar. Dit kan het heel goed zijn geweest.'

'Ja', zei Viggo Norlander.

'Waarom niet', zei Hubald Andersson.

Ludmila Lundkvist zei: 'Als het klopt zegt de stem, vertaald naar het Zweeds: "Iedereen is oké door. De 372 bij Lublin." Dan komt die pauze. En daarna zegt ze: "Kut", en dan hangt ze op.'

'Kut?' riep Hubald Andersson uit.

'Dat zeg ik toch', zei Ludmila Lundkvist bits.

Gunnar Nyberg zei: 'Geen namen?'

'Helaas niet.'

'Maar "Lublin" zou je toch wel iets moeten zeggen, Ludmila …'

'Jou ook, Gunnar. Je kent Isaac Bashevis Singer toch wel? De enige Jiddische schrijver die de Nobelprijs heeft gewonnen. In 1960 heeft hij een kleine, magische roman geschreven, *De duizendkunstenaar van Lublin*. Lublin is een stad in Polen, die aan de Europaweg 372 ligt, zo'n honderd kilometer ten zuidoosten van Warschau. En zo'n honderd kilometer bij de Oekraïense grens vandaan. De E372 loopt dus naar Oekraïne.'

'"Iedereen is oké door"', zei Gunnar Nyberg peinzend. '"De 372 bij Lublin." "Door" betekent dus vermoedelijk "door de douane".'

'Dat lijkt mij ook', zei Ludmila Lundkvist. 'Maar het hangt er natuurlijk helemaal van af of mijn interpretatie goed is.'

'Die klinkt in elk geval zeer overtuigend', zei Gunnar Nyberg. Hij stond op en gaf haar een hand. Ze hield hem iets te lang vast. Hij merkte dat hij haar raar stond aan te staren.

Ze stonden in de kale gang in Frescati. Er was niets om naar te kijken, helemaal niets. De lift kwam, de liftdeuren gingen open. Toen zei Viggo Norlander: 'Jij gaat niet met deze lift, Gunnar.'

'Wat?' zei Gunnar Nyberg.

'Jij gaat terug naar de kamer van docente Ludmila Lundkvist

en je vraagt haar vanavond mee uit eten.'

'Wat zeg je?'

Viggo Norlander hield de liftdeuren open, boog zich naar Gunnar Nyberg en fluisterde: 'Je bent waarschijnlijk veel slimmer dan ik, Gunnar, maar hier ben ik beter in. Zelden heb ik zo'n openlijke demonstratie van vrouwelijke begeerte gezien.'

Lange tijd staarde Gunnar Nyberg naar de gesloten liftdeuren.

Toen liep hij terug door de gang. Hartkloppingen verspreidden zich als Afrikaanse trommels door de Slavische gang.

18

Drie mannen in overall liepen tussen de vernielde grafstenen en reden de brokstukken in kruiwagens weg. Ze werden behandeld als levende, zwaar gewonde schepsels, die zo snel mogelijk verzorgd moesten worden.

Jorge Chavez stond in de schaduw van de eik waaraan Leonard Sheinkman had gehangen. Toen hij omhoogkeek zag hij dat de schors van een vier meter hoge tak eraf was gesleten. Hij probeerde zich voor te stellen hoe iemand naar boven was geklauterd. Dat leek niet makkelijk. De takken waren dun en zagen er tot boven aan toe breekbaar uit. Degene die de oude man had opgehangen, moest buitengewoon licht, lenig en sterk zijn geweest.

En onvoorstelbaar wreed.

De zon spreidde een verzoenend kleed over Södra Begravningsplatsen. Dat was vast maar schijn. Zo'n weerzinwekkend, laf, ellendig misdrijf viel vast niet goed te maken. De dader was vast gedoemd voor eeuwig vervloekt te zijn.

Eeuwig was in elk geval de aarde op een Joodse begraafplaats, zoveel wist Jorge Chavez wel. De begraafplaats, Beth Hachajiem, is permanent en mag nooit verplaatst worden. Het is een heilige plaats, heilige grond, het voorportaal van de eeuwigheid, en hij is omgeven door een aantal ongeschreven wetten die deze heilige plek moeten markeren: je mag niet eten, drinken en roken op de begraafplaats, je mag niet over graven heen lopen en moet je hoofd bedekken als een teken van eerbied.

Hij boog voorover en peuterde aan de restanten van de grafsteen die 'Shtayf' was genoemd. Hij vergeleek de steen met die van andere graven. Ze zagen er allemaal ongeveer hetzelfde uit. Bovenaan stonden twee Hebreeuwse letters waarvan hij wist dat ze 'Hier rust' betekenden, daarna kwam de naam, de geboorte-

datum, de overlijdensdatum en een symbool, meestal een david-
ster of een zevenarmige kandelaar. Onder aan alle grafstenen die
binnen oogbereik waren, stonden vijf Hebreeuwse letters, die
'Moge zijn ziel gebonden zijn in de bundel der levenden' zouden
moeten betekenen.

Er was genoeg over van het graf Shtayf om te kunnen zien dat
er noch een voornaam noch een geboortedatum op stond, alleen
'Shtayf' en de overlijdensdatum: 7 september 1981. De vraag was
dus of deze mysterieuze 'Shtayf', boven wiens graf Leonard
Sheinkman de dood had gevonden, iets met hem te maken
had. Het was een beetje vaag.

A longshot, zoals ze in Amerikaanse films zeggen.

Maar soms waren die raak.

Chavez maakte zich los uit de schaduw en sprong soepel over
het rood-witte plastic lint waar POLITIE op stond. De drie mannen in overall draaide zich om en keken naar hem.

Hij was over een graf gelopen.

'Het spijt me', riep hij en hij liet zijn politielegitimatie aan de
drie mannen zien. 'Ik ben bang dat ik over een graf ben gelopen.'

De oudste van de drie liep naar hem toe. Hij oogde Oost-
Europees, als een schaker uit het Cultuurcentrum, dacht Chavez
bevooroordeeld.

'Je mag niet over graven lopen', zei de man ernstig. 'En je moet
je hoofd bedekken.'

Het was duidelijk niet de eerste keer dat hij deze woorden
uitsprak, want hij toverde een petje uit zijn zak, een keppeltje.
Chavez nam het aan en bedankte hem.

'Ben jij niet toevallig Yitzak Lemstein?' zei hij en hij zette het
keppeltje op zijn kruin.

'De man keek hem bedroefd aan. 'Ja', zei hij.

'Ik ben Jorge Chavez van de rijksrecherche. Ben jij degene die
de begraafplaats beheert?'

'Ja', zei Yitzak Lemstein. 'Ik verzorg hem samen met mijn
zoons.'

'Ik vind het vreselijk wat er vannacht is gebeurd. Zulke dingen zouden niet mogen gebeuren in Zweden.'

'Zulke dingen zullen altijd gebeuren. Altijd en overal op de wereld.'

Chavez hield verbaasd zijn mond. Toen zei hij: 'Er zijn de laatste jaren veel vernielingen geweest, heb ik begrepen.'

'Ja', zei Lemstein laconiek.

'Ik wilde een paar vragen stellen, als je tijd hebt. Je weet wat er vannacht is gebeurd met professor Leonard Sheinkman. Kende je hem?'

'Nee', zei Lemstein.

'En je hebt geen idee wat hier is gebeurd?'

'Nee.'

'Ik heb nagedacht over de grafsteen waarboven hij is gedood …'

'Wanneer mogen we die opruimen?'

'Hoe bedoel je?'

'Wanneer mogen we de grafsteen binnen dit lint opruimen? Hij ligt daar niet goed.'

Chavez keek hem een tijdje aan.

'Dat kan ik niet zeggen. Misschien kan het nu al. Ik bel de technische recherche zodra je een paar vragen hebt beantwoord. Wie is "Shtayf"? En waarom staan er geen voornaam en geboortedatum op de steen?'

De oude man keerde hem de rug toe. Hij liep langzaam naar zijn kruiwagen en begon hem weg te rijden.

Chavez bleef een paar tellen staan, verbouwereerd. Toen rende hij hem op een drafje achterna.

'Waarom wil je daar geen antwoord op geven?'

'Je hebt er niks mee te maken. Het is iets Joods.'

'Potdorie. We denken dat Leonard Sheinkman op weg was naar die steen. Het kan belangrijk zijn.'

Yitzak Lemstein hield stil, liet de kruiwagen met een klap op het grind vallen en keek Chavez strak aan.

'Weet je iets van Joodse humor?' vroeg hij doodernstig.

'Niet echt', gaf Chavez toe. 'Woody Allen?'

Lemstein zuchtte en pakte opnieuw de handvatten van de kruiwagen vast. Chavez legde voorzichtig een hand op zijn schouder en zei: 'Het spijt me. Leg me alsjeblieft uit wat je bedoelt.'

De oude man bleef even staan, met zijn handen om de handvatten. Toen slaakte hij opnieuw een zucht, liet de kruiwagen los en draaide zich om naar de koppige Latijns-Amerikaanse politieman. 'Humor is voor ons een manier om te overleven', zei Yitzak Lemstein. 'De Joodse humor is een speciale vorm van galgenhumor, vaak met woordgrapjes. In de concentratiekampen werden veel grappen gemaakt. Dat was een manier om te overleven. Geloof me, ik kan het weten.'

Hij liet Chavez zijn pols zien. De zwarte nummers waren bijna helemaal bedekt met dik, grijs haar. Maar toch schenen ze er met een soort donker licht doorheen.

Chavez knikte en hij zei: '"Shtayf" is dus … een grapje?'

'Het is Jiddisch', zei de oude man. '"Shtayf" betekent "stijf". *Stiff* in het Engels. Lijk. Ook op een begraafplaats kun je grappen maken.'

'Maar waarom staat het op een grafsteen? Wat betekent het?'

'Dat het een onbekende dode is. Vergelijk het met het graf van de onbekende soldaat. Een onbekende dode Jood.'

'Overleden in 1981 en onbekend?'

'Ja.'

'Ben je bij zijn begrafenis geweest? Als het überhaupt een man was.'

'Het was een man. En ja, ik ben bij zijn begrafenis geweest. Ik ben lid van de Chevra Kadisha. Het is mijn plicht als beheerder van de begraafplaats.'

'Chevra Kadisha?'

'De begrafenisvereniging.'

'Als het een onbekende man was, hoe wisten jullie dan dat hij van Joodse afkomst was?'

'Hij was besneden. En hij had er zo een.'

Hij wees naar zijn nummertatoeage.

Chavez knikte.

'Hoe is hij overleden?'

'Vermoord. Met een mes, geloof ik. Het staat me bij dat hij naakt in het bos is gevonden. Maar dat weet ik niet zeker meer. Niemand kon hem identificeren. Maar jij bent politieman, jij kunt meer te weten komen.'

'Ja, en dat ga ik ook proberen. Herinner je nog meer? Hoe oud was hij?'

'Waarschijnlijk een jaar of veertig. Ja, zoiets. En er was nog iets.'

'Wat dan?' vroeg Chavez.

'Hij had geen neus.'

Jorge Chavez was verbaasd.

'Geen neus?'

'Die had hij niet.'

'Had de moordenaar die eraf gehakt?'

'Nee', zei Yitzak Lemstein. 'Die had hij al heel lang niet meer. Het was gewoon een groot litteken.'

'Ik begrijp het', zei Chavez zonder er veel van te begrijpen. 'Is er nog iets wat je erover wilt zeggen?'

'Nee', zei Lemstein. 'Maar jij wel.'

Chavez bleef een tijdje verward staan. Toen stak hij een vinger op naar het hemelgewelf en riep: 'O, ja!' Toen belde hij het gerechtelijk laboratorium.

'Brunte', brieste hij. 'Goeie ouwe schoonpa. Prachtkerel. Hoe ver zijn jullie met Södra Begravningsplatsen? Hebben jullie alles onderzocht?'

Hij luisterde een paar tellen. Toen drukte hij het gesprek weg, draaide zich naar Yitzak Lemstein en knikte.

'Jullie mogen de steen opruimen', zei hij. '"Shtayf" heeft genoeg geleden.'

Yitzak Lemstein staarde hem aan, draaide zich om, pakte de

kruiwagen en liep weg. Chavez bleef even staan en keek hem na terwijl met O-benen naar de lijdende grafsteen liep.

Zelf liep hij naar zijn auto.

Ondertussen belde hij zijn vrouw. 'Hallo, Sara', zei hij. 'Waar zit je?'

'Op mijn werkkamer', zei Sara Svenhagen. 'Ik ben net terug uit Slagsta.'

'Heeft iemand onze Griek herkend?'

'Nikos Voultsos heette hij. Zou jij willen dat ik jou "mijn Chileen" zou noemen?'

'Op intieme momenten, graag, mevrouw Ik-wil-geen-Chavez-heten-maar-wel-Svenhagen-zoals-mijn-vader-Brunte. Ik heb je vader trouwens net gesproken. Hij was even beminnelijk als altijd.'

'Nee,' zei Sara rustig, 'niemand heeft onze Griek herkend. Maar dat is misschien ook niet zo belangrijk. Arto heeft net gebeld uit Italië. Naar het schijnt was Nikos Voultsos in Zweden in opdracht van een groot misdaadsyndicaat uit Milaan. Het lijkt erop dat hij de acht vrouwen in Slagsta zou overnemen en ze zou inlijven in een soort hoerengroep. Verder is er een mogelijke vertaling van de boodschap die uit de telefoon van jouw ninja-feministe kwam. Deze luidt zo: "Iedereen is oké door. De 372 bij Lublin." Ik loop nu alle denkbare veerboten na.'

'Lublin?' zei Jorge. 'In Polen?'

'Ja. Het is heel aannemelijk dat het over onze acht vrouwen gaat, die "oké door zijn". Waarschijnlijk gaat het om een concurrerend syndicaat in Oekraïne. De contacten in Slagsta waren Oekraïens en de boodschap was ook in het Oekraïens. Het lijkt er dus op dat de ninjafeministe een Oekraïense is en lid van een sekssyndicaat.'

'Ik weet niet of dit nou goed of slecht is', zei Jorge, die net als Sara een vreemde metalen stem kreeg. 'Puur politieel gezien is het goed. Maar ik vind het ook verontrustend klinken. Ben je er nog, Sara?'

Sara's stem was inmiddels getransformeerd tot een soort industrieel proces. Robocop, dacht Jorge. Toen kwam haar normale stem weer terug: '... en hoe gaat het met jou?'

'Ik ben bang dat jij bezig bent te veranderen in iets hards en kouds', zei Jorge Chavez.

'Wat heb jij?' zei een afschuwelijke metalen stem.

'Je hebt een rare stem. Nu verdwijnt die weer. Verdomme. Ik praat gewoon door, hoor. Ik wil je vragen – als je een paar minuten overhebt – om onbekende lijken uit 1981 na te trekken. Een Joodse man van een jaar of veertig. Hij heeft een concentratiekamptatoeage en geen neus. Ik herhaal: geen neus.'

Toen was ze weg. Hij vervloekte de uitvinding van de mobiele telefoon en hing op.

Toen hij in de auto stapte, had hij nog steeds een piepklein petje op zijn hoofd.

Sara keek naar haar zwijgende telefoon.

Hard en koud?

Ze zat in de kamer die ze met Kerstin Holm deelde, die op dat moment elders was. Ze wist niet waar.

Sara Svenhagen wierp een snelle blik op het computerscherm voor haar. Er stond een tijdschema op. Ze experimenteerde met een periode die zich uitstrekte van donderdag 4 mei vier uur 's morgens, toen de vrouwen Slagsta verlieten, en vrijdag 5 mei drie uur 's middags, toen het bericht uit Lublin de afgerukte arm in metrostation Odenplan bereikte. In dat geval hadden ze zich in vijfendertig uur tijd van Stockholm naar Lublin verplaatst. Als je vasthield aan de veronderstelling dat ze met een soort bus hadden gereisd – en niet met een vuilnisauto – dan moest ze de veerboten natrekken. Van Zweden naar Polen voeren de veerboten Nynäshamn-Gdansk, Karlskrona-Gdynia en Ystad-Śinoujście. En Kopenhagen-Śinoujście. Ze was net bezig de verschillende mogelijkheden uit te rekenen, toen Jorge belde. Het zou nog twee maanden duren voordat de Sontbrug open zou gaan, maar dat weerhield niemand er natuurlijk van via Denemarken te reizen:

Göteborg-Frederikshavn, Helsingborg-Helsingør of Malmö-Kopenhagen. Ook kon je heel goed van bijvoorbeeld Ystad en Trelleborg met de veerboot naar Sassnitz of Rostock in Duitsland gaan. En waarom niet Göteborg-Kiel? Er zou sprake zijn van een nachtmerriescenario als ze via Helsingborg-Helsingør en vervolgens van Rødbyhavn naar Puttgarten waren gereisd. Dan was er niets geregistreerd. In alle andere gevallen zou het mogelijk moeten zijn een bus met een reisgezelschap van minstens acht vrouwen te lokaliseren.

De meeste van deze alternatieven waren prima uitvoerbaar in vijfendertig uur. In het ergste geval allemaal. Nu was het zaak de dienstregelingen na te lopen, en haar stond nu dus de troosteloze taak te wachten een schema te maken.

Daarom had ze er ook niets op tegen om de eigenaardige opdracht van Jorge uit te voeren. Man zonder neus. Na een behoorlijk zware tijd bij de pedofielenjagersgroep van de rijksrecherche, die nog steeds werd geleid door de onaangedane partycommissaris Ragnar Hellberg, was ze buitengewoon handig geworden met de computer. Het kostte haar daarom weinig moeite de bijna twintig jaar oude zaak in het strafregister te vinden.

Een John Doe, dat wil zeggen een niet-geïdentificeerde man van ruim veertig werd op de ochtend van woensdag 9 september 1981 naakt aangetroffen in het bos bij het zwemmeertje Strålsjön in Lovisedal in Älta ten zuidoosten van Stockholm. De dood, veroorzaakt door twee diepe messteken in zijn rug, bleek te zijn ingetreden op maandag 7 september. De vindplaats kwam niet overeen met de plaats van de moord, zoveel was duidelijk. Het lijk was dus gedumpt, naar alle waarschijnlijkheid vanuit een auto. De man had zwart haar en was, volgens aantekeningen van patholoog-anatoom Sigvard Qvarfordt, 'behoorlijk behaard'. Zijn opvallendste kenmerk was de ontbrekende neus. Verder schreef Qvarfordt: 'Tevens ontbrak zijn neusbeen, en het enige wat resteert is een buitengewoon ontsierend litteken. Het relatief gladde oppervlak van het litteken wijst erop dat de neus chirurgisch is verwijderd, mogelijk afgezaagd.' Daarnaast was de man besneden en hij had een tatoeage op zijn arm, 'vermoedelijk uit een concentratiekamp, maar de nummers zijn onleesbaar, alsof hij eigenhandig met een mes of iets dergelijks getracht heeft ze te verwijderen.' Daarom had de Joodse gemeente in Stockholm het op zich genomen de onbekende man te begraven. Men had zijn foto en vingerafdrukken naar Interpol gestuurd, maar geen reactie gekregen. De zaak, die ondertekend was door Erik Bruun, stond nog steeds open.

Sara sloeg de informatie op en stelde vast dat het om de 'Shtayf' van Jorge ging. Toen boog ze zich weer over het veerbotenverkeer.

Als ik met een bus van Stockholm naar Oekraïne wil, ga ik dan echt via Denemarken of zelfs Duitsland? Ga ik dan niet direct van Zweden naar Polen? Dat was in elk geval een logische eerste keus. En dan eerder naar Gdynia of Gdansk, niet in eerste instantie naar Śinoujście, dat een beetje achteraf lag in de Pommerse Bocht, vlak bij de Duitse grens. Vanuit de tweelingsteden Gdynia en Gdansk liep de E77 rechtstreeks naar Warschau, waarvandaan de E372 via Lublin verder liep naar Oekraïne. Het meest logisch was om in eerste instantie te kiezen voor Nynäshamn, waarvandaan rederij Polska Zegluga Baltycka – die nu de wat vlottere naam Polferries had – op Gdansk voer. In tweede instantie zou je de route Karlskrona-Gdynia van Stena Line kiezen. Sara begon in Nynäshamn. Enkele vaartuigen van Polferries, ms. Rogalin en ms. Nieborow, zijn donderdag 4 mei om 17.00 uur vertrokken en op vrijdag om 11.30 uur in Gdansk aangekomen. De vraag was of je vanuit Gdansk om 14.55 uur in Lublin kunt zijn, het tijdstip waarop er naar Odenplan werd gebeld. Dat moest uitgerekend worden. Stena Line had op zijn beurt het vaartuig ms. Stena Europe, dat om 21.00 uur uit Karlskrona is vertrokken en om 07.00 uur in Gdynia is aangekomen. Beide mogelijkheden moesten nagetrokken worden.

Sara kon wel wat hulp gebruiken, en heel even vond ze Kerstins afwezigheid een tikje onverantwoord. Maar dat was natuurlijk een puur egoïstische gedachte, die ze dan ook meteen van zich af zette. In plaats daarvan belde ze haar oude collega bij de afdeling Pedofilie, haar rots in de branding.

'Ja', zei Gunnar Nyberg.

'Ben je op het bureau?' vroeg Sara. 'Ik heb hulp nodig bij iets.'

'Nee, Sara', zei Nyberg ongewoon kortaf. 'Ik ben ergens mee bezig. Ik bel je over een paar minuten terug.'

Toen was hij weg. Ze vervloekte de uitvinding van de mobiele telefoon en hing op.

Gunnar Nyberg klapte zijn telefoontje snel in, stopte het in de binnenzak van zijn beige lumberjack en hoopte dat het niet kapot zou gaan. Ook wilde hij die avond niet bont en blauw op zijn afspraakje – geen date, hij weigerde het een date te noemen – verschijnen. Dat zou geen solide indruk maken op de docente Slavische talen.

Hij zuchtte diep en keek om zich heen in het smerige, naar bier stinkende kelderhol vlak buiten Åkersberga. Aan de ene betonnen muur hing een Zweedse vlag, aan de andere een nazivlag, en in de hoek waar de vlaggen samenkwamen, stonden vier uit de kluiten gewassen skinheads met een honkbalknuppel in de aanslag.

En achter hem lag een deur aan diggelen.

'Je hebt de deur gemold, vuile smeris!' riep een van de skinheads.

'Het spijt me', zei Gunnar Nyberg welgemanierd. 'Dan hadden jullie hem ook maar open moeten doen, jongens. Ik hoorde dat jullie hier zaten. Ook al proberen jullie je te verstoppen als een stelletje padvindermeisjes.'

Er werd wat gegromd. Hij ging verder: 'Ik ben op zoek naar Reine Sandberg. Is hij hier? Ik wil alleen hem spreken.'

De skinhead ging bijna furieus in de aanval. Hij zwaaide agressief met de honkbalknuppel. Daar was Gunnar Nyberg niet blij mee. Hij had zichzelf beloofd nooit meer geweld te gebruiken in zijn werk. Maar nu was het vast wel geoorloofd.

Met een goed gerichte maagstoot werkte hij de skinhead tegen de betonnen muur. De overige drie deinsden een stukje achteruit. Degene die de maagstoot had gekregen, kroop in foetushouding ineen en kermde zachtjes.

'Ik wil jullie niks aandoen', zei hij tegen de opgepompte, stijf van de adrenaline staande skinheads. Uit de mond van de meeste mensen zou deze uitspraak overambitieus geklonken hebben.

Maar niet uit die van Gunnar Nyberg.

Hij deed een stap naar voren en vervolgde: 'Luister, wees nou een beetje aardig tegen deze ouwe. Ik ben een veertiende generatie Zweed. Mijn stamvader at rauwe alen samen met koning Erik XI van Zweden. Is een van jullie Reine Sandberg?'

De drie overgebleven skinheads keken elkaar aan. Ze legden de honkbalknuppels neer en de grootste van hen zei: 'Dat ben ik. Wat wil je?'

'Heb jij gisteravond op Södra Begravningsplatsen Joodse grafstenen vernield?'

Reine Sandberg wierp zich op het slaghout en richtte ermee op Gunnar om hem een harde klap te geven. Nyberg zuchtte en ving het op. Hij gleed om hem heen en draaide het stuk hout uit zijn hand. Toen duwde hij het omlaag, zodat de honkbalknuppel tussen zijn benen zat, drukte hem tegen de betonnen muur en tilde het hele pakket omhoog met de honkbalknuppel als hefboom. Reine Sandberg schreeuwde het uit.

Gunnar Nyberg zei tegen de twee overgebleven skinheads: 'Willen jullie ons alsjeblieft even alleen laten?'

En dat deden ze. Behoorlijk snel.

'Ik heb geprobeerd aardig te zijn', zei Gunnar Nyberg en hij tilde hem nog een stukje op. 'We proberen het opnieuw. Je beste vriend heet Andreas Rasmusson, niet?'

Nyberg tilde hem nog een stukje op.

'Ja', zei Reine Sandberg.

'Heel goed. Jullie tweeën hebben gisteravond samen met nog

een paar anderen zitten zuipen en grafstenen vernield op de Joodse begraafplaats, toch?'

'Ja.'

'Mooi. Wat hebben jullie daar gezien, waardoor Andreas Rasmusson, achttien jaar, nu op de acute psychiatrie ligt, terwijl jij, Reine Sandberg, zesentwintig jaar, met een honkbalknuppel naar de politie zwaait alsof er niks gebeurd is?'

'Geen mallemoer', kreunde Sandberg. 'Het was donker.'

'Weet je zeker dat je het zo wilt spelen? Ik niet in elk geval.'

Gunnar Nyberg tilde hem nog een stukje omhoog. Een van zijn testikels knarste eigenaardig tegen de honkbalknuppel.

'Oké, oké. Haal dat ding weg, dan vertel ik het. Haal weg dat ding!'

Omdat zijn stem ruim een octaaf hoger was, werd het ook wel tijd. Nyberg trok de honkbalknuppel uit het kruis van de skinhead. Sandberg zonk ineen, met zijn handen in zijn kruis.

'Ziezo', zei Nyberg. 'Laat maar horen.'

'Het was doodeng. Alsof ze door het bos kwamen glijden. Donkere, magere gestalten. Alsof ze rechtstreeks uit de bomen kwamen glijden. Helemaal in het zwart, met strakke kleren en zwarte, strakke capuchons; alsof het beulen waren. Ze hingen die ouwe kerel aan die boom. Ondersteboven. Toen zijn we 'm gesmeerd. Keihard weggerend. Ergens onderweg zijn we Andreas kwijtgeraakt. Hij moet in zijn eentje op het kerkhof hebben rondgedoold, helemaal verdwaald. Nadat hij dat had gezien. Niet zo gek dat hij doorgedraaid is.'

'Met hoeveel waren ze?'

'Weet ik niet. Ik had het idee dat ze overal waren. Ze gleden. Een aanwezigheid.'

'Een aanwezigheid?'

'Ik weet niet hoe ik het moet omschrijven. Ja, verdomme, een glijdende aanwezigheid. Het waren er minstens vijf.'

'Wat bedoel je met "mager"?'

'Het tegenovergestelde van jou, stomme smeris.'

184

Gunnar Nyberg keek met zekere verbazing naar zijn recentelijk afgeslankte lichaam. Kon je hem echt nog steeds dik noemen?

'Klein, dus? Waren het kleine wezens?'

'Nee, niet echt. Ik weet het niet. Mager. Dun. Alsof ze zich losmaakten van de bomen. Als repen schors.'

'Repen schors?'

'Zit me niet de hele tijd na te praten, godsamme. We zijn 'm zo snel mogelijk gesmeerd. We dachten dat ze ons achterna kwamen, als mythologische wezens, godverdomme.'

'Mythologische wezens?'

'Nou doe je het weer', zei Reine Sandberg beledigd.

Gunnar Nyberg dacht na. Mythologische wezens. Was er niet iemand die hij hierover zou moeten bellen, nu Arto er niet was? Jawel, die was er.

'Ik moet even bellen', zei Nyberg. 'Daarna arresteer ik je en neem ik je mee naar het politiebureau wegens het vernielen van Joodse grafstenen. Daar kom je niet onderuit. Misschien kan je getuigenverklaring als verzachtende omstandigheid worden aangemerkt, wie weet.'

Toen belde hij.

'Paul Hjelm', zei een stem aan de andere kant van de lijn.

'Paul, met Gunnar.'

'Hé, Gunnar. Heb je een beetje succes met de skinheads?'

'Best wel. Ik heb er net een gesproken die beweert dat ze een soort "glijdende aanwezigheid" hebben gezien. Minstens vijf zwartgeklede, magere gestalten die hij "mythologische wezens" noemt. Dat lijkt me wel iets voor jou, boekenwurm.'

'Zeg dat maar tegen je date vanavond.'

'Het is geen date. En wat weet jij daar trouwens van?'

'Ach, het hele politiebureau weet het. We gaan met spandoeken aan het tafeltje naast jullie zitten.'

Gunnar Nyberg vervloekte de uitvinding van de mobiele telefoon en hing op. Toen belde hij Sara Svenhagen terug. Ze had lang genoeg gewacht.

'Eén telefoontje, zei je!' riep Reine Sandberg achter hem.

Paul Hjelm zat in zijn kamer op het politiebureau en raakte er steeds meer van overtuigd dat hij aambeien had. Hij had het idee dat hij tegenwoordig alleen nog maar zat.

Door de kamer stroomde onafgebroken de klanken van 'Kind of Blue' van Miles Davis. Het was inmiddels meer een fixatie dan een genot. Een natuurlijke behoefte.

Hij bestudeerde de mobiele telefoon een tijdje, alsof die volkomen onbekende geluidsgolven uitstootte. Dingen begonnen samen te komen. Als randen van een wond die zich langzaam sluiten.

Hij was de hele dag bezig geweest om de lijst met telefoongesprekken door te nemen naar en vanuit de vier kamers in het Norrboda Motell in Slagsta. Na een hopeloze zoektocht die uren duurde, ging er een schok door hem heen. Er verscheen een telefoonnummer dat zijn aandacht trok.

Sinds maandag 24 april was er vanuit een en dezelfde kamer in het Grand Hôtel in Stockholm naar alle vier de telefoons gebeld: kamer 305. De telefoontjes werden steeds rond half vijf 's middags met drie minuten tussenpauze gepleegd. Dat gebeurde dus ruim een week voordat Nikos Voultsos overleed en de vrouwen verdwenen. Een paar dagen later, op zaterdag 29 april, nam bovendien de ninjafeministe van Odenplan contact met de vrouwen op.

Grand Hôtel. Er moesten spijkers met koppen worden geslagen. Hij belde er meteen naartoe en vroeg aan de receptionist: 'Kun je me vertellen wie er vanaf 24 april op kamer 305 zat?'

De receptionist bleef stil. Toen zei hij: 'O, ja.'

'O, ja?'

'Hij is verdwenen. Ik herinner me hem niet persoonlijk. Hij had zich ingeschreven als Marcel Dumas, Frans staatsburger.'

'Verdwenen? Hoe bedoel je?'

'Soms verlaten de gasten op eigen initiatief het hotel. Daarom noteren we tegenwoordig voor de zekerheid altijd hun creditcardnummer.'

'In plaats van een paspoort?'

'Precies.'

'Dus jullie hebben zijn paspoort niet?'

'Nee, maar we hebben het nummer van zijn visakaart.'

'Jullie gasten kunnen dus verdwijnen zonder dat de politie wordt ingelicht, omdat jullie het verschuldigde bedrag via hun creditcardnummer kunnen innen?'

'Dat klopt. De politie is toch al overbelast.'

'Dat is waar', zei Paul Hjelm. 'Maar dat betekent dus dat jullie het recht in eigen hand nemen. Misschien is hem wel iets overkomen. Misschien is hij wel, laten we zeggen, door veelvraten opgegeten.'

De receptionist zweeg. Hjelm ging verder: 'Wanneer is dit gebeurd?'

'Op 5 mei. Op zondag 23 april arriveerde hij. Op donderdagavond 4 mei begonnen we argwaan te krijgen. Hij had zich al een etmaal niet laten zien. Toen hij de nacht erna weer niet kwam, hebben we zijn kamer leeggehaald en het verschuldigde bedrag van zijn rekening gehaald. Twaalf nachten. De rekening bedroeg drieënzestigduizend kronen.'

'Drieënzestigduizend!?'

'Ja.'

'Dan begrijp ik niet waarom jullie de politie niet hebben ingelicht.'

Opnieuw een stilte.

'Enfin. Mag ik het nummer van zijn visakaart, alsjeblieft?'

'Dat kan ik niet zomaar geven.'

'Ik ben van de politie, potdomme.'

'Hoe kan ik dat zeker weten? Echt, het slordig omspringen met creditcardnummers gaat de ondergang van onze beschaving betekenen. We hebben opdracht gekregen om uiterst voorzichtig te zijn met creditcardnummers.'

'Oké', zei Paul Hjelm en hij dacht na over deze variant van het armageddon; eigenlijk was het niet heel onredelijk. Er circuleerden inderdaad onvoorstelbaar veel nummers van visa- en American-Expresskaarten voor algemeen gebruik op internet. Hij bedacht een snelle oplossing: 'Ik geef je een faxnummer, en dan controleer je bij nummerinformatie of het echt het nummer van de politie is. Akkoord?'

De receptionist dacht even na. 'Akkoord.'

Paul Hjelm gaf hem het faxnummer en vervolgde: 'Wat is er met de eigendommen van de hotelgast gebeurd?'

'Die zitten in zijn koffer, die we in bewaring hebben.'

'Waar?'

'We hebben een depot met gevonden voorwerpen. Als de betreffende persoon zich binnen een paar maanden niet meldt, schenken we de spullen aan het Leger des Heils.'

'Wat hebben jullie op zijn kamer gevonden?'

'Dat weet ik niet. Ik heb dit geval niet afgehandeld.'

'En dit depot is in het Grand?'

'In de kelder, ja.'

'De koffer wordt in de loop van vandaag opgehaald.'

'Prima', zei de receptionist.

'Maar hij gaat niet naar het Leger des Heils. Ik mail je een JPEG-foto van zijn hoofd. Ik wil dat je die onmiddellijk aan het hele personeel laat zien en vraagt of de man op de foto de verdwenen gast is van kamer 305. Wat is je naam?'

'Anders Graaf.'

'Wat toepasselijk', zei Paul Hjelm. 'E-mailadres?'

Hij kreeg het e-mailadres en beëindigde het gesprek met de woorden: 'Als jij de fax zo snel mogelijk verstuurt, stuur ik zo snel mogelijk de foto op.'

Anders Graaf bleek een efficiënte receptionist, want binnen twee minuten begon de fax al te ratelen. In deze twee minuten wist Paul Hjelm het portret van Nikos Voultsos te mailen en bovendien na te denken over de toegenomen risico's die de digitale samenleving met zich meebracht. In wezen had Graaf gelijk, maar hij was wel een beetje inconsequent geweest. Voor hetzelfde geld was Hjelm helemaal geen politieman. Hij had klakkeloos allemaal informatie gegeven, behalve het creditcard-nummer. Dat betrof immers het belangrijkste op aarde. Geld. Ze hadden nagelaten de politie in te lichten over een verdwijning, om ongestoord drieënzestigduizend kronen van iemands reke-ning te kunnen halen, maar het creditcardnummer hadden ze niet aan de politie willen geven.

Dit had enkele interessante consequenties, waarover hij kon nadenken.

De fax kwam binnen. Paul Hjelm had het nummer van de visakaart in zijn hand. Hij belde Visa in Zweden, die zou terug-bellen met informatie over de eigenaar. Hij boog zich weer over de uitgebreide lijst met telefoonnummers.

Na een half uur waarin er niets gebeurde, ging de telefoon. Hij nam op. 'Dag, spreek ik met rechercheur Hjelm?' vroeg een vrouwenstem.

'*The one and only*', zei Hjelm bescheiden.

'Met Mia Bengtsson. Ik werk als serveerster in het Grand Hôtel.'

'Hallo', zei Hjelm verwachtingsvol.

'Hallo. Anders heeft me een foto van die man laten zien. Het is hem.'

Paul Hjelm voelde een grote rust over zich komen. Hij wachtte op wat er komen ging.

'Toen ik hem roomservice kwam brengen, was hij een paar keer handtastelijk. In de bar beneden zat hij ook aan me. En zelfs in de Franse eetzaal.'

'We hebben het nu over de gast die van 23 april tot 5 mei op kamer 305 zat?'

'Precies. Een rijke junk. Met neusgaten vol cocaïne, als een popster.'

'Je mag gerust kwaadspreken over hem. Hij is dood.'

'O jee. Over de doden niets dan goeds, toch?'

'Nee hoor, dan kun je juist alles eruit gooien', zei Paul Hjelm om haar aan het praten te krijgen.

'Ja, ja. Het was een heel onaangename man. Die hebben we wel vaker in het Grand. Die drugsfiguren hebben immers behoorlijk wat geld. Vooral de roomservice was vervelend, want dan ben je alleen met de hotelgast in de kamer. Ik heb geprobeerd Frans met hem te praten, maar hij verstond er geen woord van, zat alleen maar mijn tieten te betasten en heel eng te lachen. Het was geen Fransman.'

'Nee', zei Paul Hjelm. 'Een Fransman was hij niet.'

'Veel geld. Smeet ermee. Een keer heb ik hem een briefje van duizend in stukken zien scheuren. Alleen maar om te laten zien hoe cool hij was. Er kwamen veel vrouwen op zijn kamer. Ik weet vrijwel zeker dat het prostituees waren.'

'Was jij degene die ontdekte dat hij verdwenen was?'

'Ik heb aan de directie doorgegeven dat er niemand op zijn kamer was geweest. Wat er daarna is gebeurd, weet ik niet. Hij was in elk geval weg toen ik de zesde de kamer in kwam. Toen was hij leeg en schoongemaakt.'

'Wil je nog meer kwijt?'

'Niet echt. Maar ik kan niet zeggen dat ik zijn dood betreur.'

'Hartelijk dank voor je hulp, Mia. Dag.'

'Dag.'

Paul Hjelm zat stil. Het verband tussen Nikos Voultsos en Slagsta was gelegd. Nu stond het vast. Alsof Ghiottone niet genoeg was geweest, trouwens. Paul Hjelm lachte hard. Net als toen Arto Söderstedt uit Toscane belde en over veelvraten en *wolverines* en *ghiottoni* had verteld.

Er begon zich een beeld af te tekenen van de moordenaar van Nikos Voultsos. Het had veel facetten.

Een man die tot het misdaadsyndicaat Veelvraat, Ghiottone, behoort in Skansen opjagen naar de veelvraten was mateloos subtiel. Een zeer ondubbelzinnige groet aan Milaan. Wellicht hadden ze niet verwacht dat zijn lichaam de veelvraten met zo veel drugs zou voorzien dat ze het grotendeels hebben laten verdwijnen. Het had immers weinig gescheeld of hij was helemaal niet geïdentificeerd. Dat was het eerste aspect: de groet aan Milaan.

Het tweede was de metaaldraad in zijn hersenen, dat meer thuis leek te horen in de hersenschors van hersenonderzoeker Leonard Sheinkman. Maar zijn rol bleef schimmig. Het Duitstalige dagboek moest gelezen worden. Aspect twee, dus: de metaaldraad in zijn hersenen. Ook een groet? Hing deze samen met de andere groet? Was dit ook een groet aan Milaan?

Het derde aspect was datgene wat zich gemanifesteerd had in metrostation Odenplan, en zeker ook in Skansen en op Södra Begravningsplatsen: mateloze wreedheid en een grote vaardigheid in de edele kunst van het onschadelijk maken. En dan het vrouwelijke, wat toch redelijk ongebruikelijk was. Professionalisme of ... haat? Of allebei? Was er sprake van heftige gevoelens? Die indruk had hij wel. Er werden niet alleen boodschappen verstuurd, er was meer, iets wat dieper zat.

En dan was er de reis naar Oekraïne. 'Iedereen is oké door.' Weliswaar een vertaling van een slaviste op een tamelijk wankele basis, maar toch. Als je de laatste getuigenis zou geloven, uit de mond van een skinhead, hebben we te maken met een bende, en niet met een enkele moordenaar. Een bende die minstens acht prostituees door Europa vervoert. Is dat mogelijk door middel van ontvoering en geweld? 'Iedereen is oké door.' Klinkt dat niet eerder ... zorgzaam? Een misdaadsyndicaat had de vrouwen als handelswaar behandeld. Zou je het dan zo formuleren? 'Iedereen is oké door.' Een beetje vaag natuurlijk, maar het geeft wel een indruk. Een aanwijzing. Zulke dingen moest je in het achterhoofd houden. Bovendien was het een gesprek van vrouw tot vrouw. 'Geen kerel zover het oog reikte', zoals de oude Maja bij het huisje op Dalarö had gezegd. 'Iedereen is oké door.' Aspect vier: het vrouwelijke.

En dan het vijfde aspect. Dat al was gebleken uit de dollemansvlucht van Nikos Voultsos in Djurgården. De blinde paniek. Hij had in het wilde weg geschoten, was tot bloedens toe omhooggeklauterd, had zijn pistool weggesmeten en zijn zware, gouden ketting van zijn nek getrokken, hét teken van de macht. Dezelfde paniek die een groep grafschennende skinheads in recordtijd door Skogskyrkogården had gejaagd. Op een na, die achterbleef in zijn inferno en op de acute psychiatrie belandde. Een donkere, glijdende aanwezigheid tussen de grafstenen, die een gelouterde skinhead deed spreken van 'mythologische wezens'.

Paul Hjelm zat roerloos. Iets riep hem. Iets begon samen te komen. De randen van de wond sloten zich langzaam. Al die verschillende talen die in deze zaak voorbijkwamen … het leek de toren van Babel wel. God die zegt: 'Welaan, laat Ons nederdalen en daar hun taal verwarren, zodat zij elkanders taal niet verstaan.' De Europese taalrijkdom. 'Iedereen is oké door' in het Oekraïens. Het Jiddische 'Shtayf'. Het Italiaanse 'Ghiottone'. 'Wolverine' in het Engels. En 'Epivu' in het …

Verdomme. Er stond geen 'Epivu'.

Hjelm begon als een bezetene in zijn computer te zoeken. Naar de map met foto's van de zaak. De veelvratenkuil. De verspreid liggende vezels. Het stukje bot met de platte knoop. Daar. De letters in het zand. 'Epivu'. Hij vergrootte de foto. Die vulde het hele computerscherm. Hij vergrootte hem nog meer. Hij vestigde zijn blik op de laatste letter: u. Hij vergrootte de foto nog meer. Zaten er geen kommatekens boven en onder de u? Geen twijfel mogelijk.

Het was geen u. Het was een ypsilon. Dat wil zeggen ongeveer een i.

En bij een nadere blik op de middelste letter zag hij dat er geen punt op de i stond.

Het was natuurlijk Grieks.

Nikos Voultsos was door en door Grieks.

Dat betekent dat de p geen p was, maar een *rho*, dat wil zeggen een r. En de v was geen v, maar een *nu*, een n dus.

Niet 'Epivu', maar 'Ερινὺ', wat uitgesproken zou moeten worden als 'Erini', met de klemtoon op de laatste klinker. En dat was vast en zeker een woord.

Paul Hjelm had zelfs het idee dat hij het herkende.

Op internet vond hij een Grieks woordenboek. Het stond er niet in. Verdomme. Toen bedacht hij dat er verschillende soorten Grieks waren. Nieuwgrieks had verbazingwekkend weinig met Oudgrieks te maken. En dit zou dus Oudgrieks moeten zijn. De oorspronkelijke taal. Met veel moeite vond hij een Oudgrieks woordenboek op een Amerikaanse wetenschapssite die Perseus heette. Hij voerde zijn 'Ερινὺ' in. En kreeg antwoord.

Het betekende de 'Erinyen'.

Hij wist waarom hij het had herkend. Hij was erop gestuit tijdens de allereerste zaak van het A-team. Een jonge man met de naam Gusten Bergström was ervan overtuigd geweest dat zijn zus, die na een poging tot verkrachting zelfmoord had gepleegd, aan de andere zijde van het graf werd gewroken via de wraakgodinnen uit de Griekse mythologie, de Erinyen.

De Erinyen waren de angstwekkendste figuren uit de Oudheid. Ze kwamen uit het dodenrijk en namen wraak voor gepleegd onrecht. Om het evenwicht te herstellen. Ze gaven zich nooit gewonnen. En ze zagen eruit als vliegen.

Erinyen waren vrouwelijke wraakgodinnen.

De laatste daad die Nikos Voultsos verrichtte, was opschrijven door wie hij werd vermoord. Hij had het in het Oudgrieks opgeschreven, de taal van de mythologie. De man die in Pireas drie prostituees had vermoord en op het punt stond een groep prostituees in Stockholm over te nemen was ervan overtuigd geweest dat hij was opgejaagd door vrouwelijke wraakgodinnen. Was hij ingehaald door zijn geweten?

Paul Hjelm huiverde. Minstens vijf magere, donkere gestalten als een glijdende aanwezigheid tussen de grafstenen op Södra Begravningsplatsen, als mythologische wezens ...

Nee, dacht hij. Nee, dit was niet zomaar een misdaadsyndicaat. Dit was geen Oost-Europese maffiabende die vrouwen als vleeswaar verkoopt. Niks daarvan.

Hij belde Kerstin. Dat deed hij intuïtief.

'Kerstin Holm', zei ze.

'Waar zit je?'

'Op mijn kamer. Met Viggo. Waarom moet iedereen toch altijd weten waar ik zit?'

'Moet je horen', zei Paul Hjelm. '"Epivu" betekent de Erinyen, de wraakgodinnen uit de Oudheid. "Ερινὺ". Het is Oudgrieks.'

'Allemachtig', zei Kerstin Holm. 'Hoe ben je daarachter gekomen?'

'Dat is een lang verhaal. Maar we hebben niet te maken met een maffiasyndicaat.'

'Dat heb ik ook nooit gedacht. Jullie zeiden het zelf. Ninjafeminisme.'

'Volgens mij was jij degene die dat zei. Wij hebben het alleen nader verklaard.'

'Viggo heeft de spookpooier gevonden. De man die in november vorig jaar een deal heeft gesloten met directeur Jörgen Nilsson van het Norrboda Motell heette Finn Johansen; hij was een Noor.'

'"Heette"? "Was"?'

'Hij heeft op 24 april zelfmoord gepleegd. Door zichzelf door het hoofd te schieten. Met een Luger met geluiddemper die niet van hem was. Maar het serienummer komt grotendeels overeen met dat van de Luger van Nikos Voultsos. Het zijn zusterpistolen. Uit dezelfde wapenvoorraad.'

'Welk tijdstip?'

'Tijdstip?'

'Op welk tijdstip op 24 april?'

Het was even stil. Toen hoorde hij de lang niet zo charmante stem van Viggo Norlander: 'Waar ben je mee bezig, Freddie Freeloader?'

'Wanneer heeft hij zichzelf doodgeschoten?'

'Nooit, gok ik.'

'Ik ook.'

'Rond één uur, half twee overdag, blijkbaar. Kwart voor twee kwam zijn prostitueevriendin thuis van haar dienst en vond hem badend in zijn eigen bloed, zoals men pleegt te zeggen.'

'Op 23 april arriveerde Nikos Voultsos in Stockholm. Op 24 april heeft hij om half vijf 's middags alle vier de kamers in het motel gebeld, 224, 225, 226 en 227. Een paar uur daarvoor waren ze hun pooier Finn Johansen kwijtgeraakt door een wapen dat vrijwel identiek is aan het wapen van Voultsos.'

Er klonk geschraap in de telefoon.

'Ik hoor je', zei Kerstin Holm. 'Het is zondag. Zondag de 24ste. Dan begint het onrustig te worden in de vier motelkamers. De meiden weten dat ze zijn overgenomen door een andere, aanzienlijk grotere en vermoedelijk gewelddadigere bende dan die van Finn Johansen. De veelvraten. Ghiottone. Een paar dagen later belt jouw ninjafeministe …'

'Ze is niet van mij. En ze is geen ninjafeministe. Ze is een wraakgodin: een Erinye.'

'*Whatever*. Op de een of andere manier biedt ze de meiden een alternatief voor de ontstane situatie; wat precies weten we niet. Er gaat een week voorbij, Nikos Voultsos versterkt zijn positie als hun nieuwe pooier. Mogelijk demonstreert hij op de een of andere manier zijn macht, bij voorkeur in combinatie met gewelddadige seks onder invloed van drugs. Misschien eigent hij zich op soortgelijke wijze meerdere groepen toe; dat moeten we uitzoeken. Misschien is die bus bij Lublin echt een bus en misschien zit die vol.'

'Vol met … wat? Geredde hoeren?'

'Ik ben niet zo blij met dat woord', zei Kerstin. 'Maar vooruit. Misschien. Terwijl hij de orders van de Milanese organisatie Ghiottone uitvoert, wordt zijn verscheiden voorbereid. En uitgevoerd. Ze besluipen hem ergens in Djurgården. Vermoedelijk weten ze dat hij de gewoonte heeft om daar cocaïne te snuiven. Met grote precisie wordt hij naar het hek van Skansen gedreven, naar de wolven. Waarschijnlijk is er al een gat in het hek ernaast geknipt, naast de wolvenkuil. Daardoor sluipen ze naar binnen, terwijl hij zich langs het hek omhoogworstelt, over het prikkeldraad heen, naar de wolven toe. Dan wachten ze hem boven aan de wolvenkuil op. Ze zien dat hij doordraait, zijn pistool weggooit en zijn ketting losrukt. Ze volgen hem een paar stappen. Dan vangen ze hem, binden zijn benen vast met een rood-paars gestreept touw, steken de metaaldraad in zijn hersenen en laten hem in de kuil van de veelvraten zakken. Ze nemen een eerste hap, misschien voorzichtig, maar die bevat genoeg cocaïne om de bestiale marterachtigen een slachting te laten aanrichten. Vermoedelijk is hij dan al dood. Vermoedelijk is hij dan al op dezelfde ongrijpbare manier overleden als Leonard Sheinkman. Waarschijnlijk door pure pijn. Als het afgelopen is, halen ze het touw weg. Er is niks meer over. De veelvraten wisten zo hoog te springen dat ze de platte knoop konden losbijten. Het maakt niet uit. Ze pakken het touw en gaan ervandoor. Dan bellen ze, vrijwel meteen, naar het Norrboda Motell in Slagsta. Een van de Oekraïense vrouwen, Galina Stenina of Lina Kostenko, in kamer 225 neemt op. Ze krijgen te horen dat hun kwelgeest Nikos Voultsos uitgeschakeld is en dat het transport, zoals gepland, om vier uur 's nachts plaatsvindt, als niemand hen ziet. Gelukzalig brengen ze al kletsend de nacht door. Ze zijn vrij. Ze zijn eindelijk vrij. Geen pooier meer. Geen klotedrugs meer. Nooit meer. Een nieuw leven. Tijd voor een nieuwe bladzijde in hun levensboek.'

Ja, dacht Paul Hjelm. Zeker, Kerstin, zo is het gegaan.

Hij zei: 'Maar de bende blijft dus bestaan. Om een oude man te vermoorden.'

'Ja, en dat is de klap. Je weet precies welke klap ik bedoel. Alles lijkt op zijn plaats te vallen, maar dan komt de teleurstelling, die naar binnen stroomt en alles vertroebelt.'

'Ik weet precies wat je bedoelt', zei Paul.

'Weet je wat ik nu aan het doen ben?' zei Kerstin.

'Nadenken over het lot en de avonturen van de meiden. Na Lublin.'

'Maar behalve dat? Praktisch?'

'Ik heb geen flauw idee. Slipjes wassen? Klitten uit je haar halen? Je teennagels knippen met een heggenschaar?'

'Kijken naar een almaar groeiende lijst.'

Kerstin Holm zat in haar werkkamer te kijken naar een almaar groeiende lijst. Viggo Norlander zat op een stoel naast haar en keek naar haar terwijl zij naar de almaar groeiende lijst keek. Het was een heerlijke vrouw. Dat hij dat niet eerder had gezien. Hij, die een expert genoemd kon worden na een aantal jaren intensieve omgang met de andere sekse in alle mogelijke en onmogelijke singlebars in Stockholm, voordat hij volkomen onverwacht was gaan samenwonen en op zijn vijftigste een kersverse vader was geworden. Dit was echter allemaal gebeurd doordat hij door de Russisch-Estische maffia in Tallinn aan een vloer was genageld.

Het lag wat gecompliceerd.

Waarschijnlijk kreeg hij weer oog voor het andere geslacht omdat kleine Charlotte bezig was te leren lopen. Hij begreep het verband niet helemaal, maar het was nou eenmaal zo. Gelukkig hield Astrid hem flink bezig, zodat het bij kijken bleef.

De almaar groeiende lijst op het computerscherm was simpelweg Kerstins mailbox. Haar inbox werd almaar voller, en uiteindelijk had ze acht mailtjes van verschillende Europese politiediensten ontvangen.

'Acht', zei ze tegen de verbaasde mobiele telefoon.

'Verklaar je onmiddellijk nader', maande de verbaasde mobiele telefoon.

'Het uitgebreide verzoek om inlichtingen van Europol en Interpol begint vruchten af te werpen. Een algemene oproep aan alle grote politiediensten in Europa. Volgens mij gaat het om de driehonderd grootste steden op het continent. Ik weet niet of de antwoorden bevestigend zijn, maar acht van deze driehonderd Europese steden hebben iets te melden over onze modus operandi.'

De acht mailtjes schitterden vetgedrukt op haar scherm. Toen ze erop klikte, werden ze na een paar tellen normaal. Ze hadden hun darmen geleegd.

Mail één: een reactie uit Dublin van commissaris Radcliffe: 'Het staat me bij dat ik in de voormalige DDR over een dergelijk geval heb gehoord. Neem contact op met Benziger in Weimar. Ik heb geen idee welke rang hij heeft, maar hij is heel aardig. En dat lijkt u me ook, Ms. Holm.'

Mail twee: een scheldkanonnade uit Parijs van commissaris van politie Mérimée: 'Misbruik van de middelen van Europol. Dient uitsluitend aangewend te worden voor het volgende: Onwettige drugshandel, Misdrijven die betrekking hebben op illegale immigratienetwerken, Handel in gestolen voertuigen, Mensenhandel, waaronder kinderporno, Valsemunterij en vervalsing van betaalmiddelen, Onwettige handel in nucleaire en radioactieve stoffen, Terrorisme en Illegale witwasserij in verband met voornoemde misdrijven. Daarnaast dienen ten minste twee EU-lidstaten erbij betrokken te zijn. U, madame Holm, lijkt de middelen van Europol te gebruiken voor kleine binnenlandse vergrijpen.'

Mail drie: een bevestiging uit Boedapest van inspecteur Mészöly: 'Erg interessant. In oktober 1999 hadden we een soortgelijke zaak. Negenentwintigjarige man, werkzaam in de prostitutie-industrie was ondersteboven opgehangen met een soort metaaldraad in zijn slaap. We nemen graag kennis van uw onderzoek, en uiteraard krijgt u inzage in dat van ons.'

Mail vier: hetzelfde uit Maribor, Slovenië van hoofdcommissaris van politie Sremac: 'Een soortgelijke zaak hier in maart. Zware crimineel opgehangen en gepenetreerde schedel. Zie verdere informatie graag tegemoet.'

Mail vijf, zes en zeven: bevestigingen uit respectievelijk Wiesbaden, Duitsland; Antwerpen, België en Venetië, Italië. Commissaris Roelants uit Antwerpen had daaraan toegevoegd: 'Wees niet verbaasd, Ms. Holm, als u meer bevestigingen krijgt. Wij, die eerder te maken hebben gehad met een dergelijk misdrijf, hebben maandenlang onderling intern en uiterst officieus contact gehad. Mijn conclusie is echter dat tot nu toe niemand van ons erin is geslaagd duidelijke verbanden te leggen tussen de verschillende zaken.'

Mail acht: een verzoek om inlichtingen uit Stockholm van afdelingschef Waldemar Mörner: 'Wie heeft dit onderzoek potverdulleme geautoriseerd? Uit wiens budget wordt het betaald? WM.'

Kerstin Holm belde Paul Hjelm terug.

'Ze zijn al bijna een jaar bezig', zei ze.

'In Europa?' vroeg Paul.

'In Boedapest, Maribor, Wiesbaden, Antwerpen en Venetië. Met onze slachtoffers meegerekend zijn er tot nu toe zeven mensen opgehangen met een gepenetreerde hersenschors. Daar komt Hamid al-Jabiri van het perron van Odenplan nog bij. Acht doden. Maar veelvraten lijken niet eerder te zijn voorgekomen.'

'Wat zijn de slachtoffers voor mensen?'

'Het lijkt erop dat het zware criminelen zijn, de hele zwik. Allemaal, behalve Leonard Sheinkman.'

'Heeft een van je contacten op een verband met Ghiottone gewezen?'

'Nee, maar het is allemaal nog rudimentair. We moeten elkaars onderzoeken gaan bekijken.'

'Via internet? Is dat wel veilig?'

'Wat is er tegenwoordig nog veilig?' vroeg Kerstin Holm.

Toen was ze weg. Paul Hjelm vervloekte de uitvinding van de mobiele telefoon en hing op.

19

*Eindelijk heb ik een potlood en papier te pakken. Ik ga geen tijd en
kracht verspillen met uitleggen hoe dat is gelukt; ik heb van allebei
veel te weinig. Mijn tijd raakt op, mijn krachten nemen af, ik voel
het, ik weet het. Binnenkort is het mijn tijd. Ik heb de lijst gezien. Ik
heb mijn naam op de lijst gezien. Leonard Sheinkman stond er. Dat
ben ik. Het is goed om mezelf daarvan te doordringen. Zodat er geen
misverstanden ontstaan.*

*Dit kan het allerlaatste zijn wat ik in mijn leven opschrijf, en dat
wil ik niet verdoen met futiliteiten. Dat heb ik al meer dan genoeg
gedaan.*

Ik heb mijn leven verdaan met futiliteiten.

*Ik zou heel graag willen dat je liefde kon beschrijven. Ik ben
schrijver, beschrijven is mijn werk, en toch kan ik het niet. Maar wie
kan het wel? Misschien is het alleen achteraf mogelijk, als het te laat
is.*

Dan zou het nu mogelijk moeten zijn.

Mijn zoon ...

Nee. Niet vandaag. Vandaag lukt het niet.

*Vandaag moet ik genoegen nemen met het vreugdevolle feit dat ik
weer een potlood in mijn hand voel rusten, dat ik weer met mijn
hand over het zachte papier kan strijken.*

*Ooit gaf schrijven me het gevoel dat ik leefde. Is het alleen de
herinnering daaraan die ik ervaar als het potlood contact maakt met
het papier? Of zal ik weer gaan leven? Een laatste opleving?*

Het is vreemd om de tijd te zien. Hij bevindt zich buiten het raam. Mijn vrienden hier zijn ver weg. Het zijn geen vrienden, het zijn lotgenoten, en lotgenoten mijd je, want ze zijn een spiegel van jezelf. Zie ik er net zo uit als zij? Ik ben drieëndertig, en vermoedelijk zie ik eruit als een oud lijk. Hier zijn mannen die veel jonger zijn dan ik, en ze zien er ouder uit dan het beeld dat ik van mezelf heb. Dat wil ik graag behouden tot mijn dood.

En dat is niet moeilijk, want die zal niet lang meer op zich laten wachten.

Ik zie de tijd. Je kunt hem zien als een zwarte klokkentoren, iets materieels, een klok met een gecompliceerd mechanisch uurwerk, een toren gebouwd om de tand des tijds te weerstaan. Elke seconde betekent een triomf voor de toren, elke seconde van deze eeuwenlange veroudering wordt opgemerkt door de precisie van het mechanisme van het uurwerk. Maar dat is niet wat ik zie. Wat ik zie, is de tijd.

Ik kan het niet uitleggen, en toch moet ik het doen. Waarom zou ik anders dit potlood in mijn hand hebben, waarom zou anders met zo veel moeite de tijd hier zijn neergezet, precies hier, op de plek waar het potlood het papier raakt?

Wat ik zie, is de tijd. Daar moet ik beginnen. Mijn tijd, en hoe de tijd veranderde toen ik Magda ontmoette en samen met haar door Berlijn wandelde. Onze Tiergarten … Zo vredig en stil. Daarvoor was ik een gekwelde schrijver. Ik werd gekweld door eenzaamheid. Toen werd ik een scheppende schrijver. Een scheppend mens. Ik denk dat ik in het echte leven ook iets geschapen heb. Een thuis. Een gezamenlijk leven. Een klein beetje geluk. Ze las wat ik schreef. Ze was mijn beste lezer. Toen kwam ons kind. Onze zoon. Wonderen kunnen niet beschreven worden. Elke beweging was een wonder. De zachte bewegingen van zijn kleine, mollige armpjes. Zijn hoofdje dat draaide. Zijn donkere ogen met pupillen die krompen en zich verwijdden. Een groot wonder.

En dit was de tijd.

Nu zie ik hem weer. Is hij nog steeds een wonder? Kan hij me nog steeds, zoals hij mechanisch tikt op de zwarte, zeshoekige klokkentoren, de rust bieden die het wonder met zich meebrengt? Op dit moment wel, op dit heel korte moment waarop het potlood het papier raakt. Ik voel de ijskou neerdalen zodra ik mijn potlood optil. De ruimten tussen de woorden zijn ijsblokken. De woorden vriezen erin vast.

De mannen lopen als lijken door de gang met hun verwonde hoofden en ik denk: zien jullie de tijd ook, mensen? Zijn jullie ook in staat de tijd een heel kort moment te zien? Maar welke methoden gebruiken jullie?

Zelf heb ik er geen.

Het schrift kwijnt weg. Het ijs verspreidt zich over de letters en vriest het potlood vast aan het papier, als een tong die aan ijskoud metaal vastvriest, en ik denk: waarom zijn jullie gestorven zonder mij mee te nemen? Waarom ben ik niet gestorven zonder jullie mee te nemen? Mijn hersenen zullen tot op de bodem bevriezen. Dat is mijn enige troost en mijn enige spoortje verzet.

Sterven.

14 februari 1945

Nieuwe dag. Ik heb de lijst weer gezien. De ijswind woei vanaf het plein door het raam en liet hem naar binnen vliegen door de traliedeur en legde hem bij mijn blote voeten neer.

Ik denk dat er nog een teen afgezet moet worden. De middelste teen van mijn linkervoet is even zwart als de zeshoekige kerktoren, die me bespot met zijn onverschillige getik. Ik hoor het niet, maar ik zie het. Ik zie het de hele tijd, onafgebroken.

De lijst lag bij mijn zwart geworden teen, en ik zag dat mijn naam omhoog was geklommen. Ik heb het ontvangen als een geschenk. Een geschenk van de ijswind. Straks neem je de klokkentoren mee in je ijs en de tijd, zelfs de tijd zoals hij zich beweegt in het mechaniek van de klok en zoals hij wordt uitgestort in ironische jubelklanken, zelfs de tijd zal meegenomen worden in je ijs, ijswind, en alle tijd zal ophouden te bestaan. Stuk voor stuk zullen we ons door een bestaan bewegen dat tot op de bodem is bevroren, een ogenblik bevroren in nietigheid, en alle andere mensen zullen voor alle mensen roerloos stilstaan en stijfbevroren zijn, en er zullen evenveel werelden zijn als mensen en alle mensen zullen leven in hun volkomen eigen wereld waar alle andere mensen stijfbevroren zijn.

Ik weet dat ik feiten zou moeten optekenen. Een getuigenis afleggen. Gedetailleerde verslagen zou moeten produceren. Iets wat het nageslacht kan verifiëren en waaruit het lering kan trekken. Ooit, lang, lang na mijn dood, zal alles wat hier gebeurt veroordeeld worden, en ik zou nu al een manier moeten bedenken waarop mijn papieren me kunnen overleven, wegen voor hen vinden, vluchtwegen, tot elke prijs nut en profijt halen uit dit potloodstompje en deze spaarzame velletjes papier, die nu al, bijna terwijl ik schrijf – zo beweegt de tijd – aan het vergelen zijn. Maar ik kan het niet. Ik kan geen feiten optekenen. Zo werkt mijn geest niet.

Die werkt helemaal niet.

Het zijn slechts hersenen, een mechaniek. Als de klok. En het lichaam, dat is de klokkentoren, gebouwd voor een enkel doel: blijven.

Niet stuk gaan terwijl het mechaniek gedissecteerd wordt.

Misschien zijn het horlogemakers, die drie officiers.

Maar dan zie ik de tijd weer, en hij is weer een wonder. Nu komt hij omhoog om te gaan zitten, mijn zoon. En mijn vrouw houdt haar handen achter hem, heel dichtbij zonder zijn ruggetje aan te raken, en er bevindt zich een veld tussen haar hand en zijn rug, een magneetveld van leven, en wat er tussen hen zit, dat zit ook tussen mij en hen, en ik weet dat als dat er niet meer is, dat magische veld van leven dat zich tussen ons bevindt, als dat er niet meer is, zij er ook niet meer zijn. En ze zijn er niet. Ze zijn dood. Ik ben dood. Waarom beweeg ik dan nog? Het gespartel van een vis nadat zijn nek is

gebroken. De looppas van een kip nadat haar nek is omgedraaid.
Ik word te ijverig.
Waar is mijn zelfbeheersing gebleven?
Ik hou op voor vandaag.
Genoeg.
Sterven.

15 februari 1945

Leven.
Nog even. Nog een kleine ademhaling.
Dat geknal op straat, de vlagen steenstof die door de ramen naar binnen waaien, ze zouden hoop moeten geven. Ik durf niet te hopen. Voor mij is er geen hoop meer. Mijn gezin is dood en mijn naam staat te hoog op de lijst.
Onze Tiergarten ... We wandelden. Aan de overkant van het kanaal lag de Zoo. Franz lachte en wees naar een pelikaan. Hij zat op mijn schouders.
Nee, het lukt niet.
Jawel.
Mijn zoon zat op mijn schouders. Zijn hieltjes tikten tegen mijn colbertje en lieten onuitwisbare sporen na. Ze zitten er nog steeds, ook al is het jasje verbrand en zijn de schoentjes verbrand en zijn die kleine, heel kleine voetjes verbrand. Ze zitten nog steeds op mijn netvlies, en als mijn netvlies brandt, komen deze modderige vage afdrukken op mijn colbertje, afdrukken die me zo boos maakten, dat ze nog ergens zijn. Het zijn aantekeningen. Het zijn feiten. Het zijn getuigenissen en verslagen.
Het is het leven.
En hij wees naar de pelikaan, en de pelikaan liet een geluid horen dat onnavolgbaar was, maar toch deed hij hem na. Franz zat op mijn schouders en klonk net als de pelikaan aan de overkant van de het water, en we lachten, ik lachte, Magda lachte, en Franz lachte, al

begreep hij niet waarom. En dat gelach, dat zomaar lachen, heeft me in leven gehouden in het landschap van de dood. En ik klim steeds verder naar boven in de lijst.

Op een dag, heel binnenkort, zal ik bovenaan staan, en dan overkomt me hetzelfde als Erwin. Erwin is geen Jood. Ik geloof dat hij tot de categorie 'inferieure mensen' behoort. Hij heeft een lichte, verstandelijke handicap die meer sociaal dan genetisch is. Hij is niet ouder dan twintig. Ik zou zijn vader kunnen zijn.

De behandeling heeft hem verward gemaakt. In het begin voerden we heel zinnige gesprekken; hij begreep niets van het heden, maar des te meer van de oeroude vragen. Hij heeft veel nagedacht, veel tijd gehad om na te denken. Zich niet door het leven gehaast, zoals ik. Nu is er niet veel meer van hem over. Als ik hem aanspreek, is hij er niet. Hij is een lege schaal. Op de plek waar het binnenste uit zijn hersenen is gestroomd, zit een klein, onschuldig gaasje.

Dit voelt erger dan wanneer hij dood zou zijn. Nu loopt hij rond als een voortdurende herinnering aan dat wat ons allemaal binnenkort te wachten staat.

We zijn niet zo heel veel.

Maar ik ben nog steeds behoorlijk veel. Ik ben Leo, ik ben Magda, ik ben Franz. En ik ben Erwin.

Ik ben ook Erwin.

16 februari 1945

Mijn zoon liep naast me. Hij hield mijn hand vast en we liepen door Tiergarten. Het was nat en regenachtig, zo'n bleke en vochtige herfstdag die Berlijn zo vaak te bieden heeft: bleek, vochtig en opmerkelijk mooi. De blaadjes begonnen van de bomen te vallen. Ze vermengden zich met de modder in de plassen tot een bruingele brij. Vlak voor een plas bleef Franz ineens staan. Hij liet mijn hand los, draaide zich naar me toe en omhelsde me.

Hij kwam tot vlak boven mijn navel.

Zo stonden we een tijdje in de miezerige, koele regen. Ik hield hem vast. Ik wist niets te zeggen.

Toen liet hij me los.

Hij liep naar de plas met de modderbrij. En terwijl hij liep, zakte hij in de plas, centimeter voor centimeter. Hij zei geen woord, hij liep en liep alleen maar, en hij zonk en zonk, tot er niets meer over was. Zijn zwarte kruin verdween met een slurpend geluid. Het water-oppervlak was opmerkelijk glad.

En ik, ik stond daar maar toe te kijken hoe hij wegzonk. Geen vinger stak ik uit om hem te redden. Geen vinger.

We hadden kunnen vluchten. Magda zat me de hele tijd op de huid. 'Je vrienden vluchten, je collega's vluchten, iedereen vlucht. Maar wij blijven. Waarom? Waarom wil je op de dood wachten? Denk dan tenminste aan Franz.' En ik zei: 'Zo'n vaart zal het niet lopen. Het is de twintigste eeuw. We hebben auto's, vliegtuigen, microscopen. We hebben democratieën en anticonceptie en psycho-analyse en vrije kunst. We moeten gewoon zorgen dat we de winter doorkomen, ons schuilhouden terwijl de storm overtrekt.

Ik kreeg gelijk. De storm trok over. Toen hij weg was, was er niets meer over. Hij had ons meegezogen. Allemaal.

Het enige wat over was, was een verlaten landschap.

Ik heb mijn zoon en vrouw gedood. Mijn eigenwijsheid heeft hen gedood.

Laat alles in stilte wegzinken.

Laat me sterven.

Hij zat roerloos in bed. Er gleed in het donker iets voorbij wat hem meetrok.

Misschien was het een ijswind.

Misschien waren het de Erinyen.

Hij liet zijn vingers over het vergeelde papier glijden. Hij voelde de ruimte tussen de nauwelijks leesbare potloodletters. Daar groeide ijs. Tussen de letters. Dat nooit zou smelten.

Paul Hjelm zette zijn pas gekochte bril af, legde hem op zijn nachtkastje, deed het licht uit en keek in het pikdonker voor zich uit.

Ja, dacht hij en hij tastte in het donker naar Cilla's warme lichaam. Hij wurmde zijn hand onder het dekbed, tot die tussen haar schouderbladen belandde en daar bleef liggen. Ze knorde even. Een levensuiting.

Ja, zo had het kunnen zijn. Zo had het hem ook kunnen vergaan. Als hij op het verkeerde moment uit de verkeerde ouders geboren was. Dan had hij in februari 1945 dezelfde gedachtegang kunnen hebben als Leonard Sheinkman. Schokkerig, krachteloos, maar met een sterk en onderdrukt gevoel.

Leonard Sheinkman was ervan overtuigd geweest dat hij dood zou gaan. Hij ging niet dood. Een paar maanden later kwam er een einde aan de oorlog. Hij kwam eruit. Hij was helemaal, helemaal leeg. Hij stond voor een keuze: blijven en ten onder gaan of weggaan en een nieuw leven beginnen. Iemand anders worden. Hij koos het laatste, dat was mogelijk. Maar hoe is hij uiteindelijk aan zijn einde gekomen? Hangend aan een boom op een Joodse begraafplaats, vijfenvijftig jaar later. Hoe was dat mogelijk? Wat was er gebeurd?

Op dat moment lukte het Paul niet zich te verdiepen in dat wat hij gelezen had en rationele conclusies te trekken. Het had hem te zeer aangegrepen. Dit had hij ongeveer verwacht, en tegelijkertijd ook niet. Een andere toon. Verdriet die alle verdriet te boven gaat. Aan de andere kant van het graf geschreven als het ware.

Op zijn buik lag een dik Duits-Zweeds woordenboek. In zijn linkerhand hield hij de gelezen bladzijden, in zijn rechterhand de ongelezen bladzijden. De stapels waren ongeveer even dik. De helft moest hij nog lezen. Hij keek ernaar uit, maar het beangstigde hem ook.

Hij was helemaal van slag. Alsof iemand zijn hele binnenste overhoop had gehaald. En dat was eigenlijk ook zo.

Buchenwald, het grootste concentratiekamp van nazi-Duitsland, lag zeven kilometer buiten Weimar in de voormalige DDR. Vorig jaar was de stad de culturele hoofdstad van Europa, de plek waar Goethe de wereldliteratuur veranderde. In 1919 werd in Weimar de eerste Duitse democratie gesticht: de Weimarrepubliek. In 1926 werd in Weimar de Hitlerjugend opgericht. Hetzelfde jaar hield de Nationalsozialistische Deutsche Arbeiterpartei, NSDAP, zijn eerste partijbijeenkomst in het Nationale Theater van Weimar. Tussen 1937 en 1945 zaten er 238.000 mensen opgesloten in Buchenwald. Er was geen gaskamer, maar wel een afdeling 'medisch onderzoek'. Zesenvijftigduizend mensen hebben in Buchenwald de dood gevonden, bijna in het zicht van het Weimar van Goethe. Tussen 1945 en 1950 was Buchenwald een sovjet-interneringskamp voor Duitsers. Toen stierven er nog zevenduizend mensen.

De plek van de Europese paradox.

Paul Hjelm wilde zich omdraaien om het licht uit te doen.

Hij kwam erachter dat hij dat al had gedaan.

Hij viel die nacht laat in slaap.

21

Hartenjagen was slechts een herinnering. Er werden geen computerspelletjes meer gespeeld op de laptop in het kleine stenen huis onder aan het middeleeuwse dorp Montefioralle bij Greve in het hart van Chianti.

Er werd Italiaans gelezen.

Er was haast geboden bij het doornemen van het onderzoeksmateriaal van commissaris Italo Marconi over het Milanese misdaadsyndicaat Ghiottone. Bovendien kwam er per e-mail, fax en telefoon voortdurend nieuwe informatie uit Stockholm.

Maar daar draaide een Europolsmeris zijn hand niet voor om.

Het doel van de Europese misdaadbestrijdingsorganisatie Europol, die in Den Haag zetelde, was de effectiviteit van en de samenwerking tussen de bevoegde autoriteiten van de lidstaten te verbeteren, teneinde terrorisme, onwettige drugshandel en andere ernstige vormen van internationale, georganiseerde misdaad te voorkomen en te bestrijden. De taak van Europol was een belangrijke bijdrage te leveren aan de maatregelen van de Europese Unie tegen de georganiseerde misdaad, met speciale aandacht voor de betrokken misdaadorganisaties.

'Oké', zei Söderstedt tegen zijn computer, terwijl hij, alweer met een glas Vin Santo in zijn hand, op de veranda zat. 'Oké, dat was een citaat. Ik geef het toe, computer. Ik wist niet eens dat ik een Europolsmeris was toen ik naar Milaan afreisde. Dus inderdaad: ik zit hier tijdens de siësta politieverordeningen te citeren met mezelf als enige getuige. En jou natuurlijk, computer.'

'Met wie zit je te praten?' riep Anja vanuit het huis. Ze had net een heel behoorlijk struikje purperkransbasilicum in haar kruidenveld op weten te kweken en leek de betreffende dag redelijk uitgelaten. Het was niet het juiste moment om vreemd te gaan met een computer.

'Met de computer', riep Arto terug.

'Dat dacht ik al', riep Anja. 'Kom liever de kleintjes even welterusten zeggen.'

'Waar is Mikaela?' riep Arto.

'Wat denk je?' riep Anja.

Ach, wat werd er een boel geroepen in dit gezin.

Arto vergat onmiddellijk de aanmaning de kleintjes welterusten te zeggen en richtte zich weer op de computer. Welbeschouwd was die eigenlijk de jongste van het gezin. Maar hij zei hem niet welterusten.

In plaats daarvan had het apparaat onaangekondigd de naam genoemd van de oude bankier van wie vermoed werd dat hij de absolute heerser van Ghiottone was. Hij heette Marco di Spinelli.

Er waren heel veel foto's van deze Marco di Spinelli. Hij opende ze, een voor een. Het was een oude maar taaie, magere man, absoluut niet wat je je bij een maffiabaas voorstelt. Maar hij was dan ook een Noord-Italiaan. Actief in de afscheidingsbeweging Lega Nord en zo.

Er was zelfs een foto van Marco di Spinelli en Nikos Voultsos samen. Het was een wereld van verschil. De oude, aristocratische zilvervos met zijn zwarte, hooggesloten polotrui en de ruwe Griek met zijn lichtroze pak, opengeknoopte overhemd, indrukwekkende partij borsthaar en een heel zware, gouden ketting. Ze begroetten elkaar voor een chic restaurant in het centrum van Milaan. De hand van Marco di Spinelli lag op Nikos Voultsos' schouder, en Voultsos glimlachte onderdanig.

Paul Hjelm had gebeld en over de Erinyen verteld. Ook had hij verteld dat Voultsos een koffer had achtergelaten met spullen erin en het nummer van zijn visakaart. In de koffer hadden alleen kleren gezeten; als er nog narcotica in enige vorm op de kamer waren achtergebleven, dan waren die in een onbekende zak in het Grand Hôtel verdwenen. Het nummer was daarentegen wel interessant. Visa in Zweden had gebeld en de naam doorgegeven van de eigenaar van de rekening. Het was een vennootschap met de naam S.A. Contra. Arto Söderstedt belde onmiddellijk commissaris Italo Marconi om dit door te geven. Marconi zei: 'Dat klinkt heel aannemelijk. S.A. Contra is een witwasbedrijf in de marge van de organisatie Ghiottone. Hun rekeningen worden vaak gebruikt voor kleinere uitgaven. Maar natuurlijk kan het bedrijf niet in verband worden gebracht met Ghiottone en Di Spinelli.'

Söderstedt bedankte hem en hing op.

Hij begon, vond hij, inmiddels behoorlijk veel grip op de structuur van de organisatie te krijgen. Alles wees erop dat het Di Spinelli was die als een kruisspin in het web zat, en dat alle wegen naar hem leidden.

Net als naar Rome.

Arto Söderstedt kon uiteraard niets, ondanks zijn bevoegdheden als Europolsmeris, helemaal niets uitrichten tegen Ghiottone en Marco di Spinelli. Dat sprak voor zich. Grote aantallen binnenlandse competente politiemannen hadden jaren van hun leven gewijd aan het oprollen van het syndicaat. Het was niet zijn taak Ghiottone aan te pakken; dan nam hij veel te veel hooi op zijn vork. Nee, zijn taak was helpen de moordenaar van Nikos Voultsos, Hamid al-Jabiri en Leonard Sheinkman te vinden. Verder niet.

En dat kon duidelijk via Ghiottone.

De vraag was of het reëel was. Hij dacht erover na hoe hij zijn taak het beste kon volbrengen. Daar hoefde hij niet lang over na te denken. Dat stond voor hem vast.

Als iemand wist wie zijn musketier van het leven had beroofd, was het de oude bankier zelf wel.

Er waren in Europa zeven mensen, onder wie zes zware criminelen – vermoedelijk min of meer pooiers, volgens de laatste e-mail van Kerstin – op dezelfde manier vermoord. Volgens Marconi was er niets wat wees op een link tussen een van deze zeven en Ghiottone, maar het zou toch in het belang van Marco di Spinelli moeten zijn dat degenen die zijn met zorg uitgekozen Griekse moordenaar-pooier hadden vermoord, zouden verdwijnen. Vermoedelijk nam Di Spinelli de zaak in eigen hand. Vermoedelijk jaagde hij al met een soldeerlamp op de Erinyen. En vermoedelijk was het volstrekt onmogelijk voor een Zweedse politieman om hem te spreken te krijgen. Ondanks zijn bevoegdheden als Europolsmeris.

Arto Söderstedt besloot het Marconi te vragen.

'Well', zei Marconi onverwacht. 'Het zou wel een verrassing zijn. Botte, spierwitte, Zweedse politieagent met lage rang persoonlijk op bezoek. Dat zou hem wel nieuwsgierig maken. Hij speelt graag spelletjes met de politie.'

'Heb je hem zelf weleens gesproken? Persoonlijk?'

'Heel vaak. Ik ben bijna stamgast in zijn huis. Hij is niet zo van de Siciliaanse niemand-weet-wie-de-peetvader-eigenlijk-is-methode. Integendeel, voor zo'n oude man is hij behoorlijk publiciteitsgeil. Hij is politicus, moet je niet vergeten. Of eerder … een soort politicus …'

'Marco di Spinelli is dus … hoe oud? Tweeënnegentig?'

'En hij zwemt elke dag tweehonderd meter, hij doet aan wedstrijdzeilen op zee en hij rijdt soms een rally. Hij zegt dat hij van de bossen in Värmland houdt, wat dat ook mogen zijn. Iets Zweeds?'

'Ja, iets Zweeds. Ik kan doen alsof ik geïnteresseerd ben in rally's. Ik ben Fin, moet je weten. Een beetje in elk geval.'

'Ik zal je verzoek doorgeven', zei commissaris Italo Marconi, en Söderstedt dacht zijn grote snorhelften – door de telefoonhoorn – te zien draaien.

Arto Söderstedt liet zijn blik over de bewust beschaduwde tuin dwalen. Alle bomen en bosjes waren zo neergezet dat ze schaduw konden bieden. Het was een strategie uit het Middellandse Zeegebied die hij heel goed kende. Met de dag raakte de meizon er steeds meer van overtuigd dat hij een zomerzon was en geen klein, luizig lentezonnetje. Zijn zelfvertrouwen groeide gestaag, en daarmee de behoefte aan een siësta. Arto wist niet meer hoe vaak hij naar een winkel was gegaan die gesloten bleek te zijn. Wat hem het meest verbaasde, was dat hij niet leek te leren van zijn fouten; als een ontsnapte psychiatrische patiënt reed hij vrijwel dagelijks naar Greve om elke keer opnieuw te ontdekken dat alles in de stad dicht was. Van één uur tot vier uur lag heel Greve plat, en tussen één uur en vier uur arriveerde de witte Fin in zijn grote gezinsauto, trok aan deuren die op slot zaten en produceerde een stortvloed aan ondefinieerbare geluiden. Je kon er de klok op gelijk zetten.

Hij had een siësta nodig, dat was duidelijk.

Nu zat hij in de schaduw op het terras onder een extra parasol een héél klein glaasje Vin Santo te nuttigen en hij keek op zijn horloge. Het was twee uur. Midden in de siësta. Hij was blij geweest dat Marconi de telefoon direct had opgenomen. Nu, achteraf, besefte hij ineens dat hij tijdens het rustmoment had gebeld. Maar kennelijk had Marconi de siësta overgeslagen. Net als hij.

Hij was een siëstaweigeraar.

Vermoedelijk zou het zich op de een of andere manier wreken. Nu doordat hij afgeleid werd. Zijn gedachten stroomden als het ware uit hem, terwijl hij er normaal gesproken redelijk goed in was om beekjes af te dammen, kanalen te graven en zijn gedachtestromen in de goede richting te leiden. Maar nu leek zijn hoofd meer op de Donaudelta.

Als hij toegang kreeg tot Marco di Spinelli, moest hij heel goed voorbereid zijn. Als een studiebol zijn huiswerk doen. Maar hij moest zijn kennis tegelijkertijd zodanig wegdrukken uit zijn actieve bewustzijn dat die zijn gedachteproces en reactievermogen niet zou hinderen. Arto Söderstedt kreeg het weleens voor elkaar dat verdachten zich verspraken. Meestal door zich dom voor te doen. Hij had zijn uiterlijk mee. Je kon moeilijk ontkennen dat hij er behoorlijk afwezig uit kon zien.

'Is papa dood?'

Hij grinnikte even en doopte zijn tongpuntje voorzichtig in het héél kleine glaasje.

Hoe zou hij de aandacht van Di Spinelli kunnen trekken? Hoe kon hij hem verleiden wat loslippiger te worden? Hij had een stuk of tien foto's van Di Spinelli op zijn computerscherm geopend en probeerde een puur visueel beeld van de man te krijgen. Hij was immers alleen nog maar een beeld. Of eigenlijk een reeks afbeeldingen.

Hij probeerde zich de situatie voor te stellen: hoe hij tegemoet getreden zou worden, hoe Di Spinelli zich zou gedragen, welke gespreksonderwerpen aan de orde zouden komen en – in de eerste plaats – hoe hij het voor elkaar zou kunnen krijgen essentiële vragen te stellen zonder dat het leek alsof ze essentieel waren. Dat was eigenlijk de grote en cruciale kunst.

Die had hij van oom Pertti geleerd.

Inderdaad, Arto Söderstedt was een ongebruikelijk hoogopgeleide smeris, met een verleden waar hij allerminst graag over sprak. Op vijfentwintigjarige leeftijd was hij al een carrièreadvocaat in Vaasa in Finland. Hield het uitschot van de aardbol buiten de rechtsstaat. Specialiseerde zich in de rijkste, doortraptste en meest gewetenloze criminelen. Op een gegeven moment had hij schoon genoeg van zijn leugenachtige, krankzinnige leven. Hij vluchtte het land uit en kwam in Zweden terecht, waar hij het na een paar moeilijke jaren klaarspeelde politieman te worden. Hij was veel te obstinaat voor zijn superieuren bij de politie van Stockholm en werd vervolgens overgeplaatst naar Västerås, waar hij een rustig, aangenaam en volkomen ondraaglijk voorstadleventje leidde. Maar op het moment dat er een commissaris met een uilenbril balancerend op zijn heel grote neus het politiebureau binnen kwam sukkelen, nam zijn leven een andere wending.

In het A-team was hij de joker van het spel geworden. De kaart die de speler met de pokerface nonchalant op tafel gooit, waarna hij er met de hele pot vandoor gaat.

Of zoiets.

Ondanks dit afwisselende leven, ondanks een overvloed aan opleidingsinstanties en leertrajecten, had hij van oom Pertti de grote en cruciale kunst geleerd.

Pertti Lindrot, de held van de Finse Winteroorlog, winnaar van de slag bij Suomussalmi, de man die de familie Söderstedt postuum deze heuglijke tijd in Toscane had geschonken, was geen positieve figuur uit de geschiedenis. Hij was niet het type familielid dat sympathieke beelden achterlaat in het hoofd van kinderen en daarmee zijn leven een paar decennia verlengt.

Hij was een afgetakelde, vreselijke schoft, niet meer dan een grote, stinkende, tandeloze, spottende mond.

Herinneringen …

Maar één ding had hij kleine Arto geleerd. Af en toe had hij hem op schoot genomen om een verstandig gesprek met hem te voeren. Het enige wat kleine Arto deed, was proberen zo snel mogelijk weg te komen. Hij herinnerde zich nog heel duidelijk de stank die uit die tandeloze mond kwam. Maar midden in het gelal kwamen de essentiële vragen. Ze klonken hetzelfde als het gelal, maar ze werden vergezeld door een blik die niet gebruikelijk was voor oom Pertti. Op die momenten zag kleine Arto de held uit de Winteroorlog, de guerrillastrijder die zich jarenlang in het winterlandschap had verstopt. Hij had foto's gezien van oom Pertti uit die tijd, en die waren heel bijzonder. Met name één foto stond hem glashelder voor de geest. De trots die van het lichte gezicht van Pertti Lindrot straalde terwijl hij stevig in de sneeuw stond met zijn hand op de sabelgreep, was niet alleen indrukwekkend, hij was ook heel herkenbaar.

Opmerkelijk herkenbaar.

Herkenbaar als een spiegelbeeld. Het was alsof Arto Söderstedt daar zelf in de sneeuw stond met zijn hand op de sabelgreep en probeerde niet te lachen. De gelijkenis was onbehaaglijk.

De laltactiek had Arto Söderstedt overgenomen. Maar niet zijn mond.

Oké, zijn gedachten waren stuurloos. Hij probeerde de stroompjes te vangen en terug te leiden in de hoofdvoor.

Dat lukte niet echt.

De foto's van de waarschijnlijk uiterst mondaine en keiharde Marco di Spinelli vloeiden niet samen tot een eenvormig portret. Het bleef buitenkant. Het bleef een reeks nietszeggende computerprojecties. Het bleef ongrijpbaar.

Hij moest er later op terugkomen. Met hernieuwde krachten.

In één teug leegde Arto Söderstedt het héél kleine glaasje Vin Santo, zette de computer uit en stond op.

Hij ging siësta houden.

22

Kerstin Holm had het druk. Meestal vond ze het prettig om het druk te hebben. Ze hield van haar werk. *Get a life*, zei ze af en toe tegen zichzelf als ze om negen uur 's avonds alleen op het politiebureau zat. Maar dan besefte ze dat ze al een leven had, en dat haar werk een belangrijk deel van dat leven vormde. Het bestond uit werken, zingen in een koor en een beetje joggen.

Maar ineens was dat niet genoeg meer.

Ineens vond ze het hartstikke vervelend om het druk te hebben.

Haar leven was in alle stilte bezig een metamorfose te ondergaan. Nog een. En niemand die ook maar iets in de gaten had.

Ze had tegenwoordig de gewoonte werk en privé te scheiden. De escapades met Paul Hjelm een paar jaar geleden waren de druppel geweest die de emmer had doen overlopen. Tot dan toe waren al haar relaties politieel geweest. Ze kwam uit Göteborg en ze was verloofd geweest met een collega die een uiterst gecompliceerde verhouding tot seks had. Als hij wilde, wilde zij ook. Dat was het uitgangspunt. Met als gevolg dat er volkomen onbewuste verkrachtingen in de politiële slaapkamer hadden plaatsgevonden. Lange tijd had ze gedacht dat het zo hoorde, omdat dit haar seksuele leven altijd had gekenmerkt. Dat kwam door een mannelijk familielid. Met een voorliefde voor gedenkdagen en kledingkasten.

Het familielid was allang overleden, en haar ex-man was onlangs geschorst wegens alcoholisme. Iemand trappen die al op de grond lag, was niet haar stijl.

Maar ze dacht wel dat ze begreep wat waarachtige, blinde wraakzucht was. En dat was precies wat ze tegenkwam in het onderzoeksmateriaal uit Boedapest, Maribor, Wiesbaden, Antwerpen, Venetië en Manchester. De laatste reactie was in de loop van de dag binnengekomen; in zoverre had commissaris Roelants uit Antwerpen gelijk: het was nog niet voorbij.

Een welbekende pooier was al in maart vorig jaar van het leven beroofd in een park in de buurt van het voetbalstadion Old Trafford, op precies dezelfde manier als Leonard Sheinkman en alle anderen. De tijdspanne van de zaak werd steeds groter. De Erinyen waren al meer dan een jaar actief.

De wraakgodinnen.

Er waren nergens getuigen. Dat maakten de skinhead Reine Sandberg en zijn clubje uniek in Europa. Zij waren de enigen die hen hadden gezien en het hadden overleefd. Zijn kompanen, die inmiddels een naam hadden, hadden zijn verhaal tot in detail bevestigd. Ze waren met zijn vieren geweest. In blinde paniek waren ze door Skogskyrkogården gerend en bij het metrostation aangekomen, waren ze nog maar met zijn drieën geweest. Andreas Rasmusson, die langzaam begon te herstellen op de acute psychiatrie, had drie uur lang tussen de graven rondgedoold. Vervolgens had hij de metro weten te vinden en was hij in het Centraal Station gaan ronddolen, waar de politie zich over hem had ontfermd.

Op de een of andere manier wilde ze dat ze medelijden met hem kon hebben.

Kerstin dacht dat ze het begreep. Ze dacht echt dat ze begreep waar de zaak over ging. Het was ware, blinde wraakzucht.

De donkere, magere, zwartgeklede gestalten waren zonder twijfel vrouwen. Maar wat voor vrouwen? Wie hadden een reden om pooiers te vermoorden? Prostituees natuurlijk. Het leek er sterk op dat de zogenoemde ninjafeministe bij een groep afgekickte en goedgetrainde prostituees hoorde. Haar kleding volgens Adib Tamar van Odenplan: 'Rood leren jack, strakke, zwarte broek, zwarte sportschoenen'. Had ze haar hele uitrusting onder haar rode jack gedragen? Was ze – om het zo maar te zeggen – gevechtsklaar als ze aanviel? Had ze daarom zulk nodeloos grof geweld gebruikt?

In de regel was het niet nodeloos grof. Ze hadden niet zomaar een paar onbeduidende, verslaafde pooiers uitgekozen; de vermoorde pooiers hadden allemaal ernstige geweldsdelicten op hun naam staan. Het waren allemaal moordenaars. En ze hadden ook allemaal een of meerdere verkrachtingen op hun geweten.

Ja, het waren hufters.

Stel dat het incident in metrostation Odenplan een voortvloeisel was van beheerste geweldshandelingen. Stel dat dit het eerste teken was dat je geen geweld kunt gebruiken zonder sporen na te laten, en dat het vroeg of laat explodeert en het zich tegen je keert. Bijna alle Vietnamveteranen zijn zwaar verslaafd, de mannen die de atoombom op Japan hebben laten vallen zijn min of meer doorgedraaid, en van het geweld in Joegoslavië beginnen we nog maar net de langetermijngevolgen te zien. Plegers van geweldsdelicten – en zeker ook vrouwen – worden uiteindelijk door hun geweldsdaden verslonden. Beulen draaien altijd door, dat zie je door de hele geschiedenis heen. Ze worden opgegeten, van binnenuit.

Hamid al-Jabiri was geen moorddadige pooier. Het was geen lieverdje, maar had hij zo'n roemloos einde verdiend? Was hij echt een van de ter dood veroordeelden? Nee, bij hem was het uit de hand gelopen. Na een jaar. Dat was misschien een redelijke periode om het vol te houden. Daarna hield het op.

Dan ging het geweld een eigen leven leiden. Het werd niet meer volledig gestuurd; het begon zijn eigen gang te gaan.

Dat was in elk geval een interpretatie.

De Erinyen waren nu een jaar bezig. Hun gewelddaden waren volkomen gecontroleerd en niet op onschuldigen gericht (als je, wederom, Leonard Sheinkman buiten beschouwing liet). Ze richtten zich op mannen die het volgens hen simpelweg verdienden om te sterven. En die vonden een gruwelijke dood. Maar daar bleef het waarschijnlijk niet bij. Het was interessant om na te gaan of de bende voortdurend werd versterkt. Werd er tegelijk met de wraakacties gerekruteerd? Waren de acht, naar het zich liet aanzien, afgetakelde meiden uit het Norrboda Motell in Slagsta bij een soort leger ingelijfd? Zouden ze, nadat ze een afkick- en trainingsprogramma hadden doorlopen, ook strakke, zwarte kleren aantrekken en overal in Europa pooiers gaan vermoorden? Was dit een manier om de sterk groeiende prostitutie-industrie te bestrijden?

Waren het Oost-Europese vrouwen die terugsloegen?

In dat geval hoopte Kerstin Holm dat ze niet gepakt zouden worden.

Inderdaad, ze was een politievrouw. Haar taak was misdaden voorkomen en misdadigers grijpen. En inderdaad, ze hoopte dat ze niet gepakt zouden worden.

Dat betekende niet dat ze haar werk niet zou doen. Maar ze was niet erg blij met haar taak.

En niet alleen omdat haar leven bezig was een metamorfose te ondergaan.

Nadat de verloving was verbroken met de politieman uit Göteborg, kwam Kerstin Holm in Stockholm terecht. Het A-team werd geformeerd. Tijdens een korte, intensieve verhouding met Paul Hjelm had ze al haar remmingen laten varen en alles verteld. Voor het eerst in haar leven, wat haar relatie met hem heel bijzonder maakte, ook toen die voorbij was. Ze hield nog steeds van hem, maar niet meer op die manier, niet zo dat ze haar leven met hem wilde delen. Maar hij was met zijn opmerkelijke combinatie van onhandigheid en nauwkeurigheid, tederheid en hardheid, bezetenheid en passiviteit, intellect en gevoel, een buitengewoon levende man. In hem was alles voortdurend in beweging. Hij zou nooit stilstaan.

Ze leken veel op elkaar. Ze was verliefd geworden op haar eigen spiegelbeeld, en dat spiegelbeeld was een man. Dat was het probleem. De afgelopen dagen had ze begrepen dat het probleem was.

Ze had juist iets heel anders nodig.

Na Paul was ze een opmerkelijke, intensieve relatie aangegaan met een zestig jaar oude dominee van de Zweedse kerk, die terminale kanker had. Deze ervaring had alles op zijn kop gezet en haar gedwongen de fundamenten van haar leven te heroverwegen. Daar was ze nu een paar jaar mee bezig.

Toen kwam de metamorfose. En daar zat ze nu middenin.

Wat ze nu op haar computerscherm naging, was in hoeverre de onderzoeken in Hongarije, Duitsland, België, Italië en Engeland op de een of andere manier aanwijzingen bevatten voor een verband tussen de pooiermoorden en de verdwenen prostituees. Het materiaal uit Duitsland, Italië en Engeland was goed te doen, en met behulp van een min of meer eigenhandig samengesteld woordenboek met mogelijke trefwoorden, leek het ook te lukken met het Hongaarse, Servo-Kroatische en Nederlandse materiaal. Maar al snel liep ze vast. Ze hadden weliswaar allemaal een samenvatting in min of meer gebrekkig Engels meegestuurd, maar om het zorgvuldig te kunnen onderzoeken, moest ze toch in de taalchaos van het oorspronkelijke onderzoeksmateriaal duiken.

Ze dacht aan het eerste bijbelboek, Genesis, hoofdstuk 11, de toren van Babel. Waarom had God het eigenlijk in zijn hoofd gehaald de uniforme mensentaal in zo veel verschillende talen op te delen? Waarom had Hij het in zijn hoofd gehaald ervoor te zorgen dat we elkaar niet begrepen? Had godsdienst wel een zinnige verklaring?

Ze zocht naar de Bijbel op internet. Ze vond alleen de oude bijbelvertaling. Die moest maar voldoen.

Het hele verhaal over de toren van Babel werd in negen cryptische verzen verteld, die begonnen met: 'De gehele aarde nu was één van taal en één van spraak.' Wat gebeurde er daarna? De mensen ontdekken hoe ze tichelen moeten maken, en uiteindelijk bouwen ze een stad en een toren die zo hoog wordt dat hij tot de hemel reikt. Tot zover is er nog niets aan de hand. Maar het doel van de mensen is blijkbaar te voorkomen dat ze 'over de gehele aarde verstrooid' worden. Ze willen één taal blijven spreken en op één plek blijven. Dan duikt God op en denkt iets in de trant van:

voor de mensen lijkt niets onmogelijk te zijn. Dan komt Hij op het idee 'neder te dalen en hun taal te verwarren, zodat zij elkanders taal niet verstaan.' En zo verspreidt Hij ze over de aarde.

Er wordt geen verklaring gegeven voor Gods handelen, maar het lijkt erop dat hij de taalverwarring gebruikt om de mensen over de hele aarde te verspreiden, zodat ze niet op een kluitje bij elkaar blijven zitten niksen. Want dan is alles mogelijk. Waaronder een toren bouwen die tot de hemel reikt, het domein van God.

Kerstin vroeg zich af of de mens echt sterker zou zijn geweest als iedereen op één plek had gewoond en een enkele taal had gesproken. Was in dat geval alles mogelijk geweest? Integendeel, het klonk juist nogal verstikkend. De zo bekritiseerde oudtestamentische God, de God van de Joden, leek de mensheid juist gered te hebben van de uniformiteit van het fascisme en een continue uitwisseling mogelijk gemaakt te hebben tussen mensen met verschillende talen, verschillende ervaringen, verschillende wereldbeelden en uit verschillende klimaten. De reden was niet dat Hij bang was dat de toren van Babel inbreuk zou maken op zijn hemelse domein, Hij was bang dat de toren van Babel door inteelt de ondergang van de mensheid zou betekenen.

Als er een God zou bestaan, dan heeft Hij door verschillende talen te scheppen, voorkomen dat we zouden stikken in onze eigen zelfgenoegzaamheid.

Met deze redenering in haar achterhoofd werkte ze zich door de vreemde Hongaarse woordjes en ze voelde er een merkwaardige, stimulerende kracht van uitkomen.

Het rapport van inspecteur Mészöly las ze als laatste. Het slachtoffer in Boedapest was een negenentwintigjarige pooier die op 12 oktober 1999 in zijn eigen huis was opgehangen. Ze zocht koortsachtig naar prostituees die op hetzelfde moment waren verdwenen. Mészöly repte met geen woord over iets dergelijks.

Zes landen, dacht Kerstin, waarvan vier EU-landen. Hongarije,

Slovenië, Duitsland, België, Italië en Groot-Brittannië; niemand leek veel zicht te hebben op de vrouwen uit de seksindustrie. Dat men dat in Zweden wel had, was voornamelijk aan het toeval te danken; dat wij het ontdekt hebben, kwam alleen maar omdat we dachten dat er asielzoekers in de illegaliteit waren verdwenen. Toen kwamen we in actie. Toen riskeerden we een smet op onze natie. Als er acht prostituees van de straten van Stockholm waren verdwenen, had niemand een vinger uitgestoken. Dat scheelde het maatschappelijk werk weer acht cliënten. Velen zouden een zucht van verlichting hebben geslaakt. Veel meer zou er niet zijn gebeurd.

Dat er geen sporen van verdwenen prostituees in de onderzoeken waren te vinden, betekende niet dat ze er niet waren. Tijd voor een tweede gezamenlijke e-mail naar alle betrokken landen.

Ze las de oude e-mailtjes door. Van nummer acht kon ze geen genoeg krijgen: 'Wie heeft dit onderzoek potverdullemme geautoriseerd? Uit wiens budget wordt het betaald? WM.' Hoe vaker ze het las, hoe meer ze ervan genoot. Het was een fantastische samenvatting van de werkzaamheden van Waldemar Mörner.

Nummer twee was ook goed. De scheldkanonnade van de Parijse commissaris van politie Mérimée: 'U, madame Holm, lijkt de middelen van Europol te gebruiken voor kleine binnenlandse vergrijpen.' Als je bedacht wat er momenteel plaatsvond in Europa, was het bijna de moeite waard dit mailtje te bewaren en het op het juiste moment in het achterste van de commissaris te steken.

Oké, dat was misschien een tikje wraakzuchtig.

E-mail nummer één was daarentegen onschuldig, van de cyberflirtende commissaris Radcliffe uit Dublin. 'Ik heb geen idee welke rang hij heeft, maar hij is heel aardig. En dat lijkt u me ook, Ms. Holm.' En de heel aardige man heette kennelijk Benziger. 'Het staat me bij dat ik in de voormalige DDR over een dergelijk geval heb gehoord. Neem contact op met Benziger in Weimar.'

Dat is waar ook. Dat was ze vergeten. Ze vond een e-mailadres van de politie in Weimar en schreef een kort verzoek om inlichtingen, geadresseerd aan de volslagen onbekende Benziger,

Daarna stuurde ze ook het gezamenlijke verzoek aan de zes landen waar pooiers ondersteboven waren opgehangen met een lange metaaldraad in hun slaap.

Hun slaap, ja. Precies dáár. Kerstin Holm voelde aan haar eigen verdunde linkerslaap, waar het haar weigerde te groeien. Was het niet een tikje griezelig dat deze naalden precies op die plek naar binnen waren gedrongen waar ze zelf amper een jaar geleden was beschoten en slechts een millimeter van de dood verwijderd was geweest?

Ze was niet blij met dit toeval. Daar bleef het namelijk zelden bij.

Ze herinnerde zich vaag dat ze op een modderig grasveld lag en dat haar bloed zich vermengde met dat van Paul Hjelm onder een hemel die zich wagenwijd opende, en dat ze helemaal verzwakt, helemaal doorweekt en helemaal onder het bloed had gefluisterd: 'Paul, ik hou van jou.'

Ze was bang dat hij het verkeerd had begrepen. Natuurlijk hield ze van hem, maar ze wist niet precies op welke manier.

Ze was namelijk bezig een metamorfose te ondergaan.

Maar het was nog te vroeg om het te beroeren.

23

De schoonheid van het abstracte. Een zaak die steeds gecompliceerder, steeds veelomvattender werd, gecomprimeerd tot een uiterst simpel, uiterst herkenbaar plusteken van een anonieme kunstenaar.

Misschien had het een minteken moeten zijn.

Het speet Jan-Olov Hultin heimelijk dat hij de kunstenaar niet was. Zijn schema's waren doorgaans groot en absurd, met strepen en pijlen alle kanten op, en uiteindelijk stond het whiteboard dan zo vol dat hij op de achterkant verder moest gaan. Als de strepen en pijlen zo lang werden dat hij het bord moest omdraaien om al zijn gedachtegangen te verduidelijken, had zijn gehoor het meestal al opgegeven.

Daarom gaf hij de voorkeur aan de schoonheid van het abstracte.

Het volstrekt tegenovergestelde lag in stapeltjes op de katheder voor hem. Voor het eerst sinds het allemaal was begonnen, had hij de tijd genomen om te lezen wat de pers over de zaak had geschreven. De geheimhouding was gelukkig redelijk gehandhaafd; dat was ongebruikelijk.

Het kwadrant 'Skansen'. De Veelvratenzaak was eigenlijk geen zaak. De eerste dagen hadden er allemaal schreeuwende koppen en close-ups van het afgekloven bot in de krant gestaan, en een aantal discussies in de avondkranten over hoe gevaarlijk Skansen eigenlijk voor onze onschuldige kindjes was. Er werden kinderen gefotografeerd die gevaarlijk dicht bij de beren in de buurt kwamen. In diverse televisiedebatten werd de directie van Skansen verantwoordelijk gesteld en werd haar onmiddellijke aftreden geëist. Ook was er een algeheel verbod op veelvraten ophanden. De verantwoordelijke minister zou naar de regelgeving kijken.

Het kwadrant 'Slagsta'. Over de acht verdwenen vrouwen had

Hultin geen woord gevonden. Dat was simpelweg geen nieuws.

Het kwadrant 'Odenplan'. De dood van Hamid al-Jabiri bleef gelukkig een ongeluk. Een krant was erin geslaagd een foto te maken van het onderlichaam op het perron. Deze was zonder aarzelen gepubliceerd. Een televisiedebat over de veiligheid in de metro trok zo weinig kijkers dat een aantal adverteerders de handen ineensloeg en een opiniestuk in *Dagens Nyheter* schreef. Dat kreeg een aantal vervolgen. Een van de debattanten, hoofd voorlichting van een ijverig adverterende brouwerij, zou naar schatting drieëntwintigduizend kronen aan zijn artikelen hebben verdiend. Mits die een nieuw debat op gang zouden brengen.

Het kwadrant 'Skogskyrkogården'. Het treurige einde van Leonard Sheinkman, dat al het andere overschaduwde, werd behandeld als een racistische daad van het zwaarste kaliber, niet in de laatste plaats door de blunder van Waldemar Mörner tijdens de live persconferentie van zondag. Verder werd het chloorgroene, gemillimeterde haar van Sara Svenhagen ijverig becommentarieerd, en ze werd voor drie filmpremières uitgenodigd evenals voor het twintigjarige jubileum van Café Opera. Mediavertegenwoordigers hadden koortsachtig getracht het ziekenhuispersoneel om te kopen om de 'opgepakte verdachte' Andreas Rasmusson te kunnen spreken, die volgens een krant 'deze keer niet alleen Joodse graven had geschonden, maar ook op beestachtige wijze een oude, Joodse hoogleraar Kernfysica had vermoord'. Dezelfde bron ging als volgt verder: 'Het hardnekkige verhoor van de politie resulteerde in een opname in een gekkenhuis. Volgens een bron waren er omgekeerde wapenstokken gebruikt.' Het ophangen aan de voeten werd bediscussieerd, maar de lange metalen naald werd buiten de media gehouden. Een televisiezender was het gelukt de oude begraafplaatsbeheerder Yitzak Lemstein naar de studio te halen, die zijn getatoeëerde arm mocht laten zien. Het publiek las op bordjes dat ze nu luidruchtig hun ontsteltenis moesten uiten. En zo geschiedde. Tijdens het daarop volgende interview noemde Lemstein ongelukkigerwijs het bezoek van Chavez aan de begraafplaats en de grafsteen waarop 'Shtayf' stond. Dat riep echter geen aanvullende vragen op. De gespreksleider wist namelijk het woord 'Jiddisch' niet zo goed te plaatsen.

Jan-Olov Hultin dacht een tijdje na over de oorzaken van een beroerte, schoof de krantenstapel opzij en zei zonder omhaal: 'We moeten wachten op informatie over de mobiele telefoon. Het abonnement is inderdaad Oekraïens, maar het Oekraïense tele-combedrijf is kennelijk niet in staat een lijst van telefoongesprek-ken te produceren. Hun techniek loopt ruim tien jaar achter, dus het is technisch onmogelijk. Ze worden nu stukje bij beetje op weg geholpen door Zweedse technici. Verder zijn jullie op de hoogte van de laatste ontwikkelingen. Arto is nu officieel op het onderzoek gezet, als Europolagent. Ik heb net gehoord dat hij op bezoek mag bij het verdachte hoofd van de organisatie Ghiottone, wat behalve "veelvraat" ook "schrokop" betekent. De leider is een tweeënnegentigjarige bankier met de naam Marco di Spinelli. Arto gaat vanavond bij hem op bezoek. Zullen we bij jou begin-nen, Jorge?'

Chavez zuchtte licht en keek in zijn papieren.

'De stukjes touw komen met een zekere regelmaat binnen', zei hij. 'Waar we op hopen, is dat we precies het goede touw vinden, dat er weinig detailhandelaars zijn en dat iemand zich kan her-inneren wie het touw heeft gekocht. Het is een beetje een slag in de lucht en we kunnen het niet de hoogste prioriteit geven. Tot nu toe komt geen enkel touw overeen met het onze. Mijn tweede punt is interessanter. Het is de vraag of het toeval was dat Leonard Sheinkman recht boven het anonieme graf "Shtayf" hing. Achter "Shtayf" gaat namelijk een twintig jaar oude moord schuil. Het slachtoffer was een voormalige concentratiekampgevangene van een jaar of veertig, die verwond is met messteken. Hij had geïden-tificeerd kunnen worden aan de hand van de nummers op zijn onderarm, maar die heeft hij kennelijk geprobeerd eigenhandig met een mes weg te snijden, waardoor ze onleesbaar waren geworden. Een ontbrekende neus was zijn opvallendste kenmerk. Het verbaast me zeer dat het onderzoek van de politie van Huddinge in 1981 zo gigantisch is mislukt. Iemand moet toch een man zonder neus hebben gezien? Zijn gezicht moet toch overal veel aandacht hebben getrokken? Daarnaast heeft Interpol destijds ook de plank misgeslagen. Ik heb zijn portret en vingerafdrukken opnieuw opgestuurd. Europa is sindsdien immers groter en toegankelijker geworden.'

Jan-Olov Hultin zag er anders uit dan anders. Aangezien elke kleine verandering in zijn uitdrukkingsloze gezicht onmiddellijk opviel, hield het A-team de adem in. Was het de gevreesde beroerte?

'Het was mijn zaak', zei hij en hij zonk door een tijdgat naar beneden. Het ruimte-tijdcontinuüm werd met een rappe haal afgekapt, de klokken liepen als een bezetene achteruit. Jan-Olov Hultin was een jaar of veertig en bevond zich in een kleine, pas ingerichte werkkamer in het politiebureau, leunde tevreden achterover en dacht: eindelijk. Het was zo duidelijk als wat.

Een moment lang heerste er een stilte. Toen zei Chavez: 'Nee.'

'Wat?' zei Hultin en hij reisde door de eonen weer terug. Sterrenclusters raasden voorbij, sneller dan het licht.

'Er stond iets anders', zei Chavez. 'Bruun. Commissaris Erik Bruun van de politie van Huddinge. Ken ik die niet ergens van?'

Paul Hjelm schoot in de lach. Hij werd met zichtbare scepsis gadegeslagen.

'Erik Bruun is mijn oude chef', legde hij uit. 'Hij heeft me het A-team in gelokt.'

'Precies', zei Chavez. 'We zijn daar een keer geweest. Maar toen was hij net met pensioen.'

'Hartinfarct', zei Hjelm knikkend. 'Te veel sigaren.'

Hultin begon weer de oude te worden. Ze haalden opgelucht adem. De bloedprop hield zich deze keer kennelijk ook weer op afstand.

Hij zei: 'In september 1981 heeft Bruun me naar de rijksrecherche gelokt. Hij heeft veel gelokt in zijn tijd. Ik kreeg de zaak op 9 september toegewezen, maar die heb ik heel afwezig doorgenomen. Ik verwachtte immers elk moment een reactie op mijn sollicitatie. Ik heb die eerste dagen hoogst onprofessioneel gehandeld. Mijn grootste misstap tot de Kentucky-moordenaar. Op 11 september kreeg ik een reactie, waarna ik rechtstreeks hiernaartoe ben gegaan. Bruun heeft het min of meer vastgelopen onderzoek zelf overgenomen.'

'Dat is ook wat', zei Hjelm. 'Ik kwam in 1984 als groentje bij de politie. Ik kan me niet herinneren dat hij het ooit over een zaak met een neusloze man heeft gehad.'

'Het is ook nooit een echte zaak geworden', zei Hultin. 'Een John Doe, zoals vele anderen. Zelfs de pers was niet echt geïnteresseerd. In die tijd kon je geen foto's van lijken in de media tonen. De tijden zijn veranderd.'

'Wat weet je er nog van?' vroeg Chavez.

'Hij lag in een sloot in de buurt van een meertje in Älta, vlak naast de autoweg. Geen noemenswaardige bandensporen. Hij was naakt, had twee enorme messteken in zijn rug, die allebei direct dodelijk moeten zijn geweest. De nummers op zijn arm waren bijna verdwenen in een wirwar van littekens, omdat hij in een dronken bui geprobeerd had ze weg te snijden met een mes. En dan had je nog die neus ...'

'Ik heb hier een foto van hem', zei Chavez en hij liet een oude kleurenfoto in het commandocentrum van de strijdkrachten rondgaan.

'Ik heb eigenlijk niks gevonden, geen getuigen, geen sporen. Niemand in Zweden leek deze neusloze man te hebben gezien. Aan de andere kant heb ik, zoals ik al zei, niet echt goed gezocht.'

'Eén ding', zei Kerstin Holm met haar ogen op de foto gericht. 'Waarom doet iemand niet iets aan zo'n vreselijk ontsierend litteken? Eén blik van een plastisch chirurg, en hij zou de uitdaging dolgraag zijn aangegaan.'

'Goeie vraag', zei Hultin. 'Armoede? Geen contact met de

gezondheidszorg? Aan lager wal geraakt?'

'En bovendien een buitenlander', zei Kerstin en ze knikte zwakjes.

'Is het niet een goed idee om een bezoek aan Bruun te brengen?' vroeg Hjelm hoopvol. Hij had zijn oude chef niet meer gezien sinds hij na zijn hartinfarct was vervangen door een monstrum met de naam Sten Lagnmyr.

'Goed idee', zei Hultin. 'Jij en Jorge.'

'Oké', zeiden Hjelm en Chavez in koor.

'Hoe gaat het met de boten, Sara?' ging Hultin verder en hij keek neutraler dan hij in lange tijd had gedaan. De gevoelsexplosie moest kennelijk gecompenseerd worden.

'Redelijk', zei Sara Svenhagen. 'De mogelijkheden om met de bus van Stockholm naar Lublin te reizen zijn legio, zeker als je vijfendertig uur de tijd hebt. Dat is de tijd tussen het mogelijke tijdstip waarop de bus uit Slagsta is vertrokken en het telefoontje naar de mobiele telefoon uit Lublin. Het meest logisch is de dichtstbijzijnde veerboot te nemen, in Nynäshamn, en daarvandaan naar Gdansk te varen, wat de kortste weg is als je via Lublin naar Oekraïne wilt. Om vijf uur 's middags vertrekt er een nachtboot die pas om half twaalf de volgende dag in Gdansk aankomt. Gdansk en Lublin liggen ongeveer vijfhonderd kilometer bij elkaar vandaan. Het telefoontje naar Odenplan kwam om drie uur. Als het, pakweg, een half uur duurt om van de veerboot af te komen, moet je zo'n honderdzestig, honderdzeventig kilometer per uur rijden als je om drie uur in Lublin wilt zijn. Dat kan niet. Dat is onmogelijk. Het andere redelijke alternatief uit Zweden is Karlskrona. Ms. Stena Europe van Stena Line is om negen uur 's avonds vertrokken en vrijdagmorgen om zeven uur in Gdynia aangekomen. Dan hebben ze acht uur de tijd gehad om de vijfhonderd kilometer af te leggen. Dat klinkt beter. Dus ik heb Stena Line gebeld en geïnformeerd naar de bussen van die overtocht. Van 4 op 5 mei waren er acht bussen op de veerboot vanuit Karlskrona. Vier waren georganiseerde groepsreizen, een

Poolse, een Duitse en twee Zweedse; een van de Zweedse gezelschappen bestond alleen uit vrijgezelle mannen die naar Oost-Europa gingen om een duurzame partner te krijgen, of een geslachtsziekte. Eén bus zou door een Pools schrootbedrijf verschroot worden, en de rest waren particulieren. Nu komt het interessante. Wat wordt er van Zweden naar Polen gesmokkeld in plaats van andersom?'

'Straaljagers?' opperde Viggo.

'Elandgeweien?' opperde Jorge.

'Bijna', zei Sara. 'Zeearenden.'

'Gestroopte?' vroeg Kerstin.

'Kom ter zake', zei Hultin.

'De particuliere Poolse bus zat tjokvol gestroopte zeearenden. De Zweedse en Poolse douane hebben samengewerkt met de Zweedse milieubeschermingsdienst, die de vondst op video heeft vastgelegd. Het nieuws heeft daarvan afgelopen vrijdagavond ongeveer een minuut uitgezonden. Maar ze hebben natuurlijk veel meer beelden, die ze in de loop van vandaag opsturen. Als het meezit, zien we misschien ook een glimp van de andere bussen. Verder was ik van plan een reisje naar Karlskrona te maken om met het personeel van de boot te gaan praten. Vanavond vaart dezelfde crew naar Gdynia. Is er in de begroting ruimte voor een vliegreisje naar Karlskrona?'

'Doelstelling?' vroeg Hultin.

'Foto's laten zien van Galina Stenina, Valentina Dontsjenko, Lina Kostenko, Stefka Dafovska, Mariya Bagrjana, Natalja Vaganova, Tatjana Skoblikova en Svetlana Petruseva. Kijken wat het personeel zich herinnert. Als ze aan boord zijn geweest, moeten ze op de een of andere manier opgevallen zijn.'

'Heb je hun namen uit je hoofd geleerd?' zei Jorge verbaasd.

'Dat is wel het minste wat je kunt doen als je aan deze zaak werkt', zei Sara vlijmscherp.

'De reis wordt toegestaan', zei Hultin kort. 'Viggo?'

Alsof het de normaalste zaak van de wereld was, zei Viggo

Norlander: 'We krijgen nog een kind.'

'Maar allemachtig, Viggo', riep Gunnar Nyberg uit. 'Astrid is achtenveertig.'

'Zevenenveertig', corrigeerde Norlander hem. 'En hoe oud is docente Ludmila?'

'Gefeliciteerd, Viggo', zei Kerstin Holm. 'Luister maar niet naar die ouwe zeurpieten. Ze zijn gewoon jaloers.'

'Vanwaar die meervoudsvorm?' zei Paul Hjelm. 'Wat is daar de reden van?'

'Vrouwen feliciteren en mannen hebben medelijden', zei Sara Svenhagen. 'Zo is het nou eenmaal. Gefeliciteerd, Viggo.'

'Oké, gefeliciteerd, konijn', zei Hjelm.

Er werden nog een paar felicitaties gemompeld, waarna Norlander onverstoorbaar verderging: 'De omstandigheden rond de dood van de pooier Finn Johansen zijn zoals bekend schimmig. Het pistool waarmee hij zichzelf zou hebben doodgeschoten, is drie minuten na dat van Nikos Voultsos vervaardigd. Bovendien waren de geluiddempers identiek. *I rest my case.*'

'Wie was hij?' vroeg Kerstin Holm. 'Hoe is hij in contact gekomen met de meiden in Slagsta? Heeft hij ze hiernaartoe gehaald?'

'Finn Johansen lijkt me niet het type dat hoeren "hiernaartoe haalt"', zei Viggo Norlander. 'Maar hij had wel een neus voor vrije meiden. Zijn specialiteit was meiden vinden zonder bescherming. Zo zal het wel zijn gegaan. Ik heb me een beetje verdiept in de achtergrond van het Norrboda Motell. Hoe was het mogelijk dat acht hoeren vier kamers naast elkaar hadden? Jörgen Nilsson ging daar niet over, dat is duidelijk. Hij werd er in een later stadium bij betrokken, door Finn Johansen. Ik denk dat het als volgt is gegaan: het asielzoekerscentrum in Botkyrka raakte overvol. Toen ze overgeplaatst werden, konden alleenstaande asielzoekers aangeven of ze met iemand een kamer wilden delen. In het oude centrum deelden slechts een paar van deze acht een kamer. Ik denk dat ze elkaar gevonden hebben en besloten hebben om te gaan samenwerken. Het is heel goed mogelijk dat een aantal van hen niet hoereerde voordat ze hier kwamen. Al zagen ze er op de foto's wel uit als typische hoeren. Finn kwam er in elk geval achter dat deze winstgevende groep bestond, waarna hij erheen ging en de meisjes bescherming en drugs bood. Zo denk ik dat het is gegaan. Ik heb een paar hoeren gesproken die ...'

'Zou je alsjeblieft het woord "hoeren" niet meer willen gebruiken?' zei Kerstin Holm.

'Hoezo? Het zijn toch hoeren?'

'Het woord heeft iets gewelddadigs. Elke keer als het gezegd wordt, voelt het als een verkrachting.'

Paul Hjelm keek voorzichtig naar haar.

'Ik zal mijn best doen', zei Viggo Norlander. 'Maar ik blijf een oude vos.'

'Wat je zegt', zei Kerstin.

'Ik heb dus een aantal meiden gesproken' – zonder haperen, dacht Viggo tevreden – 'uit de groep van Finn. Hij kon blijkbaar hard zijn, maar als je gedroeg, was hij een van de redelijkste pooiers die er rondliep. Dat betekent waarschijnlijk alleen dat ze wat minder vaak naar de gynaecoloog moesten. Verder valt er niet veel over te zeggen.'

'Mooi', zei Hultin oprecht. 'Paul?'

'Jullie weten dat Voultsos in het Grand heeft gelogeerd. Hij heeft postuum drieënzestigduizend kronen betaald. Of zijn opdrachtgever, liever gezegd. De bankrekening is volgens Arto van de Ghiottone-clan. Tussen de andere telefoonnummers die met Slagsta hebben gebeld, heb ik niks van belang gevonden. De inkomende gesprekken waren vooral van klanten en de uitgaande vooral van Finn Johansen, maar dan onder een valse naam natuurlijk. Met de telefoon van zijn vriendin. En dan hebben we de Erinyen nog. "Ερινυ". Literair gezien ontzettend spannend. Kennen jullie Aischylos?'

'Met het literaire hou je je buiten werktijd bezig, neem ik aan', zei Jan-Olov Hultin hard.

'Dat spreekt voor zich', zei Hjelm en hij ging direct verder: 'In de vijfde eeuw voor Christus hield men in het klassieke Griekenland wedstrijden met tragedies. Tragedieschrijvers schreven drie toneelstukken, waarmee ze tegen elkaar streden. De drie tragedies, die motieven uit oude mythen bevatten, hoorden vaak bij elkaar, als een reeks. Eén complete reeks, of trilogie, is bewaard gebleven. Deze is geschreven door de oudste van de drie grote tragedieschrijvers, Aischylos, en heet *Het verhaal van Orestes*. Het eerste stuk heet *Agamemnon* en gaat over de thuiskomst van de opperbevelhebber van het Griekse leger tijdens de Trojaanse oorlog. Als oorlogstrofee heeft hij een minnares bij zich, de zieneres Kassandra. Zijn vrouw, Klytaimnestra heeft op haar beurt een minnaar genomen, en zij vermoordt zowel haar man als de onschuldige minnares. Zo eindigt het. Het klinkt nogal banaal, maar het is het venijnigste wat iemand ooit heeft geschreven. En deel twee van de reeks heet *Choëforoi*. Daarin gaat de zoon van Agamemnon en Klytaimnestra, Orestes, op zoek naar zijn moeder en haar minnaar. Hij is het aan zichzelf verplicht om zijn vader te wreken. Bloedwraak. Volgen jullie het nog?'

'Tja', zei Hultin aarzelend.

'En zoals het hoort, wreekt hij de moord op zijn vader door zijn moeder om te brengen. *End of part two*. Nummer drie heet *Eumeniden*. Aangezien hij een bloedschuld op zich geladen heeft, wordt Orestes opgejaagd door de verschrikkelijkste wezens uit de mythologie. Ze komen uit de alleroudste krochten van het dodenrijk. Het zijn de wraakgodinnen, de Erinyen. "We zijn de verschrikkelijke dochters van de Nacht, en in Hades worden we de geesten van de Wraak genoemd." Ze slagen erin Orestes in te halen, maar op het moment dat het uur van de wraak moet aanbreken, verschijnt Athene ten tonele, de godin van de wijsheid van de stad Athene. In een rechtbank vervangt ze de oeroude bloedwraakwetten die de Erinyen aanzetten tot hun daden door moderne richtlijnen die de pas verworven democratie van Athene waardig zijn. De barbarij wordt bedwongen, de beschaving zegeviert. En de Erinyen worden getemd. Ze worden in de beschaafde samenleving opgenomen, door ze een "kalm en rustig toevluchtsoord" te bieden. Het tijdperk van de oerrazernij is voorbij. De jonge, verstandige goden nemen het over van de oude, blinde, haatdragende. En de Erinyen worden de Eumeniden. Machteloos, maar met een pas verworven rust in hun gemoed. Voor het eerst.'

Hjelm keek om zich heen in het commandocentrum van de strijdkrachten. Het leek erop dat ze echt hadden geluisterd.

'Willen we dat het zo eindigt?' vroeg hij.

Het was een tijdje stil. Hij keek Kerstin aan. Ze keek terug. Met dezelfde blik als hij. En die was erg, erg moeilijk te duiden.

Uiteindelijk zei Hultin: 'Lees je niks anders?'

'Jawel', zei Hjelm. 'Het dagboek van Leonard Sheinkman. Maar dat is op dit moment te moeilijk. Daar wil ik graag later op terugkomen.'

'Te moeilijk?'

'Te moeilijk.'

'Ja, ja', zei Hultin enigszins hulpeloos. 'En jij, Gunnar?'

'Een nieuw aspect', zei Gunnar Nyberg. 'De verhoren met de skinheads bevestigen Reine Sandbergs beschrijving van de gebeurtenissen. Ze gingen naar de Joodse begraafplaats, waar ze zopen, grafstenen vernielden en nazistische strijdliederen zongen. Toen zagen ze de oude man, die er ook was. Ook zonder klein petje op zijn kruin zagen ze meteen dat het een oude Jood was. Ze wilden naar hem toe gaan en hem treiteren, misschien in elkaar slaan. In deze opgewonden toestand zagen ze de zwarte gestalten aan komen glijden en ze werden bang op een manier waarop alleen mensen met opgeblazen, onechte moed bang kunnen zijn. Ze gingen er als hazen vandoor.'

'En wat is het nieuwe aspect?' vroeg Hultin neutraal.

'Hij bleef bij de grafsteen staan. Leonard Sheinkman bleef bij het graf van "Shtayf" staan.'

'Ja!' riep Chavez uit. 'Ik wist het!'

Gunnar Nyberg ging onverstoorbaar verder: 'Toen Sheinkman zag dat de grafsteen vernield was, leek het alsof hij begon te lachen. Hij boog zich voorover en streek over de stukken. Toen kwamen de gestalten. Ze maakten zich los uit de bomen als "repen schors ", volgens de gozer die Reine heet. De skinhead die het langst is blijven staan, beweert dat ze met elkaar hebben gepraat. Sheinkman wisselde enkele woorden met de gestalten. Volkomen rustig. Daarna ging het allemaal heel erg snel, alsof het hele proces geoefend was.'

'Dat was het ook', zei Kerstin Holm. 'Het was de achtste keer. Minstens. Als ik het allemaal goed op een rijtje heb, is het in maart vorig jaar begonnen. In Manchester. In juli was Antwerpen aan de beurt, in oktober Boedapest, in december Wiesbaden, in februari Venetië, in maart Maribor, en in mei Stockholm. Skansen. Je kunt zien dat het tempo opgevoerd wordt. Ze worden steeds handiger. Het duurt twee maanden om de actie in Stockholm uit te voeren. Hier moet immers veel gecoördineerd worden. In Stockholm komen er verschillende nieuwe aspecten bij. Een ontwikkeling. Enerzijds willen ze een geraffineerde boodschap afgeven aan de Ghiottone-organisatie in Milaan en anderzijds willen ze weer een man vermoorden, een heel nieuwe categorie: een oude professor. Beide nieuwe aspecten zijn raadselachtig. Waarom een boodschap aan Milaan? Waarom een man vermoorden die logischerwijs niks te maken kan hebben met prostitutie en pooiers. Willen ze met de groet aan het syndicaat in Milaan zeggen: we weten wie jullie zijn, jullie horen nog van ons?'

'Dat is niet helemaal onwaarschijnlijk', zei Paul Hjelm. 'Misschien hadden ze een van de grote misdaadsyndicaten gelokaliseerd die bezig was de groeiende prostitutie-industrie in Europa te veroveren. Daar hebben ze het nu op gemunt. En ze wilden dat ze dat weten.'

'We weten bijna zeker dat het vrouwen zijn die het op Ghiottone hebben gemunt. Heel ongebruikelijk', zei Kerstin.

'En in strijd met de biologische wetten', zei Jorge.

'Wat zeg je nou weer!' riep Sara uit.

'Ik heb vanmorgen een opiniestuk in de krant gelezen van een onderzoeker naar forensische psychiatrie. Volgens hem heeft de agressie van de man puur biologische oorzaken en niks met de rol van de man te maken. Er stond zelfs een diagram bij met een curve voor de concentratie testosteron in het bloed en een voor het aantal geweldsdelicten dat voor de rechter is geweest. Die twee curven lopen exact gelijk. Testosteron veroorzaakt geweld. Gecastreerde mannen hebben minder de neiging tot agressiviteit. Deze neiging tot agressiviteit is door de evolutie in de mannelijke genen terechtgekomen, zodat we met andere mannen over de voortplanting en voedselverschaffing konden wedijveren. In alle tijden en in alle bekende culturen zijn mannen agressiever dan vrouwen. Alle mannen zijn gewelddadig, maar omdat we in de eerste plaats voor ons eigen belang opkomen, weten we dat het gebruik van geweld in ons soort samenleving geen positief effect heeft. Daarom sublimeren we onze neiging tot agressiviteit in andere activiteiten die meer opleveren, zoals sport.'

'Wacht maar tot we thuis zijn, dan zullen we nog wel zien of je gelijk hebt', zei Sara Svenhagen met een neiging tot agressiviteit.

'Ik verwijs alleen maar naar een artikel', zei Jorge Chavez gecastreerd. 'Het is interessant dat zulke ideeën in omloop zijn bij vooraanstaande wetenschappers. Hij haalde er zelfs voorbeelden uit het dierenrijk bij. Ik dacht dat dit soort dingen inmiddels volkomen weerlegd waren. Niet in de laatste plaats door grote vrouwtjesspinnen die hun miniatuurmannetjes direct na het paren doden.'

Kerstin Holm zei: 'Biologisme gaat ervan uit dat de mens volledig gestuurd wordt door biologische wetten. Economisme gaat ervan uit dat al het menselijke handelen terug te voeren is op winst te willen maken. Twee woorden die iedereen moet kennen.'

'Het riekt een béétje naar schedelmeting', zei Hjelm. 'Het Rasbiologisch Instituut in Uppsala.'

'De Erinyen', zei Holm. 'Interessant dat de gewelddadigste

oerwezens van de oude Grieken vrouwelijk waren.'

'Daarom kunnen onze gewelddadige Erinyen ook geen vrouwen zijn', zei Hultin neutraal. 'Denk na.'

Ze keken hem aan. Hij vertrok geen spier.

'Zullen we nu proberen verder te gaan?' zei hij ten slotte. 'Zodat er ook nog wat werk wordt verricht?'

Kerstin probeerde terug te komen op haar eerdere gedachtegang. Het duurde even en toen kwam ze met iets: 'Het is mogelijk dat de actie in Stockholm ook een derde nieuw aspect behelst. We weten niet zeker of er daarvoor prostituees zijn gerekruteerd, want daar lijkt het in dit geval wel op. Dat de meiden uit Slagsta naar een basis in Oekraïne worden gebracht. Het kan zijn dat het de eerste keer is, en in dat geval zijn ze begonnen prostituees te bevrijden. Maar het kan ook heel goed eerder zijn gebeurd: het zicht dat de Europese overheden op gevallen vrouwen hebben, is niet altijd voorbeeldig.'

'Wat zijn onze Erinyen eigenlijk voor vrouwen?' vroeg Viggo Norlander. 'Er zijn er kennelijk meer die zo goedgetraind zijn als die vrouw van Odenplan, minstens vijf?'

'Maar toch heb ik de indruk dat zij de leidster is', zei Kerstin Holm. 'Zij heeft contact met Slagsta, zij wordt gebeld vanuit de bus in Lublin. Maar natuurlijk lijken het goedgetrainde …'

'Minstens vijf op Södra Begravningsplatsen', zei Sara Svenhagen. 'Daarnaast minstens een in de bus, de vrouw die belt. De reisleidster, om het zo maar te zeggen. Het is best een grote organisatie.'

'En ik heb het idee dat die steeds groter wordt', zei Kerstin Holm. 'Ja, Viggo, wat zijn het voor vrouwen? Er wordt behoorlijk grof geweld gebruikt. Er moet sprake zijn van haat en wraak. Ik denk dat we te maken hebben met een groep Oost-Europese voormalige prostituees die terugslaat.'

'En daarbij zo veel mogelijk pijn wil toebrengen', zei Paul Hjelm.

'Ja. Eerst jagen ze het slachtoffer de stuipen op het lijf met dat spookachtige gesluip. Daarna gebruiken ze een min of meer wetenschappelijke methode om ze zo veel mogelijk pijn toe te brengen. Dat is wel opmerkelijk.'

'Helemaal normaal is het niet', zei Chavez.

'Nee', zei Kerstin Holm. 'Helemaal normaal is het niet.'

24

'Paleis', zei Jut. 'Paleis is het juiste woord', zei Jul.

Iets anders kon je het niet noemen.

Het stond in de wijk vlak bij de dom, in de binnenste cirkel van de concentrische cirkels van Milaan, als in een vizierkijker. Arto Söderstedt keek naar de zestiende-eeuwse gevel met dezelfde fascinatie die hij had voor werken uit de Renaissance. Het gevoel dat alles mogelijk is, dat we zojuist uit de donkere tijden zijn getreden, dat de winden onze kant op waaien, dat we alleen maar steeds beter worden en dat we van niemand iets te vrezen hebben.

Ongeveer zoals de IT-revolutie. Alleen is het nu een parallelle wereld waarin alles mogelijk is. Deze werkelijkheid is opgebruikt, maar de cyberwerkelijkheid is nog helemaal onontgonnen. Een enorme kaart die uit een enkele witte vlek bestaat. Columbus, Vespucci, Cortés, Vasco da Gama, Fernão de Magalhães, allemaal waren ze herrezen om namens de rijke machthebbers een wereld te koloniseren. Hopelijk waren de volkerenmoorden in cyberspace iets minder bloederig.

Maar de kunst zou vermoedelijk nooit meer dezelfde hoogte bereiken.

Het paleis stond zelfs in de reisgids. Het werd van 1538 tot 1564 gebouwd door een architect met de naam Chincaglieria voor de weledelgeboren familie Perduto. Dat het Palazzo Riguardo heette vond Arto Söderstedt wel een tikje ironisch. 'Riguardo' betekent namelijk 'consideratie'.

De tuin, die hij door het traliehek in de muur gedeeltelijk kon zien, was schitterend, maar enigszins samengeperst, iets waaraan privétuinen in binnensteden niet ontkwamen. Söderstedt sloeg zijn reisgids dicht, stopte hem in zijn aktentas en drukte op een knopje op het metselwerk. Hij hoorde niets, zag niets, afgezien van een eenzame kat die door de bosjes in de tuin schoot.

Hij wachtte. De zon had de hele dag hoog aan de hemel gestaan. De eerste week van mei zat erop, de zomer was over het
Apennijnse schiereiland omhooggeklommen en had uiteindelijk
Milaan bereikt. Hij bleef wachten en keek naar de zon, die
inmiddels rood gevlekt tevoorschijn kwam tussen een paar grof
gestuukte stenen gevels, die er pikzwart uitzagen aan de rand van
de zonneschijf. Er was nog steeds veel verkeer, maar de lucht was
makkelijker in te ademen. Gelukkig was de autorit van de heuvels
van Chianti naar de smog van Milaan zo lang geweest dat zijn
longen de tijd hadden gehad te wennen aan de luchtverontreini-
ging.

Hij wachtte nog steeds. Hij was niet van plan op te geven.
Uiteindelijk zei een stem kortaf: *'Nome?'*

'Arto Söderstedt, Europol.'

Dat was de eerste keer. Het voelde heel goed om dat te zeggen.
'Carta d'identità?'

Hij hield zijn Zweedse politielegitimatie omhoog, samen met
zijn provisorische Europolpenning. Hij wist niet goed hoe hij ze
moest houden; hij zag nergens een camera.

Ten slotte zei de bitse stem: *'Avanti.'*

Het zware traliehek gleed volkomen geruisloos open. Hij stapte de tuin in en liep de trap op. Daar werd hij ontvangen door drie
potige kerels met opbollende colbertjasjes. Niets nieuws onder de
zon.

Hij werd door twee van de mannen twee keer achter elkaar
gefouilleerd. De derde leegde de inhoud van zijn aktentas en
bekeek de Pikachu die aan zijn autosleutel bungelde nauwkeurig.
De man kneep erin. Hij piepte.

'Pokémon', zei Arto Söderstedt, terwijl een andere man in zijn
geslachtsdeel kneep. Dat piepte niet.

De mannen zeiden niets. Söderstedt was er absoluut zeker van
dat hij in een lowbudgetfilm was beland. De poort die open gleed
was de opening van een filmbeeldje, en hij was rechtstreeks van de
werkelijkheid de fictie binnengestapt. De film was begonnen.

Gedurende de rest van zijn bezoek aan het palazzo van Marco di Spinelli deed hij alsof hij een detective speelde. De hele tijd hoorde hij zijn eigen slepende, coole Philip Marlowe-stem de gebeurtenissen becommentariëren. 'Het was zo'n dag dat ik liever mijn arm eraf had gehakt dan dat ik mijn bed uit was gekomen.'

De drie mannen, die hij vermeed de wijzen te noemen, namen hem mee door de gang die vreselijk lag te pronken met zijn schoonheid. Tussen de mannen op de grond en de stucversieringen aan het plafond zat een enorme afstand, en niet alleen in tijd en plaats.

Uiteindelijk kwamen ze in een secretariskamer waar je u tegen zei. De ruimte was weliswaar hoger dan hij breed was, maar wel een wonder van fraai gerenoveerde houtsnijkunst. Achter een bureau, dat zonder twijfel deel had uitgemaakt van de oorspronkelijke inrichting van de familie Perduto, zat een kleine man die een donker jarenvijftigpak en een jarenvijftigbril droeg. Hij leek op Mastroianni in *La dolce vita*. Het was ongetwijfeld zijn privésecretaris. De man die alles in de gaten hield. Hij leek op het met uitsterven bedreigde soort dat computers overbodig maakt.

'Signor Sadestatt', zei hij. Hij zette zijn bril recht en stak zijn hand uit.

Het was inmiddels duidelijk dat zijn naam zo uitgesproken werd. Het was in elk geval consequent.

Signor Sadestatt schudde de hand en knikte zwijgend; hij was immers al voorgesteld. De andere man was kennelijk niet van plan zich voor te stellen. Vermoedelijk zag hij zichzelf niet als mens, maar als functie.

'Signor Di Spinelli kan u over een paar minuten ontvangen', zei de bril. 'U krijgt vijftien minuten. Daarna moet signor Di Spinelli helaas naar New York. Hij neemt zelfs een latere vlucht om u op zo'n korte termijn te kunnen ontvangen.'

'*Thank you very much*', zei signor Sadestatt en hij had het gevoel dat hem honing om de mond werd gesmeerd. Dat niet alleen. Het was alsof hij in een honingpot was gestopt waar een deksel op was gedraaid, zodat hij er niet uit kon komen.

De seconden leken een siësta lang te duren. Ze gleden taai voorbij als stroop. Als honing. Hij lag in beide en probeerde zich te bewegen. Zijn bewegingen waren traag. Na een onbeschrijflijke tijdspanne plopte het deksel eraf, hij werd opgevist en alles was weer bij het oude.

Behalve dan dat hij met een Italiaanse maffiabaas stond te praten.

De foto's hadden niet gelogen. Marco di Spinelli droeg inderdaad een sportieve zwarte polotrui met een half hoge hals, onder een zwart pak volgens de allerlaatste mode. Armani, gokte Söderstedt. Zijn gezicht was weliswaar gegroefd, maar zijn blik was niet die van een tweeënnegentigjarige. Die was helder lichtbruin en paste uitstekend bij zijn pas geknipte grijze manen. Zilvervos was een adequate vergelijking.

Kon je op je tweeënnegentigste echt al je haar nog hebben? Was dat fysiologisch mogelijk?

Zijn werkkamer was onovertroffen. Söderstedt had nog nooit zoiets gezien. Drie muren waren bekleed met veelkleurige zestiende-eeuwse wandkleden, met daarop een uitgestrekt paradijselijk landschap met herders, herderinnen, schapen en fonteinen. Recht boven een grote open haard op de vierde en laatste muur hingen twee schilderijen in een heel bekende stijl. Het ene, een mooie vrouw zittend op een muur, moest een echte Leonardo da Vinci zijn. Het andere, een stijlzuiver dubbelportret, leek een Piero della Francesca. Boven deze ogenschijnlijk levende zeshonderd jaar oude gestalten welfde zich het plafond in een reeks bogen, die hoogstwaarschijnlijk met echt bladgoud waren bedekt. In het midden van het plafond gingen de bogen over in een grote kroonluchter met duizenden kristallen in verschillende patronen die elkaar kruisten en een geraffineerd, rinkelend net vormden, want de hele lamp bewoog zich omhoog, naar het plafond. Onder deze gouden netgewelven, pal onder deze beweeglijke, verblindende kristallen kroonluchter moet de stamvader Perduto gezeten hebben en door het hoge, diep verzonken raam uitgekeken hebben over het zestiende-eeuwse Milaan, terwijl hij zijn ganzenveer boven de inktpot liet rusten, waarna hij met lichte hand en in sierlijke stijl verder schreef aan zijn gladgeslepen sonnet.

Het was Di Spinelli.

Hij stond bij een van de met wandkleden versierde muren met zijn hand achter het geweven kleed. Er ontstond een spleet in het hangende wandkleed, en in de spleet verscheen de kale stenen muur. Er werd een ontsierende rode knop op de muur zichtbaar. Marco di Spinelli hield hem ingedrukt. De klankvolle reis van de kristallen kroonluchter naar het gewelfde netwerk op het plafond was ten einde. De oude man met de scherpe gelaatstrekken liet de knop los, stak zijn hand uit naar Söderstedt en begroette hem zwijgend. In plaats van zich voor te stellen of hem te begroeten, waren de eerste woorden die Marco di Spinelli zei: 'Bent u er zich van bewust, signor Sadestatt, dat markies Perduto aan dit bureau zijn beroemde sonnetten heeft geschreven voor de kleine Amalia, die hij op achtjarige leeftijd heeft ontmoet en nooit heeft kunnen vergeten?'

Zijn stem klonk droog en zijn Engels was vlekkeloos. Met een adellijk Brits accent.

'Het concept klinkt bekend', zei Arto Söderstedt en hij ging zitten in de hem aangewezen fauteuil tegenover de open haard.

Marco di Spinelli grinnikte even, schonk direct twee kleine glazen calvados in, die hij op het tafeltje tussen de fauteuils zette, en ging zitten.

'Zo ging dat in die tijd', zei hij. 'Het petrarkisme raasde door Europa. Iedereen schreef liefdessonnetten aan een klein meisje dat ze in hun jeugd meenden te hebben ontmoet en nooit meer konden vergeten. Een periode van massapsychose. Ongeveer zoals nu. *Don't you agree?*

'Min of meer', zei Söderstedt en hij nam het glas calvados aan dat hem aangereikt werd. Met een kennersblik snoof hij aan het glas en zei: 'Grand Solage Boulard, denk ik.'

Marco di Spinelli trok een wenkbrauw op en zei: 'Bent u een kenner, signor Sadestatt?'

'Ik heb op de fles gekeken', zei signor Sadestatt.

'Dat weet ik', zei Di Spinelli.

'Dat begrijp ik', zei Söderstedt.

'Ik begrijp dat u dat begrijpt', zei Di Spinelli.

Dit had zo nog wel even door kunnen gaan.

Het ijs was in elk geval gebroken, en Söderstedt wist ongeveer wat hij aan Di Spinelli had. Precies dat wat hij had verwacht.

'Ik moet toegeven', zei de oude zilvervos, 'dat ik nogal schrok toen u de kamer binnenkwam, signor Sadestatt.'

'Daar merkte ik anders niks van', zei Söderstedt.

'U doet me namelijk denken aan iemand die ik heel lang geleden heb gekend, in een ver verleden.'

'Tijdens de oorlog? Had u veel contact met blonde mannen tijdens de oorlog?'

Marco di Spinelli glimlachte grimmig en zei: 'Laten we teruggaan naar het heden, aangezien me helaas nog andere verplichtingen wachten. Het lukt me maar niet om rustig aan te doen.'

'Dan zal ik het kort houden', zei Söderstedt. 'Een Griek met de naam Nikos Voultsos is er namelijk in geslaagd opgegeten te worden door veelvraten in een dierentuin in Stockholm. Wist u dat?'

'Daar heb ik van gehoord', zei Di Spinelli knikkend. 'Een merkwaardig lot.'

'Ik heb een foto van jullie tweeën samen. Jullie schudden elkaar de hand, en u, signor Di Spinelli, legt uw andere hand op Voultsos' schouder. Het ziet er heel gemoedelijk uit. Maar Nikos Voultsos was niet gemoedelijk.'

Marco di Spinelli maakte een gelaten gebaar met zijn handen. 'Komt u alleen maar herhalen wat de Italiaanse politie al honderden keren heeft gezegd? Ik had gehoopt dat u misschien iets ... origineler zou zijn.'

'Ik wil alleen maar weten hoe u zelf het feit verklaart dat u, een eerzame bankier en politicus, deze meervoudige moordenaar en geweldpleger kent.'

'Het was uiterst vervelend om te horen dat hij een misdadiger bleek te zijn. We zijn op een ochtend toevallig met elkaar in gesprek geraakt in een café. Verder gaat mijn relatie met deze man niet. Hoe heette hij ook alweer? Valtors?'

'Exactly', zei Söderstedt en hij ging in het Zweeds verder: *'Valthorn.'*

De oude man keek hem met opgetrokken wenkbrauwen aan. Söderstedt vervolgde: 'Wat denkt u zelf van het feit dat Nikos Voultsos door onbekende criminelen rechtstreeks naar de veel-vraten – ghiottone – is gedreven en daar op exemplarische wijze is geliquideerd?'

'Hm', zei Di Spinelli en hij keek verbaasd. 'Volgens de Zweed-se massamedia is het een ongeluk. U zit hier toch niet uw mond voorbij te praten? Het gaat toch niet over dingen die geheim zijn?'

'Fijn om te horen dat u zoveel weet van de manier waarop de Zweedse pers omgaat met de dood van deze vage kennis. U leest dus Zweeds? Kunnen we dan ook Zweeds spreken?'

'Marconi heeft het me verteld. U kent die beste commissaris met die buitenproportionele snor toch wel? Hij is een heel goede vriend van me. Een echt goede vriend.'

'Maar wat een eng verhaal, nietwaar? Je gaat je toch afvragen wat voor mensen het zijn die zo'n wrede Nikos Voultsos zo makkelijk van kant kunnen maken. *Nema problema. Schnitt, schnitt,* en er bleef bijna niks van hem over. En van de prostituees is ook weinig overgebleven. Die zijn gewoon verdwenen. Zoef.'

'Nu wordt u een beetje vulgair, signor Sadestatt. En de tijd tikt door.'

'Wat deed u tijdens de oorlog?'

'Dat hebt u al mijn dossier kunnen lezen. Hou u niet van den domme.'

'Ik wil het graag van u zelf horen.'

'Er valt niet veel te vertellen. Ik ben mijn land ontvlucht tijdens het fascistische regime. Naar Zwitserland. Waarom bent u geïnteresseerd in mijn trieste oorlogservaringen?'

'Daar kan ik helaas geen antwoord op geven', zei Söderstedt onverschillig en hij ging verder: 'Hoe komt het dat u geen enkel spoor in Zwitserland hebt achtergelaten?'

'Waarom herhaalt u alles waar de politie al jarenlang over zeurt? Ik heb onder verschillende aliassen geleefd omdat de fascisten het op me gemunt hadden.'

'De fascisten hadden het op u gemunt, en nu bent u actief in Lega Nord? Een afscheidingspartij die heel nauw samenwerkt met de neofascisten?'

'Dat is een noodzakelijk kwaad. Politieke tactiek. Wij zijn geen fascisten. We willen alleen maar een grens bekrachtigen die in de praktijk al bestaat.'

'Tussen Noord- en Zuid-Italië?'

'Al het geld dat hier in het noorden wordt verdiend, stroomt daarheen. We willen het hier houden en een land worden met een normale Europese levensstandaard.'

Plotseling hield Arto Söderstedt een foto omhoog. Hij bestudeerde Di Spinelli's gelaatsuitdrukking nauwkeurig.

'Kent u deze man?'

'Nee.'

'En deze?' zei Söderstedt en hij hield nog een foto omhoog.

'Nee.'

'De eerste was Leonard Sheinkman als vijfentachtigjarige, de tweede was Leonard Sheinkman als vijfendertigjarige.'

'Leonard Shinkman? Ik ken geen Leonard Shinkman.'

'De Schinkman', zei Arto Söderstedt.

Marco di Spinelli keek hem argwanend aan.

'Bedankt', zei Söderstedt, hij klokte de calvados naar binnen en stond op.

'Bent u klaar?' riep Di Spinelli verbaasd uit.

'U had toch zo'n haast? Ik wil uw belangrijke reis naar New

York niet in de weg staan. Ik weet alles wat ik wilde weten. Bedankt. Hopelijk tot ziens.'

En voordat Marco di Spinelli overeind kon komen, was hij al in de secretariskamer. De bril zat in een stapel papieren te bladeren en keek hem verbluft aan. Hij liep naar de gang, waar de drie kleerkasten een appeltje zaten te eten. Onmiddellijk smeten ze hun half opgegeten vrucht in een prullenbak die in de buurt stond en maakten een beweging naar de uitstulpingen in hun colbertjes. Het zag eruit als schoonzwemmen. Drie mensen die volkomen gecoördineerd exact dezelfde bewegingen maken.

Bam, bam, bam, zo vielen de appels in de prullenbak.

'Teamwork', zei Arto Söderstedt en hij versnelde zijn pas door de oogverblindende gangen. Een kleerkast haalde hem in, de andere twee bleven achter hem. Als je die procedure niet volgde, werd je vermoedelijk ontslagen. In plaats van een afvloeiings-regeling kreeg je een blok cement aan je voeten. Ook heel fijn.

Ja, Arto Söderstedt gedroeg zich wonderlijk. Hij bleef op de stoep staan en tuurde naar de rode zon, die achter de Milanese huizendaken verdween. Hij gedroeg zich zo wonderlijk, omdat hij dacht – het was vaag, slechts een vermoeden, als een eerste kleine aanwijzing – dat hij precies datgene te weten was gekomen wat hij wilde weten.

Oom Pertti's beroemde laltactiek had gewerkt.

Marco di Spinelli had Leonard Sheinkman herkend. Niet als vijfentachtigjarige, maar als vijfendertigjarige zeker.

En dat was in negentienhonderdzevenenveertig.

25

Viggo Norlander zou een video gaan bekijken samen met twee dames waar je u tegen zei. Toen hij de videorecorder aanzette werd hij bijna een beetje geil, zo alleen met twee dames in een heel klein, zweterig kamertje.

Met het groenige gemillimeterde haar had hij weliswaar een beetje moeite, maar het feit dat het een gezicht bekroonde dat een wonder was van jeugdige schoonheid, maakte het totaal irrelevant. Het warrige kastanjebruine haar was daarentegen buitengewoon aantrekkelijk. En de dame aan wie het toebehoorde, ging alle beschrijvingen te boven. Hij keek dwars door haar kleren heen. Het was geweldig.

'Hou op, Viggo', zei Sara Svenhagen. 'Ze vallen eruit.'

'Waar heb je het over?' zei Viggo Norlander met goed gemaskeerde schaamte.

'Het is waar wat ze zeggen', zei Kerstin Holm. 'Als een man hoort dat hij een kind heeft verwekt, wordt hij geiler dan ooit.'

'Wat hebben jullie, zeg', zei Viggo, en voor het eerst in drie decennia bloosde hij. 'Wat heb ik gedaan?'

'Zet hem nou maar aan', zei Sara.

'Dat heb ik toch al gedaan', zei Viggo verward.

Wat raar om te blozen. Er kwamen allemaal herinneringen boven die hij niet wilde hebben. Tegelijkertijd gaven ze ook een goed gevoel. Ze waren lang weg geweest.

'Het komt', zei Sara Svenhagen, en Viggo kon het niet laten deze uitlating op alle mogelijke manieren te interpreteren.

IJs, dacht hij. Zijn er geen ijsblokjes die ik in mijn broek kan stoppen?

'De milieubeschermingsdienst had vier uur film', ging ze verder. 'Ze hebben de zeearendenstropers gevolgd vanaf St. Anna's scherenkust in Östergötland, waar iemand melding had gemaakt van een bus vol veren. Ze hebben gefilmd dat de bus in Karls-krona de veerboot op reed. Ze hebben gefilmd dat de stropers op de boot koffiedronken. En dit stuk hebben ze gefilmd toen ze van de boot af wilden rijden en door de Poolse douane werden ge-pakt.'

Het beeld knetterde aarzelend. Uiteindelijk werd het scherp. De voorsteven van een grote veerboot. De boegdeur gleed open. De bussen rolden eraf. Eerst een paar grote touringcars, een met een Duits kenteken, en een met een Zweeds. Daarna een kleinere, nogal gammele bus, die in de richting van de camera reed. De camera volgde hem. De douane sloeg toe. Hardhandige, geüni-formeerde Polen trapten de deur van de bus open, stormden naar binnen en sleurden de chauffeur eruit. De stroper werd op het asfalt gedrukt. De camera filmde hem in het voorbijgaan. De deur van de bus stond open. De camera gleed de trap op en zwenkte naar links de bus in. Hij bewoog langs de passagiersstoelen. Er lag een tiental zeearenden verspreid op de stoelen. De camera zwenk-te naar de linkerkant van de bus. Toen stond het beeld stil.

'Hier', zei Sara en ze wees naar het televisiescherm. Boven de gestroopte zeearenden verscheen het raam van de bus. Door het raam dook van links de voorkant op van een andere, kleinere, bus.

Sara Svenhagen spoelde de video zo langzaam mogelijk door, tot de ruiten van de andere bus zichtbaar werden. Door het raam zag je een glimp van een gezicht. Toen stond het beeld weer stil.

'Dat', zei Sara, 'is Svetlana Petruseva, de Wit-Russische van kamer 226 in het Norrboda Motell in Slagsta.'

Viggo Norlander en Kerstin Holm bestudeerden de pasfoto van Svetlana Petruseva en vergeleken deze met de wazige gestalte op het televisiescherm.

'Jawel', zei Viggo. 'Waarschijnlijk wel.'

'Het lijkt wel zo', zei Kerstin. 'Maar het is de vraag of het als bewijs kan dienen.'

'Dit is nog niet alles', zei Sara.

De bus zette zijn slowmotionreis door het raam van de bus van de zeearendenstropers voort. Op het moment dat hij langsreed, werd de camera een stukje gedraaid, zodat je de achterkant van de andere bus even zag. Toen stond het beeld weer stil.

Je zag de achterruit van de andere bus. Twee gezichten keken naar buiten om naar de actie van de douane te kijken. Een van hen herkenden ze onmiddellijk. Dat was zonder twijfel Lina Kostenko, de Oekraïense van kamer 225, de kamer waarmee de ninja-feministe contact had gehad. Het gezicht naast haar was onbekend, het was een jonge, donkere vrouw, en in haar hand kon je een mobiele telefoon onderscheiden.

'Kijk eens aan', zei Kerstin Holm. 'Met die telefoon werd dus een paar uur later naar een afgerukte arm in metrostation Odenplan gebeld.'

'Dit is onze eerste en enige beeltenis van een lid van de bende', zei Sara Svenhagen. 'De technisch rechercheurs zijn hier druk mee bezig. En hiermee.'

Sara's vinger gleed over de televisie omlaag naar een heel wazige, half afgekapte kentekenplaat.

'Die is Zweeds', zei ze. 'Veel meer zien we nu niet.'

'Een Zweeds kenteken ...' zei Viggo.

Sara zei: 'Van Stockholm door Zweden naar Karlskrona rijden met een Oekraïens kentekennummer zou vermoedelijk problemen hebben opgeleverd. Dat had te veel aandacht getrokken. Waarschijnlijk is de bus gehuurd.'

'Moeten we ervan uitgaan', zei Viggo, 'dat de dames ook een Zweeds paspoort hadden? Dat ze het hele traject als Zweden hebben afgelegd? Hun echte paspoorten zullen ze wel hebben moeten achterlaten.'

'Ja', zei Kerstin. Ze stond op en rekte zich uit. 'Het is nogal waarschijnlijk dat ze een Zweeds paspoort hebben gekregen, ja. In elk geval een West-Europees paspoort. Om problemen bij de grens te voorkomen. Zodra de technische recherche klaar is, gaan we de foto van deze meid en het kentekennummer verspreiden. En jij, Sara, ga jij nog naar Karlskrona?'

'Het is nu te laat', zei Sara en ze keek op haar horloge. 'Voorzover ik weet komt dezelfde crew morgen terug uit Gdynia. Ik vang ze wel op in Karlskrona.'

'Neem Viggo mee', zei Kerstin. 'Hij lijkt niet zoveel te doen te hebben. Bovendien kan wat zeelucht hem een beetje afkoelen.'

Viggo Norlander knikte driftig.

Het zou nog drie decennia duren voor hij weer zou blozen.

26

Het grote moment was daar. Chavez begreep niet waarom Hjelm er zo'n ophef over maakte. Ze bevonden zich in een treurige oude-vrijgezellenflat in Eriksberg ten zuiden van Stockholm. De gast-heer had koffie voor hen ingeschonken en hij zag eruit als een doodnormale oude man.

Maar voor Paul Hjelm was het een sacraal moment. Vermoe-delijk zou hij hetzelfde voelen als hij het legendarische huis van Jan-Olov Hultin aan de rand van het Ravalen-meer in Norrviken zou mogen betreden. Al had hij aanzienlijk langer onder Erik Bruun gewerkt.

Feit was dat hij alles van Bruun had geleerd; daar kon je niet omheen.

Maar hij herkende hem eigenlijk niet meer.

Het was niet echt een trieste ervaring, zoals wanneer je een oude sportman ziet rondschuifelen in een lichaam dat het elk moment kan begeven. Het was gecompliceerder.

Commissaris Erik Bruun was altijd een robuuste man ge-weest, met een grijsrode baard die zijn hele onderkin bedekte. Zijn opvallendste kenmerk was een eeuwige, buitengewoon stinkende, zwarte Russische sigaar tussen zijn lippen. Zijn werk-kamer in het politiebureau van Huddinge, beter bekend als 'De bruine kamer', werd regelmatig afgekeurd door de arbeidsom-standighedendienst, waarmee hij voortdurend alle denkbare voorschriften overtrad, wat een toppolitieman als hem verhin-derde hogerop te komen. Als Erik Bruun de afgelopen decennia chef van de rijkspolitie was geweest, zouden heel wat dingen er nu heel wat beter hebben voorgestaan, daar was Hjelm van over-tuigd.

Nu was hij een oude, afgeslankte heer zonder onderkin, zonder grijsrode baard, zonder zwarte sigaren. Hij zag er aanmerkelijk gezonder uit. Maar ook een tikje saaier.

En de legendarische vrijgezellenstek in Eriksberg zag eruit als een doodgewone seniorenflat. En de senior bood ... kaneelbroodjes aan.

'Je weet dat ik precies weet wat je denkt', zei hij en hij ging zitten.

'Misschien', zei Paul Hjelm.

'Ik had geen keus', zei Erik Bruun. 'Anders had ik niet meer geleefd. De legende had doorgeleefd en ik was doodgegaan. Ik heb liever dat de legende doodgaat en ik doorleef.'

'Ik begrijp het', zei Paul Hjelm.

'Natuurlijk', zei Bruun en hij leunde naar voren. 'Natuurlijk begrijp je het. Maar je accepteert het niet. Je accepteert niet dat ik een gewone vijfenzestigplusser ben geworden die op pantoffels rondschuifelt en ontdooide kaneelbroodjes met een hoge schimmelfactor aanbiedt. Je had liever de legende gehad. Feit is dat je het op dit moment betreurt dat het infarct me niet fataal is geworden.'

'Je bent geen gewone vijfenzestigplusser', constateerde Hjelm. Hij beet in zijn broodje en vervolgde: 'Maar de schimmelfactor is wel verdomde hoog.'

'Wat is een gewone vijfenzestigplusser?' vroeg Chavez in een poging deel te nemen aan iets wat leek op een genootschap van wederzijdse bewondering. 'Is dat net zoiets als een gewone allochtoon?'

'Zoiets, ja', zei Erik Bruun op een neutrale toon, die het Chavez onmiddellijk deed begrijpen. Die hem de wortels van Hultin deed begrijpen, de wortels van Hjelm deed begrijpen. Het was een verhelderend moment.

Bruun ging verder: 'Jongens, jongens, jullie hebben een voormalige gepensioneerde als chef. Dat heeft niet iedereen. Toen Jan-Olov Hultin met pensioen was, schaakten we een keer per week in het Cultuurcentrum. Dat waren de hoogtepunten in mijn leven. Dat gebeurt nu niet meer. Ik ben eenzaam op een manier waarop alleen oude politiemannen eenzaam kunnen zijn. Volstrekt eenzaam.'

Hjelm en Chavez keken elkaar aan en vreesden dat dit zwaar kon gaan worden.

'Vergeet alleen niet dat ik weet wat jullie denken', vervolgde Bruun en hij glimlachte flauw. 'Allebei.'

'Je kent me helemaal niet', zei Chavez geïrriteerd. 'Hoe kun je dan zeggen dat je weet wat ik denk?'

'Omdat ik weet wat voor soort politiemannen jullie zijn.'

'Hou toch op', zei Chavez.

'Jullie dachten het begin van een klaagzang te horen. Maar dat is niet het geval. Ik ben volstrekt eenzaam, en ik wíl ook volstrekt eenzaam zijn. Daar voel ik me prima bij. Ik hoop dat ik de kans krijg om volstrekt eenzaam te sterven. Ik wíl dat ze mijn lijk pas vinden als het begint te stinken. Ik wíl dat ze me uit een zee van witte maden moeten vissen.'

De combinatie van de beeldspraak en de schimmelfactor van de kaneelbroodjes was niet aangenaam.

'Wat bedoel je daarmee?' vroeg Hjelm.

'Dat weet je best. Jij bent net zo, ondanks je vrouw, kinderen, hond en kat.'

'Papegaai', zei Hjelm.

Chavez lachte even, kort en abrupt. Als een papegaai. Hij ergerde zich nog steeds aan de oude man. Hij was een betweter, dat was duidelijk.

'Jorge Chavez', zei Bruun en hij keek hem een beetje scheef aan. 'Je vindt me een betweter, hè?'

'Klopt', zei Chavez en hij probeerde onbewogen over te komen.

'Ik vind alleen dat geluk een beetje voorspelbaar is geworden. We weten op voorhand wat het begrip "geluk" inhoudt, en onder aan de lijst staat eenzaamheid. Na psychische stoornissen en drugsverslaving. Psychische gestoorden en drugsverslaafden kunnen we begrijpen, wij sociaal ontwikkelde wezens, maar eenzamen zullen we nooit begrijpen. Eenzaamheid is een ongemak dat we koste wat kost willen overwinnen. We doorstaan alle mogelijke kwellingen om maar niet eenzaam te hoeven zijn.'

'Dus je wilt de eenzaamheid in ere herstellen?' zei Chavez sceptisch.

'Eer heeft er niks mee te maken. We wonen in een samenleving met een angst voor eenzaamheid en stilte. Ik wil alleen zijn en stilte om me heen. Ik ken jullie precies zoals ik mensen wil kennen. Redelijk goed, maar op een behoorlijke afstand.'

'Hoe bedoel je? Hoezo ken je ons?'

'Hoe denk je dat we de tijd verdreven tijdens die schaakpartijen? Zoals echte vijfenzestigplussers: we haalden oude herinneringen op.'

'Dus jullie zaten daar in het Cultuurcentrum de persoonlijkheden van de politiemannen te bespreken?'

'Jullie hadden een codenaam. Jij, Jorge, was Soli. En jij, Paul, was Keve.'

'Keve Hjelm', zei Paul Hjelm. 'Wat een ondoorzichtige code.'

'Keve Hjelm was de eerste die Martin Beck in een film vertolkte', zei Erik Bruun en hij keek naar zijn voormalige leerling.

'Ik lijk niet bepaald op Martin Beck', zei Hjelm verlegen.

'Niet bepaald, nee', zei Bruun cryptisch.

'En Soli?' zei Chavez. 'Wat is dat?'

'Het meestkarakteristieke werk van de Mexicaanse componist Carlos Chavez.'

'Jullie lijken je kostelijk vermaakt te hebben', zei Chavez nors. 'Wat hebben jullie over mij gezegd, over ... Soli?'

'Dat is vertrouwelijk', zei Erik Bruun met opgeheven hoofd. 'Maar aan de manier waarop jullie zaken hebben ontrafeld, durf ik te claimen dat ik weet hoe jullie ongeveer denken.'

Zonder nadenken nam Hjelm een hap van het kaneelbroodje. Daar had hij nog lang spijt van.

'Wat weet je over deze zaak?' vroeg hij en hij voelde de beschimmelde kaneelklodder aan zijn tandvlees plakken. Elke poging die met zijn tong los te pielen was vruchteloos.

'Veel te weinig', zei Erik Bruun met spijt in zijn stem. 'Jan-Olov Hultin is zichzelf niet. Denken jullie dat hij iets onder de leden heeft?'

'Lijkt me niet', zei Hjelm. 'Maar hij piekert ergens over. Hij piekert anders nooit.'

'Nee', gaf Erik Bruun toe. 'Piekeren doet hij nooit.'

Jorge Chavez was het geleuter zat en hij zei: 'Je weet in elk geval dat we geïnteresseerd zijn in een man zonder neus.'

'Inderdaad', zei Bruun.

'Heb je diep in je geheugen moeten graven?'

'Dat hoefde niet. Ik herinner me alles nog.'

'Heel verrassend', zei Chavez ijzig.

Erik Bruun lachte even.

'Soli, Soli', zei hij, alsof hij het tegen een ondeugend, maar dierbaar kleinkind had.

'En wat herinner je dan allemaal?' zette Chavez door.

'Er was eigenlijk maar één noemenswaardig spoor', zei Bruun kalm. 'Dat was in 1981. Het fenomeen illegale taxi was net opgekomen. Een snorder met de naam Olli Peltonen zat in een kroeg over de moord in *Aftonbladet* te lezen en hardop op te scheppen dat hij dat lijk zonder neus had gereden. Een vrouw hoorde hem dat zeggen en belde de politie. Toen we er waren, was hij al weg, maar zijn tafelgenoten konden vertellen wie hij was. Het bleek dat Peltonen zich al eerder onzichtbaar had gemaakt omdat hij de eerste grote georganiseerde groep snorders in Stockholm leidde. We hebben zijn foto overal laten zien, maar hij bleef onvindbaar.'

'Waarom staat hier geen woord over in het onderzoek?'

'Ik heb een verwijzing naar het snordersonderzoek toegevoegd', zei Bruun. 'Die zal wel verdwenen zijn toen alles naar het nieuwe computersysteem werd overgezet. De kleine lettertjes gaan helaas meestal in rook op. Vooral bij onderzoeken waarin niemand geïnteresseerd is.'

Erik Bruun zweeg even en staarde naar het plafond. Eindelijk een gebaar dat Hjelm herkende. Toen ging Bruun verder, met zijn gezicht nog steeds naar het plafond gericht: 'Het is bijna twintig jaar geleden. Opmerkelijk hoe je als rechercheur een goed geheugen voor gezichten ontwikkelt. Een tijdje geleden zag ik Peltonen nog in de krant. Tijdens de staking van taxichauffeurs bij Arlanda, als jullie je dat nog kunnen herinneren. Een best interessant maatschappelijk fenomeen. Een groep kleine kapitalisten verbonden aan de syndicalistische vakbond begon een wilde staking, omdat de taxistandplaatsen het dichtst bij de luchthaven gereserveerd waren voor drie grote bedrijven. Kleine syndicalist-kapitalisten die protesteren tegen de grote kapitalisten. Dat is wellicht de toekomst.'

'En?' zei Chavez steeds ongeduldiger.

'Een van hen was Olli Peltonen. Er was een foto waarop hij tegen een auto van Taxi Stockholm trapt. Er stond een naam onder de foto, maar niet Olli Peltonen. Kennelijk noemt hij zichzelf tegenwoordig Henry Blom. Hij heeft een klein taxibedrijfje met de vertrouwenwekkende naam Hit Cab.'

'En waarom heb je dit niet aan de politie doorgegeven?' vroeg Chavez.

Erik Bruun leunde naar voren en keek hem strak aan.

'Ik hou me tegenwoordig op afstand', zei hij.

Hjelm zag dat Chavez inwendig kookte. Er stegen kleine rooksignalen op uit zijn oren. Het zou interessant zijn geweest als hij ze had kunnen duiden.

'Eén eigenschap heeft hij nog steeds', zei Hjelm.

'Wat dan?' mompelde Chavez.

'Het vermogen om mensen te laten ontploffen van woede.'

Chavez mompelde iets wat helaas niet verstaanbaar was.

Ze reden naar Globen. De enorme bal verhief zich in de verte als een dreigende pingpongbal. *The Glob*, zou je hem in het Engels kunnen noemen.

De snottebel.

Hjelm reed, Chavez zat chagrijnig naast hem.

Soli, Soli, dacht Hjelm en hij probeerde niet te lachen.

Ze vonden het taxibedrijf Hit Cab snel. Het lag naast Globen. Hjelm belde. Henry Blom nam op in belabberd Zweeds. Hjelm stelde zich voor als Harryson, financieel directeur van ClamInvest AB, dat voornamelijk investeerde in de schaaldierensector. Harryson zei op regelmatige basis gebruik te willen maken van de diensten van Hit Cab. Hij vroeg of Henry Blom die dag beschikbaar was. Dat was Henry Blom niet, maar hij kon met het oog op de omvang van de potentiële klant wel proberen wat in zijn agenda te schuiven. Dat vond Harryson een uitstekend idee. Hij en zijn assistent (boze blik van Chavez) zouden binnen een uur bij Hit Cab arriveren. Henry Blom gaf Harryson een gedetailleerde routebeschrijving en verbrak hoopvol de verbinding.

'Je bent een meedogenloze man', zei Chavez.

'Soms', zei Hjelm.

Aldus arriveerden financieel directeur Harryson en zijn assistent van het schaaldierenbedrijf ClamInvest AB bij Hit Cab naast *The World Famous Glob*.

Henry Blom was een kale man van rond de vijftig, die erg slecht Zweeds sprak met een sterk Fins accent. Onderdanig begroette hij de hoogwaardigheidsbekleders, die gingen zitten, waarna ze koffie kregen van een meisje dat zo jong was dat ze amper van de basisschool kwam. Henry Blom had al een aantal goedkoop vormgegeven brochures uitgedeeld aan de hoogwaardigheidsbekleders, toen ze ineens hun politielegitimatie onder zijn neus hielden en zeiden: 'Olli Peltonen, als ik het goed heb, de vader van de snorders.'

Hij staarde de beide mannen, die voor zijn ogen van gedaante waren veranderd, behekst aan.

'We moeten helaas de hele toekomst van Hit Cab om zeep helpen', zei Harryson, die Hjelm heette. 'Je wordt niet alleen al sinds lange tijd gezocht voor snordersactiviteiten, je bent niet alleen je nieuwe bedrijf onder een valse naam gestart, je hebt hier ook meisjes werken die veel te jong lijken om te mogen werken.'

'Kinderarbeid noemen we dat', zei de assistent, die Chavez heette. 'Daar staan zware straffen op.'

'Maar', zei Harrysondiehjelmheette, 'er is een alternatief.'

Henry Blom, die Olli Peltonen heette, voelde de privéjet van zijn bestaan neerstorten. Je zag dat hij pijn had in zijn hele vliegtuigromp.

'Wat voor alternatief?' stamelde hij.

'Dat je ons vertelt over een man zonder neus.'

Het masker was gevallen. De man die hevig knipperde heette Olli Peltonen, en niets anders. Ten slotte knikte hij, alsof er ineens iets tot hem doorgedrongen was.

'Ik begrijp het', zei hij. 'En als ik praat?'

'Dan beoordelen we de situatie opnieuw', zei Chavez mysterieus. 'Vermoedelijk sta je er dan aanzienlijk beter voor.'

'Wat?' zei Peltonen.

'Jij vertellen. Wij ogen dicht.'

'Oké. Het gaat om die man die vermoord is, toch?'

'Precies.'

'Negentien… tweeëntachtig, was het toch?'

'Eenentachtig', zei Hjelm. 'September 1981.'

'Hij was een klant van me, dat klopt. Hij staat me nog redelijk goed bij. Het was eng. Hij zag er vreselijk uit. Een heel vreemde verwonding.'

'Waar heb je hem opgepikt?'

'In Frihamnen. Hij moet met de boot zijn gekomen.'

'Hoe heeft hij je gevonden? Je had toch geen taxibord?'

'Nee. Een snorder rijdt in een auto zonder taxibord.'

'Dat noem je nou een eufemisme. Hoe heeft hij je gevonden?'

'Ik was daar denk ik wat rondjes aan het rijden. Zo werkt dat nog steeds, geloof ik. Ik weet het niet, ik heb er niks meer mee te maken. Je vraagt mensen van wie je denkt dat ze een lift willen of ze een lift nodig hebben.'

'En wanneer was dit?'

'De datum weet ik niet meer.'

'Hij werd op zondag 9 september gevonden. Het stond in de koppen van de avondkranten van die dag. Toen zat je toch in een kroeg te roepen dat je hem gereden had?'

'Dan moet het op vrijdag zijn geweest. Vrijdag de zevende. 's Avonds, ik reed meestal 's avonds. Na zeven uur.'

'Wat herinner je je van hem? Hoe was hij gekleed? Wat viel je aan hem op? Welke taal sprak hij?'

'Hij zat achterin. De enige wat me aan hem opviel, was dat hij geen neus had; daarbij viel al het andere weg. Het enige wat hij tijdens de hele rit heeft gezegd, was het adres waar ik hem naartoe moest brengen. Met een zwaar accent, als ik het me goed herinner. Hij was minder Zweeds dan ik.'

'En waar heb je hem naartoe gebracht?'

'Dat kan ik me niet meer herinneren.'

'Kom op, Ollipolli. Denk na.'

'Het is geen kinderarbeid', zei Peltonen heftig. 'Ze is mijn kleindochter. Ze spijbelt soms en dan mag ze me hier komen helpen. Dat heb ik liever dan dat ze tussen de junks in het centrum van Högdalen zit.'

'Een soort sociale hulpverlening dus?'

'Ze is mijn kleinkind. Ik hou van haar. Jullie kunnen me nooit vastzetten voor kinderarbeid.'

'Dat waren we ook niet van plan. Kom op. Waar heb je de man zonder neus naartoe gebracht? Waar zei hij dat hij naartoe wilde?'

'Ik wil zeker weten dat jullie me niet in de gevangenis gooien. Kunnen jullie niet iets zwart op wit zetten?'

'Natuurlijk niet. Heb je je schuldig gemaakt aan misdrijven onder de naam Henry Blom? Eerlijk antwoord geven, we controleren het toch.'

'Nee, nee. Met Hit Cab wilde ik mijn leven terug. Ik heb me zo lang schuil moeten houden, ik ging eraan onderdoor. Het was ondraaglijk. Toen kwam ik op het idee om een nieuwe identiteit aan te nemen. Het heeft een tijd geduurd en het was niet makke-lijk, maar het was het waard. Ik ben eerlijk nu. Ik verdien niet veel geld, en de grote bedrijven pikken de meeste ritjes in. Ik heb bij Arlanda tegen hen geprotesteerd.'

'Wanneer heb je je identiteit veranderd?'

'Drie jaar geleden.'

'En je hebt er niet bij stilgestaan dat het vergrijp toen verjaard was?'

Olli Peltonen keek de mannen verwilderd aan.

'Heel ironisch', zei Chavez. 'Om aan een vergrijp te ontkomen dat geen vergrijp meer is, pleeg je een ernstiger vergrijp, en dat is het enige vergrijp waarvoor we je nu kunnen vastzetten. Dat je jezelf Henry Blom noemt.'

'Lieve help. Meen je dat?'

'Zeker weten', zei Hjelm. 'Je hebt je zo lang schuilgehouden dat de wet niks meer met je kan. Maar dat geldt niet voor moord. Daarvoor is de verjaringstijd heel lang. Dus help ons nou maar. Dan mag je de rest van je leven Henry Blom heten, en niemand die er iets van zal zeggen. Je hebt mijn woord.'

Olli Peltonen dacht zwijgend na over de ironie van het lot. Toen zei hij: 'Naar het zuiden.'

Verder niets.

'Kom op', zei Chavez. 'Je bent taxichauffeur. Je kent elk stukje straat van Stockholm en omgeving uit je hoofd. Waar heb je de man zonder neus naartoe gebracht?'

Peltonen dacht na. Hij moest over een groot en enorm gat in de tijd springen. Hij balanceerde op een smalle plank boven het peilloos diepe gat. Stap voor stap, wankelend, begaf hij zich naar achteren.

En toen sprong Olli Peltonen er aan de andere kant af.

'Nytorp', zei hij met een vreemde klank in zijn stem.

'Waar ligt Nytorp ergens?' zei Chavez, die niét elk stukje straat van Stockholm en omgeving uit zijn hoofd kende.

'Nytorp ligt in Tyresö', zei Peltonen trots.

Tyresö, dacht Paul Hjelm.

'Herinner je je het adres nog?' zei hij. 'De straat?'

Peltonen dacht opnieuw na. Het duurde even.

'Het was een vogelnaam', zei hij.

Opnieuw een stilte.

'Een gewone vogel', zei hij. 'Een heel gewone Zweedse vogel.'

Nog een pauze.

'Geen huismus', zei hij. 'En ook geen koolmees.'

Wederom een stilte.

Toen stond Olli Peltonen op en riep uit: 'Vink. Bofinksvägen.'

Paul Hjelm leunde achterover.

Hij was er net nog geweest.

Bij een zoon die zijn vader had verloren.

Op Bofinksvägen in Tyresö had Leonard Sheinkman gewoond.

27

Het knalt nu zo hard. Het begint bijna werkelijk te worden.

Maar nog werkelijker is mijn naam, die boven aan de lijst prijkt.

Vandaag dacht ik dat het dak zou instorten. Er kwamen stukken puin op ons terecht. Ze leken op brokken ijs. Er ging een schok door het gebouw. Ik weet niet wat er buiten gebeurt. Maar ik vraag me af of we dit overleven.

Natuurlijk weet ik wel wat er gebeurt. Natuurlijk zijn het bommen. De bommen van de bevrijders doden de opgeslotenen.

Kun je spreken van ironie?

Ja, dat kan. Dat moet. Hoe zou je anders nog kunnen ademhalen? De laatste ademhaling moet genomen worden door een filter van humor. Ik vertel elke Jiddische grap die ik me kan herinneren. Dat zijn er niet zoveel. Ik ben nooit zo goed geweest als gelovige. Ik had te veel respect voor de ziel.

Ze lopen door de gang. Ik zie ze door het raampje van mijn cel, ze begeven zich als geesten door een bestaan dat al voorbij is. Ze vragen zich af waarom ze op de oever van de doodsrivier zijn gebleven. Als beschonken vaartuigen slingeren ze over de doodsrivier. De gaasjes op de geleegde schedels lichten op als boordlantaarns.

Ja. Ik kan het lot dat me staat te wachten niet beroeren. Het lukt niet. Het gaat alles te boven.

Ik zou geen angst moeten voelen. Dat is een levensteken. Ik heb het recht niet levenstekens te geven.

Ik heb het recht niet.

De regen. De middag die in grauwheid wordt ondergedompeld. En ze worden weggevoerd om doodgeschoten te worden.

Nee. Iets anders. Laat me over de tijd vertellen ...

Nee. Deze keer niet.

Duidelijke taal. Je staat op de drempel van de dood, mens. Spreek duidelijke taal.

Je vrouw en je zoon zijn weggevoerd om doodgeschoten te worden. Je zag hen meegenomen worden, de hoek om. Ze werden naar de executieplaats gebracht om doodgeschoten te worden. Ze werden gedood. Magda had eten uit de slaapzaal gestolen voor Franz, die bezig was te verhongeren. Daarom is mijn vrouw gedood. En onze zoon ook, als afschrikwekkend voorbeeld.

En ik ben hier terechtgekomen.

Maar in de hel ben ik al.

18 februari 1945

Je denkt dat je nooit meer een pen zult kunnen opnemen. Je denkt dat je het ergste hebt beschreven wat er te beschrijven valt. Wat heeft het dan nog voor zin om door te gaan? Toch doe je het. Toch is er altijd weer een nieuwe dag.

De bommen vallen steeds zwaarder. Ik heb de tijd zien trillen.

Ik ga de tijd beschrijven. Ik geloof dat ik dat al gedaan heb. De tijd bestaat uit twee dingen: een klok en een toren. De toren staat er om de klok te laten lopen. De klok loopt om de toren te eren.

De klok is onze ziel en de toren is ons lichaam.

Maar we zijn hier om te bewijzen dat de klok materie is. Dat de klok slechts een mechanisme is dat de wijzers laat lopen. Eeuwig dezelfde beweging.

Of tot de toren valt.

En ik heb hem zien trillen. Een bom had hem bijna geveld. Een bom had de tijd bijna geveld.

Laat me de tijd beschrijven.

De tijd heeft een witte basis. Deze witte basis is vierkant. Dan komt het zwarte. Het zwarte bestaat uit drie delen. Het onderste zwarte deel is zeshoekig. Op drie van de zes zijvlakken zitten, om en om, twee ramen boven elkaar. Het onderste is iets groter dan het

265

bovenste. En vlak boven het bovenste raam zit het volgende deel, het middenstuk. Dat is even zwart en heeft de vorm van een ronde hoed. Daar bevindt zich de klok. Uiteindelijk komt de spits. De spits is ook zwart, en naaldscherp.

Ik ben een Jood. Ik heb nooit begrepen waarom kerken zo scherp zijn. Synagogen zijn niet scherp. Ik vond altijd dat ze op een borst leken. Op een moederborst.

Waarom beschrijf ik de tijd zo gedetailleerd? Omdat hij binnenkort niet meer bestaat. Omdat de volgende bom hem zal vellen. Omdat hij al trilt in de zwakke wind.

Omdat de tijd bezig is te sterven.

19 februari 1945

Erwin is dood. Hij was een vriendelijke man. Een van de drie officiers vertelde het me. De aardigste. Hij is minder Duits dan ik en heel blond. En hij kijkt heel verdrietig.

Hij doodt mensen met verdriet in zijn ogen.

Dat doen de andere twee niet. Een doodt uit interesse. Hij is niet wreed, slechts koud. Hij kijkt, observeert, noteert. Maar degene met de kleine, paarse moedervlek in zijn hals in de vorm van een ruit, die is wreed. Hij wil doden. Ik heb die blik eerder gezien. Hij wil dat je lijdt. Daarna moet je sterven. Dan is hij tevreden.

Ik weet geen namen. Ze noemen hun naam niet. Het zijn drie anonieme moordenaars. Maar ze lijken niet op elkaar. Zelfs moordenaars lijken niet op elkaar.

Erwin is gestorven van pijn.

Hij leeft niet meer in mij. Ik voelde hem in me sterven, en toen voelde ik mezelf ook sterven.

Morgen, als de tijd dan nog bestaat, zal ik vertellen wanneer ik ben gestorven.

Haar stem praat iedere nacht tegen me. Het zijn altijd dezelfde woorden: 'Waarom wil je op de dood wachten? Denk dan tenminste aan Franz.'

Ik dacht dat ik aan Franz dacht. Dat is mijn enige weerwoord. Hij kwam tot mijn navel. We konden praten. Ik vroeg hem: 'Wil je dat we vluchten, Franz? Dan moeten we alles achterlaten.' Hij zei: 'Nee.' En ik luisterde.

Ik lieg natuurlijk. Wat treurig om te liegen terwijl je met een voet in het graf staat. Ik weet niet waarom ik dat geschreven heb. Waarom heb ik dat geschreven, God?

Nee. Je antwoordt niet.

Franz antwoordde wat ik wilde dat hij zou antwoorden. Ik stelde de vraag zo dat hij alleen met 'nee' kon antwoorden. Hoe had hij iets anders kunnen antwoorden?

Ik was het die wilde blijven. Ik kon Berlijn niet achterlaten. Het was mijn stad, mijn land, mijn leven.

En toen heb ik hen verloochend.

Op dat moment stierf ik.

Ik heb immers beloofd dat ik het vandaag zou vertellen. Dat heb ik mezelf beloofd.

Ze voerden Magda en Franz weg om hen dood te schieten. Magda werd betrapt toen ze brood stal uit de slaapzaal van de soldaten. Ze schoten hen dood.

En ik verroerde geen vin. Dan hadden ze mij ook doodgeschoten.

Ik weet niet wat voor eigenaardig overlevingsinstinct dat was. Ik wist toen immers al dat ik gestorven was. Waarom koos ik voor een langdurige, langzame lijdensdood in plaats van samen met mijn gezin te sterven?

Nu valt de tijd. Nu, voor mijn ogen. Op het moment dat ik dit opschrijf. De zwarte toren met het oude precisie-uurwerk, het metselwerk dat er eeuwenlang heeft gestaan, precies op dit moment valt hij. De kerkramen rinkelen broos door het gedreun van de bommen heen, en een kleurige wolk van glassplinters omlijst door de asgrauwe doemdagrook van de stad stijgt op.

Het had mooi kunnen zijn.

21 februari 1945

Mijn naam staat boven aan de lijst. De tijd is gevallen. Ik heb hem immers zien vallen.

De aardigste van de drie officieren kwam me dat meedelen. Ik kreeg een uur om me voor te bereiden.

Straks zit er ook zo'n gaasje in mijn slaap. Iemand zal naar me kijken door het celraampje en vinden dat het oplicht als een boordlantaarn.

Ik weet niet wat ik moet zeggen. Straks zal de pijn met een hevigheid toeslaan die mijn voorstellingsvermogen te boven gaat.

Dat is de prijs voor mijn verraad.

28

Hij moest het toegeven. Hij vond het nu al een prachtzaak. Er waren een paar dagen verstreken; hij werd overspoeld door informatie uit Milaan en Stockholm, en hij begon in te zien dat deze zaak niet een helemaal normale zaak was.

Helemaal normaal was deze zaak niet. Helemaal normaal was commissaris Italo Marconi ook niet. Hij had een donkere blik in zijn ogen.

'Een heel goede vriend?' zei hij en hij keek de man aan de andere kant van het bureau strak aan.

De man aan de andere kant van het bureau zei: 'Dat waren zijn woorden. Hij vond het nodig om het te benadrukken.'

Marconi schudde zijn hoofd even. Zijn snor wiegde als riet in de zeewind.

'Signor Sadestatt', zei hij ten slotte. 'U denkt dus dat ik een heel goede vriend van Marco di Spinelli ben?'

'Helemaal niet', zei Söderstedt. 'Maar dat wilde hij me laten geloven. Waarom?'

'Omdat hij er weleens in geslaagd is me tegen een andere politieman op te zetten', zei Marconi met verdriet in zijn stem. 'Ik had hem beschuldigd van corruptie. Ik had het mis. Pas nadat hij zelfmoord had gepleegd, kreeg ik het bewijs daarvoor in handen.'

'Hij speelt graag spelletjes met de politie', zei Söderstedt en hij knikte. Hij probeerde zich in een vergelijkbare situatie te verplaatsen. Arto Söderstedt die Paul Hjelm van corruptie betitcht. Paul Hjelm pleegt zelfmoord. Arto Söderstedt komt erachter dat Paul Hjelm onschuldig is.

Dat kon niet.

De situatie was totaal anders.

Hij hoopte dat dat zo bleef.

'Het spijt me vreselijk', zei hij en hij vond dat het povertjes klonk.

'Mij ook', zei Marconi, die zijn rug rechtte en diep ademhaalde.

'Hij wil dus geen spelletjes meer met me spelen?' zei Söderstedt.

'Daar lijkt het op. Hij wil u niet ontmoeten. Wat zou u willen bereiken met een nieuwe ontmoeting?'

'Ik zou hem iets meer onder druk willen zetten.'

'Marco di Spinelli zet je niet onder druk.'

'Dat klopt', zei Söderstedt. 'Hij mag alleen niet merken dat je het doet.'

'Ik begrijp nog niet helemaal wat u laatst bereikt denkt te hebben. Hij kende die oude, Joodse baas, Leonard Sheinkman dus?'

'Ik weet bijna zeker dat hij hem in de oorlog heeft ontmoet. Zijn er echt geen aanwijzingen over wat hij destijds heeft uitgespookt?'

'U hebt zijn dossier zelf gelezen. Zijn leven is goed gedocumenteerd. Behalve tijdens de oorlog. Hij is nooit lid geweest van een fascistische partij. Vreemd genoeg. Hij is een selfmade man uit een arme wijk in Milaan. Hij blonk uit op de kloosterschool waar hij op zat. Een katholieke priester heeft zich over hem ontfermd en hem geholpen verder te studeren. Op jonge leeftijd was hij al bankier, en vlak na de oorlog heeft hij een van de belangrijkste banken van de stad overgenomen. Precies hoe en wanneer men deze oorspronkelijk zo fatsoenlijke bank is gaan gebruiken voor criminele activiteiten, is niet bewezen. We zoeken bewijs. We vinden geen bewijs. We zijn geïrriteerd over het feit dat we geen bewijs vinden.'

Arto Söderstedt knikte langzaam. Toen zei hij: 'Ging hij echt naar New York?'

'Nee', zei Marconi. 'Hij verlaat zijn plek tegenwoordig nooit meer. Een jaar geleden is hij voor het laatst weg geweest.'

'Dat idee had ik al', zei Söderstedt.

Hij dacht even na. Toen ging hij verder: 'Ik wil graag een plattegrond van Palazzo Riguardo.'

Italo Marconi keek hem argwanend aan.

'U wilt een plattegrond van Palazzo Riguardo?'

'Ja, graag.'

'Het is mogelijk dat u Di Spinelli onder druk kunt zetten zonder dat hij het merkt', zei Marconi. 'Maar mij hou je niet voor de gek zonder dat ik het merk. Bent u van plan een streek uit te halen die mijn hele onderzoek in gevaar kan brengen?'

'Absoluut niet', zei Arto Söderstedt en hij voelde zich gewantrouwd. Maar daar was hij ook wel weer aan gewend.

'Wat wil je dan in hemelsnaam met een plattegrond van het paleis van Marco di Spinelli?' riep de normaal gesproken zeer beheerste commissaris. Zijn snor draaide rond als het rotorblad van een helikopter. Hij stond op van zijn bureau en liep naar het raam. Daar leek hij te kalmeren. Met zijn rug naar zijn Europolcollega toe zei hij nors: 'Ik weet niet waar u mee bezig bent, Sadestatt, maar het irriteert me mateloos. Ik ben heel bang dat door uw fouten werk van jaren wordt weggegooid. Wat had u in gedachten toen u geheime informatie aan Di Spinelli onthulde?'

'Ik heb het al geprobeerd uit te leggen', zei Söderstedt geduldig. 'Hij weet alles al. Ik heb hem niks nieuws verteld. We weten dat hij het weet en we vertellen hem dat we weten dat hij het weet. Dat onbekende moordenaars de handlanger van de Veelvraten voor de veelvraten hebben gegooid. Dat hij op het punt stond namens de Veelvraten georganiseerde prostitutiewerkzaamheden in Stockholm te realiseren. Dat deze prostituees vervolgens zijn verdwenen. Dit weet hij allemaal heel goed. En hij is al naar hen op zoek. Het is goed dat hij weet dat wij dat ook weten.'

'En u denkt dat hij dit niet doorziet?' zei Marconi en hij draaide zich om, onmiddellijk iets geïnteresseerder.

'Jazeker wel', zei Söderstedt. 'Daarom is hij tevreden. En ik denk dat het nu net tot hem doordringt dat hij tijdens ons gesprek tevreden was. Daarom wil hij niet meer met me praten. Ik heb hem een tevreden gevoel gegeven. Nu zit hij zich op te vreten van ergernis. Hij loopt rond en denkt na over wat hij heeft onthuld terwijl hij zich tevreden voelde. Die onzekerheid is goed volgens mij.'

'Het lijkt erop alsof u zijn spelletje speelt', zei Marconi en hij ging met een plof zitten.

'Het is goed als dat zo lijkt', zei Arto Södersted en hij keek onnozel. Marconi bekeek zijn gelaatsuitdrukking en vond die volkomen onecht. Hij knikte en glimlachte.

'En daarom hebt u een plattegrond van zijn paleis nodig? Dat is inderdaad volstrekt logisch.'

Arto Södersted glimlachte ook.

'Precies', zei hij. 'Zo logisch als wat.'

Marconi bleef knikken: 'U denkt dus … ?'

'Ja. Dat hij in gevaar is.'

'Dat Marco di Spinelli in gevaar is? Weet u wel welk fabuleus veiligheidssysteem dat paleis heeft? Weet u hoeveel bewakers hij heeft? Daar kom je nooit binnen; het is een soort Fort Knox.'

'U weet dat u het met me eens bent, commissaris', zei Arto Södersted. 'Ze zijn naar hem op zoek.'

'Wie?' vroeg Italo Marconi, zonder het eigenlijk te vragen.

En het antwoord van Arto Södersted was eigenlijk geen antwoord: 'De Erinyen', zei hij.

29

Het was vrijdag 12 mei. De tijd was wat trager geworden. Het was vast mogelijk om vrij te krijgen in het weekend.

De tijd deed moeilijk. Hij gedroeg zich niet als anders.

Vermoedelijk was hij ontwricht.

Paul Hjelm vermoedde dat het kwam door gruis in het mechaniek. Als de aanloop naar een reeks gebeurtenissen duidelijk is, loopt de tijd zoals gewoonlijk. Als het verleden afgesloten is, als conflicten en onrechtvaardigheden zijn onderkend en blootgelegd, als de tijd alle wonden heeft geheeld, dan is er een zekere mate van verzoening mogelijk, dan kan de tijd zich redelijk lineair voortbewegen. Maar als het verleden op de een of andere manier vals is, vervalst, dan wordt de loop van de geschiedenis aangetast, dan blijft er een vuiltje in het oog van de tijd steken, dan komt er gruis in het mechaniek van de tijd, en dan gedraagt de tijd zich merkwaardig. Dat was in elk geval een theorie.

De tijd was ontwricht, en wie dacht Paul wel dat hij was dat hij de tijd weer zijn normale koers kon laten volgen?

Bovendien zou het behoorlijk pijnlijk zijn.

Tijden van rampspoed noemde men het vroeger. Mensen gingen hamsteren, wierpen barricades op en sloten zich af voor de buitenwereld. En dan hoopten ze dat hun kinderen met één hoofd werden geboren in plaats van twee.

Ze begrepen niet dat ze daarom soms juist kinderen kregen met twee hoofden in plaats van één. Juist omdat ze zich afsloten voor de buitenwereld.

'Wakker worden.'

'Nu valt de tijd. Nu, voor mijn ogen. Op het moment dat ik dit opschrijf.' De woorden van Leonard Sheinkman lieten Paul Hjelm niet los. Hij had er bewust voor gekozen het dagboek los te laten. Hij wist dat hij het niet met een nuchtere, heldere en analytische blik zou kunnen lezen, en dat was nou net nodig.

Dat voorkwam niet dat het dagboek hem ook losliet. Er spookten voortdurend losse zinnen van Sheinkman door zijn hoofd. Alleen losse. Het geheel was nog steeds te moeilijk.

'Hallo, wakker worden ...'

Het lot van Leonard Sheinkman ...

Eerst haalt hij zijn gezin over om in Duitsland te blijven in plaats van te vluchten. Dan ziet hij hen weggevoerd worden om doodgeschoten te worden en zegt geen woord. Vervolgens belandt hij op een afdeling waar hij zijn eigen pijnlijke dood moet afwachten, die hij letterlijk naderbij ziet komen. En in die toestand schrijft hij. In die toestand wordt hij bevrijd. In die toestand komt hij naar Zweden. Het is niet zo vreemd dat hij de bladzijden van zijn levensboek heeft omgeslagen, zoals zijn zoon Harald het uitdrukte toen ze elkaar op Bofinksvägen spraken. De pas gearriveerde Leonard Sheinkman moet zijn verleden uitwissen. Hij moet het wegdenken. Hij wordt wetenschapper. Hij leert hoe de hersenen werken. Hij wijdt zich doelbewust aan hersengymnastiek. En hij slaagt erin de bladzijden om te slaan. De pagina waarop hij zijn nieuwe leven schrijft, is helemaal leeg.

Wellicht schijnt er af en toe een vage, diffuse, omgekeerde tekst door het papier.

'Word nou toch wakker!'

'Wat?' zei Paul Hjelm.

Een heel commandocentrum staarde hem aan. Dat waren heel wat ogen. Hij telde tot twaalf voor hij wakker werd.

'O jee', zei hij. 'Ik geloof dat ik in een tijdgat was verdwenen.'

'Het heerst', zei Jan-Olov Hultin neutraal.

Hjelm staarde naar een stapel op Hultins bureau. Chavez stond ernaast. De stapel was behoorlijk veelkleurig, maar de overheersende kleuren waren rood en paars.

'De tot nu toe binnengekomen bijdragen uit Europa', zei Jorge Chavez. 'Veertig procent van de stukjes touw is niet eens rood-paars gestreept. Sommige fabrikanten sturen hele kartonnetjes met monsters. Van een Tsjechisch bedrijf kregen we een tien centimeter dik meertouw voor olietankers. Het was wit en gemaakt van hennep, en de portokosten bedroegen maar liefst achthonderd kronen.'

'Speciaal ontworpen voor de Tsjechische kust', zei Viggo Norlander.

Ze staarden hem aan.

'Die bestaat niet', verduidelijkte hij.

Chavez schraapte verward zijn keel. Toen ging hij verder: 'Drie stukjes zijn relevant. De technische recherche onderzoekt de chemische samenstelling ervan om te zien of het om hetzelfde soort touw gaat als dat van ons.'

Toen raapte hij zijn stukjes touw bijeen, schoof ze in een ijshockeytas en ging terug naar zijn plaats.

'Voorbeeldig bondig', zei Jan-Olov Hultin en hij veegde zijn katheder schoon.

Hjelm keek op zijn horloge. Zijn voeten hingen nog steeds in het tijdgat. Het was drie uur. Vrijdagmiddag drie uur. Bijna weekend. Dan zou hij zich weer over het dagboek proberen te buigen.

'Zou jij misschien verder willen gaan, Paul?' zei Hultin met een onheilspellende mildheid.

Hjelm probeerde zich te concentreren.

'Jullie weten wie Henry Blom, alias Olli Peltonen, is. Gunnar en ik zijn nu al een tijdje bezig met Frihamnen. Daar heeft Peltonen met zijn illegale taxi op 7 september 1981 onze neuswijze vriend ergens na zeven uur 's avonds opgepikt. Het was niet heel makkelijk om het oude havenarchief te vinden. Maar volgens mij hebben we nu alles. Er hebben de betreffende dag redelijk veel vaartuigen aangemeerd. Maar als we aannemen dat het klopt wat Peltonen zegt en dat het ritje vlak na zeven uur 's avonds heeft plaatsgevonden, kunnen we de tijdruimte enigszins afbakenen. We kunnen er wel van uitgaan dat de man zonder neus, nadien Shtayf op Södra Begravningsplatsen, niet de hele dag in de nazomerzon heeft liggen zonnen in Frihamnen, maar zich onmiddellijk naar zijn eindbestemming heeft begeven. In dat geval gaat het om drie vaartuigen. Gunnar?'

Gunnar Nyberg hield zich sinds de confrontatie met de skinheads in Åkersberga erg op de achtergrond. Maar dat had bijzonder weinig met de skinheads te maken, en des te meer met een docente slavistiek. Hij vroeg zich af wat die vreemde sensaties waren die door zijn enorme lijf joegen. Was dat liefde? Het was zo lang geleden; eerlijk gezegd wist hij niet eens of hij het ooit weleens had gevoeld. Ja, voor zijn kinderen de laatste jaren, toen ze al volwassen waren, maar daarvoor? Was hij ooit verliefd geweest op arme Gunilla? Geil: ja. Verliefd: nee. Misschien, heel misschien was hij nu wel verliefd op docente Ludmila Lundkvist. Ze waren naar een Russisch restaurantje in Drottninggatan gegaan. Gunnar had voor het eerst van zijn leven borsjtsj en beerbiefstuk gegeten. En het zou kunnen dat er ook een druppeltje wodka naar binnen was geglipt. Toen waren ze naar haar huis in Luntmakargatan gegaan; dat was volkomen vanzelfsprekend geweest. Ze hadden een heerlijke nacht gehad. Achteraf herinnerde hij zich niet meer of ze 'seks gehad' hadden, zoals het tegenwoordig zo elegant wordt geformuleerd. Het was meer een gevoel, sensaties die door zijn enorme lichaam joegen. Daarna hadden ze opnieuw afgesproken, bij hem thuis in Nacka. Toen hadden ze absoluut 'seks gehad'. Het was goddelijk geweest. Ze had in de kerk van Nacka gezeten terwijl het kerkkoor repeteerde. De dirigent had de repetitie afgesloten met te zeggen dat de bas die dag opvallend zuiver en helder klonk. Toen waren ze naar huis gegaan, waar ze de liefde hadden bedreven. Opvallend zuiver en helder.

Nee, ze hadden geen 'seks gehad'. Ze hadden de liefde bedreven.

Nu zei Gunnar opvallend duidelijk: 'De betreffende vaartuigen in Frihamnen van die avond zijn: het Franse ms. Marie Curie, dat om 16.15 uur arriveerde met een gemengde lading uit Le Havre, ms. Cosmopolit uit de Sovjetunie, dat om 18.25 uur met een gemengde lading uit Odessa arriveerde en het Duitse ms. Mercedes, dat om 19.35 uur met een lading auto's uit Kiel arriveerde. Nu proberen we na twintig jaar deze schepen te lokaliseren, terwijl de kaart van Europa totaal anders is. Dat is niet zo heel eenvoudig. We kunnen misschien zeggen dat zowel het tijdstip als de plaats op Cosmopolit wijst.'

'Uit Odessa in de Sovjetunie', zei Paul Hjelm.

'Het huidige Oekraïne', zei Gunnar Nyberg.

Het was een tijdje stil. Op een aantal netvliezen verscheen een coördinatenstelsel dat eruitzag als een groot plusteken. Een kwadrant dat er los bij had gehangen, werd naar de overige drie kwadranten gezogen.

'Tijd voor hypothesen', zei Paul Hjelm. 'Als de neusloze Shtayf uit Oekraïne komt en naar Leonard Sheinkman reist, hebben we het verband dat we misten. Het is nog steeds uiterst vaag natuurlijk, maar in dat geval hebben we misschien een link tussen de Oekraïense Erinyen en de emeritus hoogleraar. Wat het natuurlijk niet minder interessant maakt, is het feit dat Shtayf op dezelfde dag wordt vermoord dat hij Sheinkman bezoekt, en teruggevonden wordt in het zwemmeertje Strålsjön in Älta, pal ten noordwesten van Tyresö. Wat het ook niet minder interessant maakt, is het feit dat Sheinkman negentien jaar later op bedevaart gaat naar het graf van Shtayf en daarboven zijn dood vindt.'

'Dat kun je wel zeggen, ja', zei Hultin. 'Wat is hier aan de hand, verdorie? Welke link zien we over het hoofd?'

'Misschien maken we ergens een verkeerde gedachtegang', zei Hjelm. 'Ik heb een vaag gevoel dat we ergens een denkfout maken.'

'Maar we doen ons werk niet op basis van vage gevoelens.'

'Dat moet je niet zeggen.'

'Hebben jullie nog meer?'

'Nee', zei Hjelm. 'Gunnar en ik gaan door met de schepen. Onze volgende taak is het oude Sovjetschip Cosmopolit lokaliseren. Verder zal ik het dagboek van Leonard Sheinkman nader bestuderen.'

'Heb je dat nog niet gedaan? Is het nog steeds "te moeilijk"?'

'Ja', zei Paul Hjelm.

Hultin zuchtte diep en richtte zich tot Kerstin Holm: 'Kerstin?'

Ze keek naar de krankzinnige stapels papier en zei: 'Ik ga verder met de ophangingen in Europa. Ik spel de onderzoeken in verschillende talen. We hebben niet meer binnengekregen, dat is in elk geval een troost. Verder heeft mijn aandringen bij Robbins uit Manchester, Mészöly uit Boedapest, Sremac uit Maribor, Roelants uit Antwerpen, Von Weizsäcker uit Wiesbaden en Gronchi uit Venetië zekere resultaten opgeleverd. Van deze steden is Maribor de kleinste. Dat was ook de ophanging die direct voorafging aan die in Stockholm, in maart. De Sloveense politie doet de meeste moeite om over te komen als een goede Europese samenwerkingspartner, en Maribor is, zoals ik zei, een redelijk kleine stad. Het lijkt erop dat er in maart in Maribor een aantal prostituees is verdwenen. Er zijn ook een paar aanwijzingen van commissaris Gronchi uit Venetië, maar die zijn tamelijk ongrijpbaar. Venetië was eerder dan Maribor. Dat was in februari. Wiesbaden is ook niet zo heel groot, en inspecteur Von Weizsäcker is heel zeker van zijn zaak: daar zijn geen prostituees verdwenen. Dat was in december. Misschien kunnen we hieruit concluderen dat de Erinyen zich dit jaar hebben uitgebreid. Nu hebben ze het punt bereikt dat het leger geëxpandeerd kan worden. En in dat geval hebben we alleen nog maar het begin gezien. Verder heb ik eindelijk een reactie gekregen van een inspecteur uit Weimar in Duitsland. Commissaris …'

'Hebben ze echt zulke titels?' vroeg Viggo Norlander. 'Gewone, eerzame, Oerzweedse titels?'

'Natuurlijk niet', zei Kerstin Holm. 'Het zijn globale vertalingen. Titels en promotiestelsels en hiërarchieën in de nationale politieorganisaties doorgronden vereist zeer gedetailleerde kennis. Ik vind het hier al moeilijk genoeg. Ik weet amper welke titel ik zelf heb, en al helemaal niet hoe ik die zou moeten vertalen. Mag ik nu verdergaan?'

'Even nadenken, hoor', zei Norlander, altijd in voor een grapje. 'Nou vooruit, toe dan maar.'

'Dank je. Commissaris Radcliffe uit Dublin stelde voor dat ik contact op zou nemen met deze Benziger. Een uur geleden reageerde hij. Ik zal het even voorlezen: "Beste Fräulein Holm. Ik betreur het zeer dat ik uw e-mail niet eerder heb kunnen beantwoorden. Ik was elders aan het werk. Jimmy heeft u heel terecht naar mij doorverwezen. James Radcliffe, dus. Ik heb hem onlangs op een internationale conferentie verteld dat we op een modus operandi waren gestuit die aan uw zaak doet denken. Ik weet er echter heel weinig van, aangezien het geen zaak van de politie betreft. Ik moet u wat dit aangaat doorverwijzen naar professor Ernst Herschel van het Instituut Geschiedenis van de universiteit in Jena. Met vriendelijke groet, inspecteur Jozef Benziger, Weimar."'

'Heb je contact opgenomen met die Herschel?' vroeg Hultin.

'Nee', zei Holm. 'De telefoon wordt niet opgenomen. Ik heb een e-mail gestuurd.'

'Mooi. Verder nog iets?'

'Nu niet.'

'Dan kunnen we dit afsluiten met een stukje film, nietwaar?'

'Zeker weten', zei Viggo Norlander opgewekt. 'Jorge, ik ben met je vrouw op reis geweest. Een soort huwelijksreis. We hebben zelfs een hotelkamer gedeeld in Karlskrona.'

'Helemaal niet', zei Sara Svenhagen rustig.

'Nee, misschien ook wel niet', vervolgde Norlander doodgemoedereerd. 'Maar ik heb haar wel in allerlei verschillende posities gefilmd.'

'Als je nu niet ophoudt, mag je niet op ons feestje komen', zei Chavez relatief onbewogen terwijl hij tussen de stukjes touw graaide.

'Welk feestje?' vroeg Viggo.

'Oeps', zei Jorge en hij sloeg zijn hand voor zijn mond. Misschien was hij niet uitgenodigd.

'Ons inwijdingsfeestje', zei Sara en ze stond op. 'Ik ga ervan uit dat jullie allemaal komen. Morgenavond om zeven uur. Niks eten van tevoren. Birkagatan in Birkastan. We verwachten van iedereen een plechtige belofte: dat we met geen woord reppen over de zaak waar we nu mee bezig zijn.'

'Waarom hebben jullie niks tegen mij gezegd?' klaagde Viggo. 'Wij, die zo veel gereisd hebben samen, Sara.'

'Je bent niet uitgenodigd, Viggo', zei Jorge. 'Zo simpel is het. We hebben iedereen uitgenodigd, behalve jou.'

'Hou nou op', zei Sara. 'Je weet heus wel dat je uitgenodigd bent, Viggo. Astrid heeft al gezegd dat jullie komen. Charlotte gaat ook mee. Verder heeft iedereen gereageerd, volgens mij. Jan-Olov, hoe zit het met jullie? Komt je vrouw ook?'

'Ja', zei Jan-Olov Hultin, die plotseling een privéleven bleek te hebben. Hij voegde eraan toe: 'Ze heet Stina.'

'En we weten nog niet zeker met hoeveel Gunnar komt ...'

'Twee', zei Gunnar met een zuivere en heldere basstem.

'Iedereen komt dus?' zei Jorge. 'Wel heb ik ooit. Dan moet ik nog snel naar de drankwinkel om wat meer Duca te kopen.'

'Van die Zuid-Amerikaanse rommel zeker?' ging Viggo stug door.

'Dat is een volle, rode Italiaanse wijn. Duca d'Aragona uit 1993. En het is geen troep. Bovendien is hij bijna altijd op. Misschien moet ik helemaal naar Nacka Forum rijden. Maar dat doe ik graag voor jullie.'

Jorge Chavez was met andere woorden een toonbeeld van geduld. Hjelm bekeek hem sceptisch. Het was een masker, het moest een masker zijn. Niemand kon zo radicaal veranderen.

'Niet iedereen komt', zei hij aarzelend. 'Arto niet.'

'Dat weten we niet zeker', zei Jorge cryptisch.

'Zullen we ervoor zorgen dat onze vriend zijn wijn nog kan

kopen?' zei Hultin. 'Zet de video maar aan, Viggo.'

Met de afstandsbediening in Viggo Norlanders hand werd de videorecorder bij het whiteboard aangeklikt. Tijdens een heel lang, lang shot van een treurig havengebied zei Sara: 'Terwijl de hele haven van Karlskrona voorbijglijdt, kan ik wel beginnen met te zeggen dat Viggo en ik nogmaals een blik hebben geworpen op het filmepos van de milieubeschermingsdienst over de Poolse zeearendenstroper Wojciech Bienek. Zijn klanten bleken trouwens Duitsers, Japanners en Amerikanen te zijn. We hebben vooral de binnenkant van het schip grondig bestudeerd. Daar zat geen enkele van de geëmigreerde Slagsta-meiden.'

Na het lange shot van de haven van Karlskrona volgde een lange, beverige opname van voorbijglijdende straatstenen. Af en toe zag je een glimp van een gloednieuwe Italiaanse rechter herenschoen met duidelijke vlekken erop. Op de achtergrond hoorde je iemand mompelen: 'Verdomme, waar is dat groentje gebleven?'

Viggo Norlander schraapte luidruchtig zijn keel.

'Dat had eruit geknipt moeten worden, Sara', zei hij nors.

'Het leek me beter om het erin te laten', zei Sara kalm.

'Dat vind ik ook', zei Hultin neutraal.

Toen verscheen het groentje in beeld. Het chloorgekleurde, gemillimeterde haar van Sara Svenhagen bevond zich tegenover een verweerde man in uniform, die in een krappe hut zat met een zeekaart vol vetvlekken aan de muur. Hij keek op een vel papier en zei: 'Nee, er is helemaal geen informatie over deze bus en de passagiers. Behalve dat ze drie hutten hadden gereserveerd.'

'Dus er is wel informatie', zei het groentje bemoedigend. 'Voor hoeveel mensen was er geboekt?'

De verweerde man bestudeerde het papier, niet zonder moeite.

'Elf volwassenen', zei hij uiteindelijk.

'Volwassenen?' zei Sara Svenhagen.

'Geen kinderen', verduidelijkte de verweerde man.

Toen verstijfde hij met een eigenaardige grimas om zijn lippen.

'Dank je, Viggo', zei Sara en ze draaide zich om naar het

commandocentrum: 'Elf volwassenen betekent dus drie mensen naast onze acht uit Slagsta. Van twee waren we al uitgegaan: een chauffeur en de vrouw met de mobiele telefoon, waar we later op terugkomen. Nu blijken het er dus drie te zijn. Het verbond van de Erinyen lijkt onophoudelijk te groeien. We gaan verder, Viggo. Let goed op, het zijn snelle cuts. MTV-esthetiek.'

Norlander drukte op de afstandsbediening. De verweerde man verdween, en zijn grimas met hem. Snelle cut naar een jonge, in het wit geklede vrouw met een Slavisch uiterlijk voor een muur die volhing met keukengerei: 'Alleen vrouwen', zei ze in verzorgd Zweeds. 'Drie hutten. Drie in de ene, vier in de andere twee. Vierpersoonshutten. Maar je moet het Wislawa vragen. Volgens mij was zij degene die de hutten deed.'

Snelle cut naar een nog jonger, donker meisje in bikini, die op het dek zat te zonnen. De camera schokte een beetje, maar de notoire cameraman wist de verleiding te weerstaan naar de bikinilijn te glijden.

'Waar kom je vandaan, Wislawa?' hoorde je Sara's stem buiten beeld vragen.

'Ik ben Poolse', zei het meisje in de bikini in goed Zweeds.

'Heb je ze met elkaar horen praten?'

'Ja. Verschillende talen. Beetje Russisch, beetje Bulgaars.'

'Oekraïens?'

'Ik kan het verschil tussen Russisch en Oekraïens niet horen. Bulgaars is anders, maar ik versta geen Bulgaars. Russisch ken ik een beetje.'

'Heb je gehoord wat ze tegen elkaar zeiden?'

'Nee, ze zeiden nooit iets als ik er was. Ik heb hun stemmen alleen vanaf de gang gehoord. Ik heb geen woorden verstaan. Maar ik heb alleen schoongemaakt, Jadwiga heeft hun eten gebracht.'

Nieuwe cut naar een ander jong meisje, blonder en in een T-shirt en spijkerbroek. Ze wilde net aan land gaan samen met een jongen met een zonnebril, toen ze bij de loopplank werd tegengehouden. Het beeld schudde hevig, en gedurende het hele daaropvolgende gesprek was er gehijg op de achtergrond te horen: 'Ben jij Jadwiga?'

'Ja', zei het meisje en ze deinsde achteruit. 'Haal die camera weg. Waar ben je mee bezig, viezerik?'

'We zijn van de Zweedse politie', zei Sara en ze hield haar legitimatie omhoog.

'Hij ook?' zei Jadwiga en ze maakte een gebaar met haar hoofd.

'Raar, hè?' zei Sara Svenhagen neutraal.

'Moet je echt zo hijgen?' zei Jadwiga op klagende toon.

'Ik ben een oude man', zei de hijgende stem.

'Herken je deze vrouwen?' vroeg Sara.

Jadwiga bekeek een vel met foto's.

'Zeker', zei ze. 'De meesten zaten op de boot, misschien allemaal wel. Ze sliepen in twee hutten. Volgens mij hebben ze de hele reis in hun hut gezeten. Ze zijn er nooit uit gegaan. Ik heb ze 's avonds avondeten en 's morgens ontbijt geserveerd.'

'Zij is de belangrijkste', zei Sara en ze wees op een van de foto's. 'Kun je iets over haar vertellen?'

Jadwiga krabde op haar hoofd en zei: 'Ze was Russisch, geloof ik. Een soort Russisch dialect. Mijn Russisch is niet zo goed.'

'Dus je hebt niet gehoord wat ze zeiden?'

'Een beetje misschien. Toen ik jong was, was Russisch verplicht op school. Maar toen ik na een paar jaar net de basis begon te begrijpen, werd het ineens Engels.'

'Je Zweeds is erg goed', zei Sara.

'Dank je.'

'Verdomme!' hoorden ze iemand brullen; toen een klap, waarna de hemel door de reling van een schip te zien was.

Nieuwe cut. Opnieuw Jadwiga met een koffiekop voor zich en koffiedrinkende mensen achter zich.

'We proberen het opnieuw', zei de stem van Sara. 'Weet je zeker dat hij het nog doet, Viggo?'

'Viggo?' zei Jadwiga geamuseerd.

'Ja', zei Norlanders niet meer hijgend. 'Ik gleed uit.'

'Oké, Jadwiga. Waar waren we gebleven?'

'Zij', zei ze en ze wees naar het vel met foto's. 'Ze sprak een of ander raar Russisch dialect met de andere twee in de hut. Ik heb een paar dingen gehoord toen ik hen ontbijt bracht. Toen ik de avond ervoor het avondeten bracht, waren ze muisstil.'

'Ze sliep dus in de hut met de drie passagiers?'

'Ja', zei Jadwiga.

'Zou je de andere twee in de hut kunnen omschrijven?'

'Misschien. Eentje was een jaar of dertig, denk ik. Beetje Zuid-Slavisch uiterlijk. Als je mij Noord-Slavisch kunt noemen.'

'En die twee zitten niet bij een van deze foto's?'

'Nee, die sliepen in de andere twee hutten. Vier in elke. Ze waren lawaaieriger. Junkies.'

'En de drie in de derde hut zou je niet als junkies omschrijven?'

'Nee. Ik dacht dat het maatschappelijk werkers waren of zo. Die een groep ouwe junkies begeleidden. Op een afkickreis.'

'Zou je de twee vrouwen in de driepersoonshut kunnen herkennen? Of kunnen helpen met een tekening van ze te maken?'

'Misschien wel.'

'Wat zeiden ze?'

'Hoe bedoel je?'

'Wat hoorde je ze zeggen toen je het ontbijt bracht?'

'Even kijken of ik het me kan herinneren. Eerst zeiden ze iets over het weer, dat ze blij waren dat het een rustige nacht was geweest. Toen dat de meiden zich heel goed hadden gedragen. Een van hen zei dat ze trots op ze was. Ook zeiden ze iets over iemand met wie ze contact moesten opnemen als ze door waren. Toen vroegen ze aan mij of er geen roggebrood was. Een van hen vroeg wanneer ze voor het laatst bij hen hadden gekeken. Een ander antwoordde dat nog maar tien minuten geleden was geweest. Toen vroegen ze aan mij of ik in de hutten ernaast was geweest. Ik antwoordde ja. Vervolgens wilde iemand nog een kop koffie. Die kreeg ze. En toen ben ik weggegaan.'

'Allemachtig', zei Sara's stem. 'Wat een goed geheugen heb jij, zeg.'

'Dank je.'

'Ze moesten dus met iemand contact opnemen als ze door waren? Klopt dat?'

'Jij hebt ook een goed geheugen.'

'Met wie? Hebben ze een naam genoemd?'

'Ja, ze hebben een naam genoemd. Maar die kan ik me niet herinneren.'

Opnieuw een cut. Jadwiga zat aan een bureau met een computer erop. Een dikke man in een politie-uniform tikte op het toetsenbord en schoof de muis heen en weer. Ernaast was de helft van Sara te zien.

'Ik weet het niet', zei Jadwiga en ze wees op het scherm. 'Zoiets. Iets schevere ogen misschien.'

'Viggo', zei Sara met een zekere vermoeidheid in haar stem. 'Er is geen enkele reden om dit te filmen.'

'Jawel', zei een onmiskenbare mannenstem, terwijl de camera om het bureau heen gleed en op Jadwiga focuste, die een geïrriteerd, obsceen gebaar maakte.

'Stoor haar nou niet', zei Sara, nog vermoeider.

'Het lijkt Magdalena Forsberg wel', zei de geüniformeerde man in het dialect van Karlskrona en hij keek teleurgesteld naar het computerscherm.

Jadwiga zag er ineens zenuwachtig uit.

'Maak je geen zorgen', zei de onmiskenbare mannenstem. 'Niemand zal denken dat je de beste biatlete ter wereld ergens van beticht.'

Jadwiga stond op. De camera volgde haar.

'Maar dát is het!' riep ze uit.

Sara Svenhagen verscheen naast haar en vroeg: 'Hoe bedoel je, Jadwiga?'

'Haar naam', zei de jonge Poolse. 'De vrouw die gebeld moest worden.'

'Magdalena Forsberg?' vroeg de onmiskenbare mannenstem.
'Magda', zei Jadwiga.

Toen kwam er een snelle cut naar iets wat op de buitenkant van een garage leek. Een man met een snor en een Shellpet op stond zijn vette handen af te drogen voor een aanzienlijk aantal min of meer kapotte bussen. Hij keek wantrouwend in de camera.

'Wat is dit?' zei hij in het Smålands. *'Sind Sie Deutsch? Sie können hier nicht fotografieren.'*

'Het spijt me', klonk Sara's stem. Haar hand ging in het beeld naar opzij met haar politielegitimatie in de aanslag. 'Is dit Anderstorp bil & buss AB?'

'Ja. Ga weg met die camera. Moeten jullie hier geen toestemming voor hebben?'

'Hij heeft een punt', zei Jan-Olov Hultin luid.

'Sst', siste Sara terwijl ze tegelijkertijd in beeld vroeg: 'Ben jij Anders Torp?'

'Ja', zei de besnorde man, nog steeds wantrouwend, maar nu met zichtbare trots. 'Anders Torp uit Anderstorp.'

'Verhuur je bussen?'

'Ja', zei Anders Torp uit Anderstorp. 'Soms.'

'Heb je een bus verhuurd met dit kentekennummer?'

Een notitieboekje verscheen in beeld. Anders Torp bekeek het en knikte.

'Een oude Volvobus, kleiner model', zei hij. 'Ze hebben hem een maand gehuurd. Een paar weken geleden ongeveer.'

'Schitterend', zei de onmiskenbare mannenstem.

'Is hij ook van de politie?' vroeg Anders Torp en hij wees in de camera. 'Ik vraag me af of jullie hier wel zonder toestemming mogen filmen. Ik denk dat ik geen vragen meer ga beantwoorden.'

'Dat zou ik maar doen als je iets te verbergen hebt', zei Sara.

'Voorbeeldig', zei Hultin.

'Sst', siste Sara.

'Ik heb niks te verbergen', zei Anders Torp verongelijkt.

'*Då fortsätter vi resan*', zei Sara. 'Zoals ze in "Yellow Submarine" zingen.'

'Hoor jij dat ook?' zei Anders Torp en zijn ogen lichtten op. 'Ergens in het midden, in dat chaotische stuk. De Eagles hadden achterstevoren boodschappen en de Beatles hebben er een Zweedse voice-over in gestopt. Fantastisch.'

'Wie heeft de bus gehuurd?' vroeg Sara kort.

Anders Torp keek haar goedkeurend aan. Ze had duidelijk de muur van wantrouwen doorbroken.

'Een vrouw', zei hij. 'Niet Zweeds.'

'Waar kwam ze vandaan? Oost-Europa?'

'Nee, dan had ze hem niet mogen huren. Dan weet je dat je je bus kwijt bent.'

'Ze moet toch haar rijbewijs hebben laten zien ...'

'En paspoort', zei Anders Torp. 'Dat moet als je buitenlander bent. Ik geloof dat ze uit Duitsland kwam. Ik zal het even nakijken.'

Hij bleef even weg. De camera zwenkte naar Sara. De onmiskenbare mannenstem zei: '"Yellow Submarine"?'

Sara wees naar de muur van de busgarage. De camera zoomde in op een oude, versleten poster met psychedelische patronen, tot de woorden 'Beatles' en 'Yellow Submarine' zichtbaar werden. Toen bewoog de camera weer naar Sara.

'Slim', zei de onmiskenbare mannenstem.

'Tja', zei Sara en ze keek behoorlijk tevreden.

Toen kwam Anders Torp uit Anderstorp terug. Hij had een stuk papier in zijn hand. Het wapperde wild in de Smålandse voorjaarswind.

'Hier', zei hij en hij wees op het onhandelbare stuk papier. 'Rijbewijsnummer en paspoortnummer.'

Sara knikte en zei: 'Dat kopiëren we straks wel. Was het een van deze vrouwen?'

Ze hield een vel met foto's omhoog. Anders Torp bekeek de negen foto's langzaam. Hij schudde zijn hoofd. 'Nee', zei hij.

Toen gaf Sara hem nog twee, iets grotere foto's.

Anders Torp keek naar de eerste. Toen verplaatste hij zijn blik naar de andere en zijn ogen lichtten op, net zoals toen Sara 'Yellow Submarine' noemde.

'Deze lijkt heel erg op haar', zei hij en hij knikte.

Sara Svenhagen stak haar duim op naar de camera. De camera schokte even en viel op de grond. Je kon nog net de zon achter een wolk zien glippen, voordat het beeld oploste in sneeuw.

Het was even stil. Toen zei Jan-Olov Hultin: 'Ik weet niet zeker of een videocamera wel een goed instrument is bij een politieonderzoek …'

Sara Svenhagen stak haar duim op naar Viggo Norlander. Hij reageerde blij met hetzelfde gebaar. Deze keer was er geen camera die kon vallen.

Het was zonneklaar dat hij vond dat zijn bijdrage van onschatbare waarde was geweest.

Toen zei Sara: 'De zogenaamde ninjafeministe heeft eindelijk een naam gekregen: Magda.'

'Bovendien', zei Viggo Norlander, 'hebben we dit ook nog.'

Hij hield drie portretten als een waaier omhoog. Een was een foto: van een vrouw met een mobiele telefoon, die de technische recherche van de film van de milieubeschermingsdienst had gehaald. De andere twee waren onmiskenbare compositietekeningen, dat wil zeggen computerreconstructies.

'Deze twee', zei Viggo, 'zijn dus gemaakt door een corpulente politieman uit Karlskrona in samenwerking met de Poolse serveerster Jadwiga van ms. Stena Europe.'

Hij legde een van de compositietekeningen neer, hield de andere in de lucht en vervolgde: 'Aan deze vrouw heeft Anders Torp uit Anderstorp zijn bus verhuurd. We mogen ervan uitgaan dat zij de chauffeuse van de Erinyen is.'

'Ze had een Duits paspoort en rijbewijs', zei Sara. 'Het staat zonder meer vast dat ze vals zijn. Kunnen jullie raden welke naam ze heeft gebruikt?'

'Nee', zei iedereen.

'Eva Braun', zei Sara Svenhagen.

'Helaas had de camera het net begeven toen Anders Torp dat zei', zei Viggo Norlander met een onmiskenbare mannenstem.

'Waardeloze kwaliteit', zei Jan-Olov Hultin neutraal.

Toen ging de telefoon. Hultin nam op.

'Ja', zei hij. 'Ja, ja. Hoezo moeilijk? Is dat zo? Oké. Goed. Dank je.'

Toen hing hij op en zei: 'Dat was het hoofd van de technische recherche, Brynolf Svenhagen. Hij was in alle staten.'

'O, jee', zei Jorge Chavez sardonisch en staarde naar de klok. De drankwinkel leek een steeds minder haalbare kaart.

Hultin zei: 'Er is informatie binnengekomen over de man zonder neus.'

De praatgrage groep mensen fleurde plotseling op als kinderen op hun eerste schooldag.

'Waarom is Brunte in alle staten?' vroeg Paul Hjelm en hij kreeg een stuurse blik van Sara toegeworpen.

'Omdat hun reactie heel vaag is. Ze beweren dat ze geen samenwerkingsovereenkomst met Europol hebben en willen de naam niet vrijgeven. Ze eisen dat we er iemand naartoe sturen.'

'Ernaartoe sturen?' zei Chavez. 'Hebben ze nog nooit van internet gehoord?'

'Amper, neem ik aan', zei Hultin en hij nam de hoorn van de haak.

'Maar je gaat er toch niet echt iemand helemaal naartoe sturen?'

'Jawel', zei Hultin en hij draaide een heel lang nummer. 'We hebben immers al een reiziger door Europa. Arto mag er na het weekend naartoe.'

'Maar waarheen?' vroeg Paul Hjelm. 'Waar komt die neusman vandaan?'

'Dat is de reden waarom ik zonder morren doe wat ze zeggen', zei Jan-Olov Hultin en hij keek op. 'Shtayf komt uit Odessa. In Oekraïne.'

30

Het was zaterdagavond in Toscane. De familie Söderstedt zat op de veranda terwijl de zon langzaam neerdaalde op de heuvels. De rode zonnestralen verdwenen in de wijnranken en penseelden om de heuvels een gouden rand. Een geurwolk van zeventien verschillende soorten basilicum kwam aangewaaid van het kruidenveld, en de achtergebleven warmte van de dag deed de naar pijnboom geurende avondlucht licht trillen in de schemering. De laatste resten van Anja's fabuleuze pesto, op basis van haar allernieuwste boterblauwe rozentakbasilicum, gleed net door zijn slokdarm, perfect in balans met een uitstekende Brunello.

En alles, echt alles, was goed.

Arto Söderstedt keek de tafel rond. Tussen alle spierwitte hoofden zat een zwarte. Die behoorde toe aan de zeventienjarige zoon van een wijnbouwer met de naam Giorgio. Hij was het die zijn oudste dochter van haar maagdelijkheid had beroofd. Op een dag had Mikaela hem meegenomen en voorgesteld. Arto vond het groots, en hij voelde zich vereerd dat hij op deze manier bedankt werd voor het feit dat hij haar ervan had weten te overtuigen dat ze zich nergens voor hoefde te schamen. Hopelijk zou ze deze les haar hele leven met zich meedragen.

Schamen moest je alleen als je iemand kwaad had gedaan.

Alleen dan.

Giorgio was een heel verlegen jongen, die dacht dat de vader van zijn geliefde per definitie woedend zou zijn. Dat het zijn plicht was woedend te zijn. En ook Giorgio's eigen vader leek niet erg woedend. Ze hadden de wijnbouwer en zijn vrouw op een avond uitgenodigd. Ze leken allebei erg zenuwachtig, alsof ze voor het gerecht moesten verschijnen. De dochter van dit echtpaar was door hun lummel van een zoon gepenetreerd. Het echtpaar Söderstedt had zich zo gemoedelijk mogelijk gedragen om hen ervan te overtuigen dat er niets aan de hand was; en langzaam, heel langzaam was het wijnbouwersechtpaar begonnen te ontspannen, waarna iedereen elkaar uiteindelijk had overtroffen in lofprijzingen op de liefde, de wijn en het leven.

Iemand aan deze tafel is zwanger.

Bam, zo werd hij getroffen door dit besef.

Er was iets met de sfeer. Een typisch vrouwelijke, geluidloze telepathie stuurde zijn golven rechtstreeks over de tafel. Hij had het eerder meegemaakt. Vijf keer, om precies te zijn. Hij was een expert.

Eerst ging zijn blik naar Linda, zijn op een na oudste dochter. Ze was veertien. Dat leek hem vrij ongevaarlijk. En dat was het ook. Ze schrokte haar pasta naar binnen, keek steels om zich heen en zag er precies zo uit als altijd. Voornamelijk heel nieuwsgierig naar Giorgio. Flauw glimlachend vroeg hij zich af wat ze dacht. En waar haar gedachten ophielden.

Toen kwam het kritische moment. Hij raapte alle moed bijeen en keek naar Mikaela. Ze straalde. Maar ze straalde van de liefde, verder niet. Daar was hij redelijk van overtuigd.

Natuurlijk, dacht hij en hij zuchtte diep. Ik had het mis. Ik dacht dat ik nooit meer een kind van de opvang zou hoeven halen. Maar ik heb me vergist.

Binnen een paar jaar moet ik een nakomertje van de opvang halen.

Hij keek naar Anja, terwijl ze zat te genieten van haar boterblauwe rozentakbasilicum. Ze schitterde.

Jawel, er is een verschil tussen stralen en schitteren. Een heel groot verschil.

'Dus je zit hier zwanger te zijn?' zei hij en hij nam nog een slok wijn.

De pesto schoot in Anja's keel. Hij moest opstaan, achter haar gaan staan en de goede oude Heimlichmanoeuvre uitvoeren. Hij greep haar vast onder haar borst en drukte. Een flinke kwak pesto smakte op de tafel. Giorgio trok een lelijke grimas. Mikaela schaamde zich diep. Ze was nog niet uitgeleerd.

Anja droogde haar tranen met een servet, dat ze daarna gebruikte om de pestoresten van de tafel te vegen. Haar gelaatsuitdrukking was volkomen neutraal. Toen ging ze zitten en staarde in de verte over het schemerlandschap. Arto ging ook zitten. Hij observeerde haar om te zien of de telepathische golven terug zouden komen.

Giorgio keek besluiteloos naar zijn portie pesto.

'You don't have to eat it', zei Anja zonder met haar blik de oneindigheid los te laten.

De golven waren afwezig toen Mikaela en Giorgio van tafel slopen om op intieme toon de wereld van de volwassenen af te keuren, ze waren afwezig toen Linda en Peter wegglipten om rond te sluipen in de toenemende duisternis en elkaar de stuipen op het lijf te jagen, ze waren afwezig toen Stefan de hand van kleine Lina pakte en met haar wegsloop om naar de Italiaanse kindertelevisie te gaan kijken.

Maar toen de echtgenoten alleen achterbleven op de veranda, toen de schemer was ingevallen, toen de cicaden zo druk in de weer waren dat de vonken van hun benen spatten, toen kwamen de telepathische golven weer terug. Haar gestaar in de verte hield eindelijk op, en Anja beantwoordde zijn hardnekkige, doordringende blik. Een paar tellen nam ze haar merkwaardige echtgenoot op. Toen schudde ze even haar hoofd, glimlachte even en verdween.

Jawel, er zat een nakomertje aan te komen, dat zul je zien.

Hij schoof naar zijn hoekje op de veranda en zette de computer aan. Die ratelde en reutelde. Hij leefde in de voortdurende angst dat het apparaat getroffen zou worden door een informatie-infarct en zou sterven. Al die cd-roms die erin werden gestopt, al die informatie die over de harde schijf werd uitgestrooid, waar lag de grens van het draaglijke?

Arto Söderstedt opende de plattegrond van Palazzo Riguardo, die commissaris Marconi hem met enige tegenzin had gegeven.

Ook had de beste man, met nog meer tegenzin, de cruciale plekken van het vierendertig kamers tellende paleis aangewezen. Ten slotte had hij met zijn handen in zijn zij gestaan en gezegd: 'Ik zou graag willen weten waarom u die wilt hebben, signor Sadestatt.'

Signor Sadestatt repliceerde: 'Wat is de beste manier om binnen te komen?'

Waarop signor Marconi's mond logischerwijs openviel. Iets anders was ondenkbaar geweest.

Söderstedt verduidelijkte: 'Niet voor mij, maar voor de Erinyen.'

Marconi nam hem op. Zijn mond hing nog steeds open en hij keek hem strak aan.

'Als je hem te grazen wilt nemen, moet je zijn huis in', ging Söderstedt verder. 'Hij is al – hoelang zei u ook alweer? – een jaar lang zijn paleis niet uit geweest.'

Marconi knikte zwijgend, maar niet onverschillig.

'Dus als je hem te grazen wilt nemen, moet je Palazzo Riguardo in.'

'En u weet zeker dat deze ... Erinyen het op hem gemunt hebben?'

'Daar raak ik steeds meer van overtuigd, ja.'

'Hoezo?'

'Omdat die veelvraten zo'n ontzettend duidelijk teken waren. Omdat er een direct verband bestaat tussen Leonard Sheinkman in Stockholm en Marco di Spinelli in Milaan. Omdat de combinatie veelvraat-bejaarde direct op Palazzo Riguardo wijst. Omdat Di Spinelli de spin in het web is. Bij hem komen alle draden samen. Bij hem komen alle draden vandaan. Hij heeft het web waarin hij verstrikt is geraakt, zelf gesponnen. Hij heeft zelf de gestalten gecreëerd die hem zullen verteren.'

'Dat klinkt behoorlijk overtuigend', zei Marconi bemoedigend, waarna hij ijskoud water over de kokende Finland-Zweed gooide: 'Maar bestaat er echt een aantoonbare link tussen Sheinkman en Di Spinelli?'

'Hij heeft hem herkend.'

'Dat zegt u, ja. Dit alles is gebaseerd op een intuïtieve reactie van u. Bovendien zou in dat geval Sheinkman het slachtoffer en Di Spinelli de beul moeten zijn. Waarom zowel het slachtoffer als de beul vermoorden?'

'Er is niks wat erop wijst dat Di Spinelli de beul is. Misschien zijn het lotgenoten.'

'Marco di Spinelli als kampgevangene in Buchenwald? Gelooft u het zelf?'

'Deze uitspraak, signor Marconi, wijst erop dat u een tegengestelde mening bent toegedaan, ondanks uw eerdere neutrale houding.'

'Kijk naar Marco di Spinelli, signor Sadestatt. Is dat een man die gekweld wordt door een verleden in een concentratiekamp, vernederd door machinaal moordende nazi's? Is dat een man die nog altijd, na een halve eeuw, behandeld wordt met psychofarmaca om 's nachts hooguit een uur te kunnen slapen? Is dat een man die de meest afschuwelijke medische experimenten heeft moeten ondergaan?'

Toen had Arto Söderstedt gezwegen. De gedistingeerde commissaris, die normaal gesproken een toonbeeld van zelfbeheersing was, had heel even de beweegredenen voor zijn koppigheid blootgegeven.

Het was iets persoonlijks.

Op de een of andere manier was het persoonlijk.

'Uw vader?' waagde Söderstedt.

'Dat is mijn jeugd', zei Italo Marconi en hij keek hem strak aan. 'Mijn hele jeugd in een notendop. Ze kunnen niet slapen. Ze kunnen nooit slapen.'

Söderstedt zei niets. Hij wachtte tot Marconi weer zou gaan praten. Met kalme, maar bevende stem zei hij: 'Buchenwald was het grootste concentratiekamp van nazi-Duitsland. Tegen het einde van de oorlog zaten er bijna alleen nog maar niet-Duitsers. De Duitse Joden waren al afgevoerd naar de vernietigingskampen in Polen, degenen die geen medische experimenten ondergingen, en Buchenwald werd steeds meer een interneringskamp voor buitenlandse gevangenen. Mijn vader was een Italiaanse communist. Ze onderzochten hoe het bloed zich door de spiermassa bewoog door het live te bekijken, om het zo maar te zeggen. Ontleding van een levende rechterarm. Zonder verdoving natuurlijk. Hij heeft bijna een jaar rondgelopen met die ontlede en rottende arm, voordat eenheden uit de 3rd US Army op 11 april 1945 Buchenwald bereikten en de poorten openden.'

Arto Söderstedt nam hem op. Dit was moeilijk te bevatten.

'Het spijt me', zei hij nietszeggend.

'Mij ook', zei Marconi en hij frunnikte wat aan de papieren op zijn bureau. 'Vanuit mijn eigen ervaring kan ik dus zeggen dat Marco di Spinelli nooit in een concentratiekamp heeft gezeten. Daar durf ik mijn leven om te verwedden.'

'U hebt natuurlijk gelijk', zei Söderstedt. 'Het was maar een idee.'

'Maar ga verder met uw theorie', zei Marconi, die weer de oude was.

'Iemand die een achtentachtigjarige voormalige kampgevangene vermoordt door hem ondersteboven op te hangen en met een metaaldraad in zijn hersenen gaat zitten klooien, is per definitie een fascist. Ik vind dat mijn collega's in Stockholm iets te lichtzinnig hebben aangenomen dat deze Erinyen op een soort missie zijn. Dat ze verkrachte vrouwen bevrijden. Op mij komen ze buitengewoon fascistoïde over. Ook al zijn het vrouwen.'

Italo Marconi knikte even. Toen zei hij: 'Er is een manier om binnen te komen.'

Arto Söderstedt keek naar hem terwijl hij voorover boog naar de grote, oeroude plattegrond van het paleis, die uitgerold op zijn bureau lag. Pas nu begon Söderstedt te beseffen hoe minutieus elke kamer in het paleis in kaart was gebracht.

'We kennen echt elk hoekje en gaatje van Palazzo Riguardo',

vervolgde Marconi. 'Hiervandaan wordt een activiteit geleid die het einde van ons land en ons continent zal betekenen. Waar Marco di Spinelli mee bezig is, is markteconomie in zijn zuiverste vorm. De ongecontroleerde markteconomie ondergebracht in een paleis waar de belangrijkste westerse kunstenaars door de tijden heen de wandelgangen hebben verfraaid. Het is grote en volmaakte schoonheid, het is educatie, het is gevoel voor geschiedenis, en het is pure, meedogenloze macht.'

Arto Söderstedt begon te begrijpen waarom het paleis tot in detail in kaart was gebracht. Ze begrepen hoe het mechanisme werkte, maar ze konden het niet stopzetten.

'Het paleis is gebouwd als een ui', ging Marconi verder, terwijl hij zwaaiende gebaren maakte over de plattegrond van het paleis. 'Met dat verschil dat het een middelpunt heeft. En het middelpunt is de werkkamer van Di Spinelli. Schil voor schil moet je ernaartoe begeven. Toen de familie Perduto het paleis in de zestiende eeuw liet bouwen, werden ze van alle kanten bedreigd. Het werd gebouwd als een reeks elkaar omsluitende muren. Als je door de gangen loopt, merk je niks, maar eigenlijk loop je van de ene ophaalbrug naar de andere, en deze bruggen kunnen heel snel opgehaald worden, zodat je subiet in de slotgracht valt, als u me deze beeldspraak toestaat. Hoewel het paleis open en ruim aanvoelt, is er maar één deur naar elke schil, en bij deze deur staat een goed bewaakte brug, die snel opgehaald kan worden. Proberen door deze schillen en deuren te komen, is zinloos. Maar er is een andere manier. Die noemen we "De enge poort".'

Söderstedt liet een lachje horen. Hij zei: 'Gaat in door de enge poort, want wijd is de poort en breed de weg, die tot het verderf leidt, en velen zijn er, die daardoor gaan. Want eng is de poort, en smal de weg, die ten leven leidt, en weinigen zijn er, die hem vinden.'

Marconi wierp hem een korte blik toe. Er verscheen een kort glimlachje en hij knikte: 'Het evangelie van Matteüs 7 vers 13. Het is inderdaad een smalle doorgang, en er zijn weinigen die hem vinden. Het is onze laatste troef. Als we onmiddellijk naar binnen moeten. Dit is hem.'

Söderstedt volgde de digitale variant van de streep van Marconi. Hij strekte zich uit naar het op dit moment pikzwarte Toscaanse landschap als het spoor van een vuurvliegje dat op je netvlies blijft hangen. Voor hem vormde de streep een onleesbaar schrift.

Toen Marconi de streep trok, had Söderstedt gevraagd: 'Wat denkt u zelf dat Marco di Spinelli in de oorlog heeft gedaan?'

Marconi had zijn pen weggelegd en zijn Scandinavische collega strak aangekeken.

'Maar dat is toch overduidelijk', zei hij. 'Hij was een nazi.'

Als geroepen door de vergelijking vloog er een zwerm vuurvliegjes de tuin in en voerde een vluchtige dans op, die nog heel lang bleef hangen nadat ze waren verdwenen. Een wirwar van lichtdraden die je niet kon wegknipperen, maakte het onmogelijk Marconi's enge poort te onderscheiden.

Een tijdlang staarde Arto Söderstedt in het niets en probeerde het schrift van de vuurvliegjes te lezen. Hij las zo lang dat de tekst langzaam voor zijn ogen vervaagde.

Uiteindelijk was alleen de streep van Italo Marconi nog te zien. Deze slingerde dwars over de plattegrond, als een bibberige pennenstreek van een kind door een doolhof in een stripblad.

Hij zag voor zich hoe de Erinyen, misschien wel op dit moment, boven precies dezelfde plattegrond gehurkt zaten en naar precies dezelfde streep wezen als hij. Ze waren onderweg, dat voelde hij. Ineens had hij het idee dat de tuin bewoog, als door een soort glijdende aanwezigheid. Vanuit zijn ooghoek zag hij een schim die achter een boom gleed. En nog een. Toen leek de hele natuur gehuld in glijdende schimmen, de bomen leken te bewegen, het bos kwam dichterbij.

Arto Söderstedt huiverde en probeerde het onbehaaglijke gevoel van zich af te schudden.

Wie waren deze onvermurwbare gestalten uit de vergeten diepte van de mythe? De beschaving leek hen een paar millennia geleden getemd te hebben.

Ze beslopen hun slachtoffer. Met grote precisie dreven ze hun steeds bangere slachtoffer naar de beoogde plek van de moord. Als ze daar aankwamen, waren de slachtoffers murw, trillend tot in het diepst van hun ziel. Ze zetten de vergeten, verdrongen diepte in beweging, waarna ze hun slachtoffers ondersteboven ophingen en een gruwelijke naald in hun hersenen staken. Op dat moment stonden hun slachtoffers doodsangsten uit.

Allemaal, behalve Leonard Sheinkman. Hij had zelfs met ze gesproken. Rustig en kalm.

Het was alsof hij op hen had gewacht.

Alsof hij al heel lang op hen had gewacht.

Alsof hij had geweten dat ze vroeg of laat zouden komen.

Waar wachtte hij op? Was het iets wat hij in het concentratie-kamp had gezien? Was het zijn eigen verraad, zoals Paul Hjelm had verteld toen hij zijn dagboek had gelezen? Zijn dubbele verraad?

Wachtte hij op de wraakgeesten van zijn vrouw en zoon?

Nee, zijn verraad was niet van dat soort. Natuurlijk had hij met zijn gezin naar Amerika kunnen vluchten; dat hij dat niet had gedaan, was een soort verraad. Natuurlijk had hij luid kunnen protesteren toen zijn vrouw en zoon werden geëxecuteerd, maar dat had weinig uitgemaakt.

Nee, dit ging om iets heel anders, iets ernstigers. Daarmee was hij het volledig met Paul eens. 'Ik heb een vaag gevoel dat we ergens een denkfout maken', zoals hij door de telefoon had ge-zegd.

En toen kwam het tweede telefoontje.

Van Hultin.

'Wat denk je van het spookachtig mooie Odessa?'

Morgen zou hij vertrekken. Hij zou zijn veronachtzaamde paradijs verlaten en zich in het hol van de leeuw begeven en voorkomen dat hij beroofd zou worden en agressieve bedelaars van zich afduwen en onwillige Oost-Europese politiemannen zonder computers paaien.

Maar hij had er zelf voor gekozen.

En hij had er geen seconde spijt van.

Hij keek op zijn horloge. Het was tijd. Hij sloot het bestand met de plattegrond van Palazzo Riguardo af en stopte een andere, pas gekochte cd-rom in de computer. Hij begon een programma te installeren en maakte een doosje open dat naast de computer op de tafel in de hoek van de veranda lag. De cicaden vormden contouren in het pikdonker.

Hij haalde een apparaatje tevoorschijn dat op een kleine zaklamp leek. Hij sloot het ding aan op de computer en bevestigde het aan de bovenkant van het opengeklapte beeldscherm.

De installatie was voltooid. Hij ging akkoord met alle mysterieuze licentieovereenkomsten en zag zichzelf op het beeldscherm. Hij was pikdonker.

Hij schoof de vloerlamp die achter hem stond naar voren en richtte de lichtstralen op zijn gezicht. Op hetzelfde moment lichtte het gezicht op het beeldscherm ook op. Heel even verbeeldde hij zich dat het oom Pertti was die hij zag, de jonge oom Pertti met zijn hand op de sabelgreep. Die belachelijk veel op Arto Söderstedt leek. Wat deed hij daar? Er ging een huivering door hem heen.

Arto stak zijn tong uit. Oom Pertti op het beeldscherm stak ook zijn tong uit.

De betovering was verbroken.

Arto Söderstedt ging weer verder met het technische gedeelte. Nu begon het te werken.

Hij drukte zijn spiegelbeeld van het beeldscherm weg. Het was zijn spiegelbeeld en van niemand anders.

Terwijl hij internet op ging, begonnen de insecten zich rond de enige lichtbron te verzamelen. Hij voelde dat zijn gezicht gestippeld werd door onbekende gevleugelde insecten, tot hij eindelijk een heel ander, maar welbekend gezicht op het scherm waarnam en zei: 'Hallo, loonslaven.'

31

Cilla keek verwachtingsvol terwijl het gelouterde paar de elegante entree in Birkastan binnenliep. Ze behield deze gelaatsuitdrukking toen ze zich een echte jugendstiltrap op hesen, en toen ze bij de deur waren waarop de enige buitenlandse naam in de buurt prijkte, durfde ook Paul Hjelm verwachtingsvol te zijn.

Hoewel het al bijna half acht was.

Ze pakte zijn arm vast op de manier die hij zich herinnerde uit hun gezamenlijke jeugd. Het was zo lang geleden dat hij dit had gevoeld dat hij bijna ontroerd was.

'Goh, dat ik nu iedereen te zien krijg', zei ze, terwijl hij omstandig het papier weg vouwde van de bos bloemen die bij de Seven-Eleven op de hoek was gekocht.

'Maar dit is toch niet de eerste keer?' zei hij verbaasd.

'Jawel', zei ze en ze kneep hard in zijn arm.

Hij belde aan.

Sara deed open. Ze droeg amper zichtbare make-up onder haar groenachtige, gemillimeterde haar, dat deze dag extra piekerig was, en haar eenvoudige, strakke, donkerblauwe jurk had niet de pretentie haar vormen te verhullen. Ze omhelsde hen en heette hen welkom. Het half verwelkte Seven-Elevenboeket werd gelukkig gecompleteerd met een fles maltwhisky.

Ze keek ernaar, knikte en fluisterde tegen Paul: 'Je bent toch niet je plechtige belofte vergeten?'

Paul lachte en schudde zijn hoofd.

Met geen woord reppen over de zaak waar ze nu mee bezig waren.

Hij zou alles doen wat in zijn macht lag om zich aan die belofte te houden. Maar het zou niet makkelijk zijn.

Uit de diepte van het appartement kwam Jorge hen tegemoet. Hij was gekleed in een blauw overhemd en een gloednieuw, beige linnen pak, dat er precies hetzelfde uitzag als zijn oude.

'Nu is het eten verpieterd', zei hij en hij stopte ze allebei een plas Martini Rosso in de hand.

'O jee', zei Cilla terwijl ze haar jas ophing. 'Zijn we te laat?'

'Hé', zei Jorge. 'Je straalt helemaal, Cilla.'

'Straal ik?' zei ze en ze omhelsde hem.

Hij keek naar de fles whisky die Sara aan hem gaf.

'Cragganmore?' zei hij.

'Perfect als je genoeg hebt van excessen', zei Paul.

'Ik zal je het huis laten zien', zei Jorge met een galant uitnodigend gebaar naar het verlate stel. 'Dat je hier nog nooit geweest bent, Paul. Dat noem ik nou sociale armoede.'

Vanuit de smalle gang liepen ze naar binnen door een gordijn van indiaanse knoopkralen.

'Uit Chili', zei Jorge.

Ze namen de geur van in knoflook gedrenkt eten mee de woonkamer in. Even wierp Paul Hjelm een blik in de keuken. Die was groot en oud en zag er gezellig uit. Een houten vloer in een keuken was niet echt gebruikelijk. Pannen pruttelden zachtjes op het gasfornuis.

'Gas', zei hij en hij wees.

'Onovertroffen', zei Jorge. 'Niet stiekem kijken, hoor.'

De vrouwen waren al in de woonkamer. Ze stonden over een groep mensen gebogen die rond een kleine, lage glazen tafel zaten. Iedereen leek een glas met roodachtig vocht in zijn hand te hebben.

Op een na, die had een zuigfles; ze zat op Viggo Norlanders schoot.

Paul maakte een globaal wuivend gebaar en keek snel de woonkamer rond. Die was tamelijk groot en overvloedig en divers gemeubileerd. Weinig open ruimte, wat voor een groot deel kwam door de abnormaal grote, ronde gedekte tafel, die midden in de kamer stond en alle open ruimte innam. Verbazingwekkend veel boeken, en een aantal schilderijen aan de muur, die echt

leken. Het geheel maakte een smaakvolle, maar enigszins chaotische indruk.

Wat overeenkwam met zowel Jorge als Sara.

Enigszins afwezig streek hij over de minimale donkerblonde
krullen van kleine Charlotte. Toen stak hij zijn hand uit naar de
vrouw aan Viggo's zijde. Ze had dezelfde haarkleur als haar
dochter, ze was gekleed in een redelijk ingetogen jurk met roze
bloemen, en je kon zien dat ze de vijftig met rasse schreden naderde.

'Paul', zei hij.

'Astrid', zei ze en ze vervolgde: 'Dus jij bent de beroemde Paul
Hjelm. De meesterspeurder.'

Paul keek verbaasd naar Viggo, die met een onduidelijke blik
zijn schouders ophaalde en een naar adem snakkende Charlotte in
de lucht gooide.

'Gefeliciteerd', zei Paul.

'Waarmee?' vroeg Astrid.

Paul wierp opnieuw een blik naar Viggo, iets bezorgder nu.
Maar het enige wat Viggo deed, was zijn dochter in de lucht
gooien.

'Met jullie gezinsuitbreiding', zei hij.

'O', zei Astrid verbaasd, maar niet boos. 'Natuurlijk. Dank je.'

Hij wendde zich tot Viggo, wees naar kleine Charlotte en zei:
'Je hebt toch wel een heleboel video's van haar gemaakt, hè.'

'Ik heb op haar geoefend', zei Viggo bloedserieus.

Paul liep verder langs de bank. Vanuit zijn ooghoek zag hij
Cilla met Kerstin Holm praten; dat voelde een beetje vreemd.

Een kleine, donkere, zwartgeklede vrouw stak haar hand naar
hem uit en zei: 'Ludmila.'

Hij kon de link niet zo gauw leggen. Hij voelde zich traag en
onhandig. Als een vis op het droge.

'Paul', zei hij en hij klapperde met zijn kieuwen.

Een boekenkast werd opzijgezet en een heel groot lichaam
wrong zich naar buiten.

'Allemachtig, wat een klein wc'tje', zei Gunnar Nyberg en hij kwam naar hen toe. Hij liep recht op Cilla af en begroette haar beleefd als een gepensioneerde officier van de oude stempel.

'Ja', zei Jorge luid. 'Dat is het probleem met dit appartement. We kunnen hier geen wasmachine kwijt.'

Pas bij de aanblik van Gunnar wist Paul haar te plaatsen. Met de hand van de kleine, donkere vrouw nog steeds in de zijne riep hij uit: 'Maar natuurlijk! Ludmila. De docente.'

'Titels zijn belangrijk, inspecteur', zei Ludmila mild ironisch. Hij lachte om zichzelf. Daar slaagde hij redelijk in.

Gunnar Nyberg lachte luid en bulderend. Paul vroeg zich in stilte af wat Cilla gezegd had om deze lach teweeg te brengen. Zelf deed hij dat zelden.

Toen was hij bij de verste hoek van de bank aangekomen. Een oudere vrouw met grijzend haar en markante rimpels rond haar ogen stak met een neutrale gelaatsuitdrukking haar hand uit. Dat was genoeg om de link te leggen. Het ging steeds beter. Hij begon er handigheid in te krijgen.

'Mevrouw Hultin, begrijp ik', zei hij archaïsch.

'Stina', zei de vrouw neutraal.

'Paul', zei hij en hij voegde er ten overvloede aan toe: 'Hjelm.'

Hij had iets met voor- en achternamen. Hij had nog steeds belachelijk veel moeite om Hultin iets anders te noemen dan Hultin. Daarom werd zijn vrouw onvermijdelijk 'mevrouw Hultin'. Al het andere was pure zelfoverwinning. Hij wenste vurig dat hij begreep waarom. Vermoedelijk was het een soort gevoel voor hiërarchie, waaraan hij nooit echt zou kunnen ontsnappen.

Het uur der beproeving was in elk geval daar. Hultin zat helemaal in de hoek weggedrukt met een glas dat zo leeg was dat het leek alsof het leeg gelikt was. Ze begroetten elkaar.

'Jan-Olov', zei Paul met pure zelfoverwinning. 'Je glas is leeg, zie ik.'

'We waren hier drie kwartier geleden al', zei Hultin. 'Ik geloof niet in de uitdrukking die begint met "Hoe later op de avond ...".'

'Ik ook niet', zei Paul. 'En toch kom ik altijd als laatste.'

Toen verscheen Sara in de keukendeur en klapte in haar handen als een ouderwetse gastvrouw.

'Waarde gasten', zei ze met een krachtige, vastberaden stem. 'Jullie kunnen aan tafel. Jorge. Helpen.'

'Altijd maar helpen', zei Jorge en hij maakte zich onwillig los van het gezelschap. 'Ik heb gekookt.'

'Ja, en ik ben de premier van Zweden', zei Sara en ze verdween in de keuken.

De gasten stonden aarzelend op, want weinig mensen willen als eerste bij een lege tafel komen. Vooral als de tafelschikking ontbreekt, wat hier het geval was.

Op weg naar de tafel kwamen Paul, Cilla en Kerstin op een punt samen. Hij omhelsde Kerstin. Cilla stond ernaast en keek naar hen. Het voelde nog steeds een beetje eigenaardig. Hoewel er jaren waren verstreken en de milde deken van de verzoening zich over het landschap van het verleden had uitgespreid. Als je wilde zwelgen in clichés.

'Alles goed, Kerstin?' vroeg hij.

'Ja, hoor', zei ze.

Meer werd er niet gezegd. Gunnar klom op een stoel. Deze spande zich tot het uiterste in om te laten zien dat hij alle denkbare natuurwetten kon weerstaan. En dat lukte. Hij hield het.

De reus op de stoel telde hardop.

'Eén, twee, drie, vier, vijf, zes dames. Zeven met Charlotte meegerekend. Eén, twee, drie, vier, vijf heren. Duidelijk ongelijk.'

'Wij kunnen naast elkaar zitten', zeiden Kerstin en Cilla.

Paul keek hen wantrouwend aan.

'We doen het zo', zei Gunnar, die in zijn pas verworven staat van euforie ook leek te zijn getroffen door leiderschapsmanie. 'Naast mij komt Astrid, dan Jan-Olov, Sara, Paul, Stina, Viggo,

Ludmila, Jorge, Cilla, Kerstin. En Charlotte zit bij … ?'

'Astrid', zei Viggo op hetzelfde moment dat Astrid zei: 'Viggo.'

'Uitstekend', zei Gunnar en hij sprong van de stoel af met de pas verworven bewegingsvrijheid van iemand die veel is afgevallen. 'Dan is dat opgelost.'

Charlotte zou inderdaad het hele diner op Viggo's schoot zitten. Er werd een Chileense stoofschotel geserveerd met een adembenemende hoeveelheid knoflook. De wijn Duca d'Aragona uit 1993 paste perfect bij de hoeveelheid knoflook en werd derhalve in bacchantische hoeveelheden genuttigd.

'Wijnconsumptie is een teken van europeanisatie', zei Ludmila tegen het einde van de maaltijd op een toon die geen ruimte liet voor tegenargumenten.

'Hoe bedoel je?' zei Hultin, die het gezelschap had verrast door verantwoordelijk te zijn voor het leeuwendeel ervan.

Van de wijnconsumptie, dus.

'Toen ik hier kwam wonen,' ging Ludmila verder, 'dronken jullie net als de Russen voornamelijk sterkedrank, zij het wat matiger. Geleidelijk aan zijn jullie op wijn overgegaan. Van brandewijn naar wijn.'

'Wijn is wijn', zei Viggo en hij streek zijn al geruime tijd slapende dochter over haar haren.

Ludmila negeerde hem volkomen.

'In Rusland daarentegen, en eigenlijk in heel Oost-Europa, neemt de consumptie van sterkedrank alleen maar toe. We dreigen een verloren natie te worden.'

'Maar toch niet alleen daardoor?' zei Paul en hij schampte de plechtige belofte. Hij kreeg een paar scheve blikken.

Vrouwenblikken.

'Ik ben er volledig van overtuigd', vervolgde Ludmila, 'dat de toestand van een land gemeten kan worden aan het percentage wijn van de totale alcoholconsumptie. Hoe hoger het percentage, des te hoger het geestelijk welzijn van het land.'

'Er zijn ook verborgen statistieken', zei Gunnar, op wie de wijn absoluut geen effect leek te hebben. 'Ik heb het idee dat Zweden de meeste verborgen statistieken ter wereld heeft.'

'Bedoel je zelfgestookte drank?'

'En illegale drank. Maar vooral zelfgestookte brandewijn.'

'Waarom heet het eigenlijk brandewijn?' vroeg Viggo, die onophoudelijk over het haar van zijn dochter bleef strijken. 'Het is toch helemaal geen wijn?'

Ludmila beroofde de linguïstische geheugenbank en vond een buit: 'Het woord is in de Middeleeuwen naar Zweden gekomen. Toen heette het *brännevin*, van het Laagduitse *bernewin*, dat gebrande, dat wil zeggen gedistilleerde, wijn betekent. In het Nederlands heet het brandewijn, wat langzamerhand *brandy* werd.'

Paul zag Gunnar geïmponeerd naar zijn vriendin kijken. Na al die jaren bleek zij dus het soort vrouw te zijn waarop hij viel.

'Maar dat is toch geen antwoord', hield Viggo stug vol. 'Hier komen we geen steek mee verder. Waarom noemden ze het wijn terwijl het sterkedrank was?'

'Omdat het Zweedse woord voor sterkedrank, *sprit*, toen nog niet bestond', zei Ludmila. 'Dat is pas aan het eind van de achttiende eeuw naar Zweden gekomen. Niet uit het Duits, maar uit het Frans. Het stamt direct af van het Franse woord *esprit*, geest dus.'

'Dus wijn betekende sprit en sprit betekende geen shit', rijmde Viggo onverwacht agressief.

'Taal verandert voortdurend, Viggo', zei Ludmila kalm.

'En ik wil niet dat je tegen mijn vriendin schreeuwt', zei Gunnar even kalm.

Niet het feit dat de Gustav Vasakerk in de verte negen zware slagen sloeg maakte een einde aan de enigszins verzuurde discussie, maar het feit dat Jorge ineens een laptop midden op de tafel zette.

Wel weerklonken de negen slagen in Pauls bewustzijn. Bij elke slag werd zijn besef even abrupt als absurd vergroot. Uiteindelijk was het zo compleet en zo overweldigend dat hij een heel glas Duca d'Aragona achterover moest slaan om de plechtige belofte niet te breken.

Jorge bevestigde een apparaatje dat op een kleine zaklamp leek aan de bovenkant van het opengeklapte beeldscherm. Toen draaide hij de hele computer naar zich toe, ging zitten en riep de mensen tot zich.

'Alle mensen, verzamelen!'

De mensen stonden onwillig en langzaam op. Hultin maakte een paar charmante misstappen, met een scheef lachje. Zijn vrouw Stina hield hem overeind en zei neutraal: 'Wijn schijnt een beroerte te kunnen voorkomen. Ik zet daar echter mijn vraagtekens bij.'

Gunnar liet zijn voormalige reuzenlichaam achter Ludmila's stoel zakken en streelde haar zachtjes in haar nek. Kerstin leunde zijdelings over Cilla heen, die hard lachte; volgens Paul zonder enkele reden. Astrid liep naar Viggo en klopte hem liefdevol op zijn kruin; zelf deed hij niets anders dan het dunne haar van zijn slapende dochter strelen. Paul kwam aangeslenterd en ging helemaal achteraan staan. Sara liep naar hem toe en sloeg een arm om hem heen. Hij merkte het amper.

Het scherm knetterde even en een eigenaardige gestalte verscheen.

'Hallo, loonslaven', zei de eigenaardige gestalte.

'Allemachtig!' riep Viggo uit. 'Fin der Finnen.'

'Arto', zei Jorge en heel eventjes leek hij broodnuchter. 'Hoe gaat het met je? We hebben hier een inwijdingsfeestje.'

'Dat heb ik begrepen', zei het ietwat springerige evenbeeld van Arto Söderstedt. 'Ik ben net begonnen me te onthouden van mijn dagelijkse portie Vin Santo. Vandaag. Na drie glazen wijn ben ik tot dit drastische besluit gekomen.'

Een klonk geroezemoes in de driekamerwoning in Birkagatan. Met een autoritair 'sst' maande Jorge de anderen tot stilte.

'Hoe gaat het met je?' herhaalde hij.

'Uitstekend, dank je', zei Arto. 'Ware het niet dat ik op reis moet. Worden mensen vaak beroofd in Oekraïne?'

'Jij hebt de plechtige belofte toch ook afgelegd?'

'Inderdaad, ja. Sorry. Nee, zoals ik zei, het gaat goed. Behalve dat mijn dochter haar maagdelijkheid heeft verloren, dat ik een nakomertje krijg en dat er oeroude wraakgodinnen gehurkt tussen de basilicumplanten zitten.'

Kerstin en Sara schraapten luidruchtig hun keel. Het evenbeeld van Söderstedt legde zijn hand voor zijn mond en sloeg een kruis.

'Het spijt me', zei hij. *'Slip of the tongue.'*

'Een nakomertje?' riep Viggo. 'Potverdomme, ouwe bok. Wij krijgen ook een kind.'

'Over ouwe bokken gesproken', zei Arto. 'Leuk voor je, gefeliciteerd. Genoeg oppas bovendien.'

'Alles goed met vrouw en kinderen?' vroeg Jorge.

'Ja, hoor', zei Söderstedt. 'We hadden een uur geleden een Heimlichincidentje, maar verder gaat het prima. Laat eens wat van je flat zien.'

Jorge haalde het cameraatje van het beeldscherm en draaide het een paar keer rond.

'Jeetje', zei Arto. 'Wat groen, dat haar.'

'Elke zondag twintig baantjes', zei Sara laconiek.

'Maar morgen valt nog te bezien', zei Jorge.

'Het ziet er prachtig uit. Is de kinderkamer al klaar?'

'Dat gezeur over kinderen', zei Jorge.

Sara zei: 'Binnenkort.'

Van het onderwerp werd snel en zonder verdere incidenten afgestapt. Alle aanwezigen namen om de beurt persoonlijk afscheid van Arto. Anja verscheen een tel in beeld en zei sceptisch: 'Het wonder der techniek.'

Op dat moment veranderde het beeld in allemaal eigenaardige, veelkleurige vierkantjes, waardoor het beeldscherm op een kerkraam leek.

Dat vond Paul althans. De kerkklokken echoden nog steeds in zijn hoofd.

Hij was bezig uit elkaar te spatten.

Het bacchantische gezelschap verplaatste zich daarna enigszins instabiel terug naar de bank en stoelen bij de Indiase glazen tafel.

Paul bleef bij de boekenkast staan. Heel even zakte het gebeier van de kerkklokken en kwam er iets anders voor in de plaats. Hij trok een boek uit de boekenkast. Het heette *De lange leegte*. En de schrijver heette Ellroy.

Jorge stond een sigaret te roken, ongeroutineerd als een schoolmeisje. Hij lachte en wees: 'Daar heb je veelvraten. James Ellroy.'

'Alleen zijn het geen veelvraten', zei Kerstin, die even ongeroutineerd rookte, terwijl er ook nog een portie mondtabak onder haar lip zat.

'"Wolverine Blues"', zei Jorge en hij gaf Sara een natte, rokerige zoen.

Een fles pas gekregen Cragganmore werd opengetrokken, en de asymmetrische golven van de gesprekken spoelden door de kleine driekamerflat, tot er uit onzichtbare luidsprekers salsamuziek begon te stromen en aritmisch gestamp het plafond van de buren begon te teisteren. Hultin en Stina dansten de wals op de salsamuziek. Ze leken op twee aangeschoten lemmingen op weg naar de rand van de afgrond. Jorge vroeg Cilla elegant ten dans en zwierde met professionele danspassen door de kamer. In een paar minuten veranderde ze van een blond aanhangsel in een donkere, mysterieuze Zuid-Amerikaanse danskoningin. Vermoedelijk dankzij het gedempte licht. Gunnar en Ludmila stonden te schuifelen. Het zag er levensgevaarlijk uit. Een kat in de klauwen van een grizzlybeer. Een zuigvis op een haai. Een lam in de greep van een anaconda. Viggo en Astrid gaven Charlotte met tegenzin aan Sara, die haar met lange, smachtende halen streelde, en begaven zich als een middelmatig volksdanspaar op de dansvloer.

Alleen Paul en Kerstin bleven onbeholpen staan en bekeken het spektakel van een afstand.

Ineens kreeg hij een visioen van onzekere danspassen boven een afgrond van een beschaving die zijn einde naderde; hij zag de gedaanten als lege schalen zonder historisch besef, die als marionetten hun vreugdesprongen maakten boven een diepte die ze nooit zouden bereiken, tenzij de poppenspeler de draden zou loslaten en ze slap de afgrond in zouden tuimelen. En dan was het te laat.

Het duurde maar heel even, en eigenlijk leverde het niet veel op. Afstand is slechts lafheid, dacht hij verward, hij pakte Kerstins hand en voerde haar mee de dansvloer op, en ze liet zich meevoeren. Maar eigenlijk was zij het die hem meevoerde terwijl hij zich verbeeldde dat hij haar meevoerde. Toen hij zijn wang in haar warrige, donkere haren begroef en geuren rook die hij jaren niet had geroken, vervlogen de inwendige en koppige kerkklokken, en toen hij zijn oor tegen de dunne, heel dunne schedel bij haar linkerslaap legde, had hij het idee dat hij in direct contact met haar gedachten stond. Het kon erger.

Hoe hij de taxi in was gekomen, wist hij niet. Maar hij zat er in en Cilla's blonde haar lag uitgespreid over zijn schouder en hij hoorde haar zeggen: 'Ik weet dat jullie een verhouding hebben gehad.'

Eigenlijk zou hij nu van slag moeten zijn geweest. Dat gebeurde niet. Hij streelde zachtjes over haar haren en zweeg. 'Het is goed', zei Cilla. 'Het is langgeleden, ik weet het.'

'Heeft ze het verteld?'

'Ze heeft veel verteld. Ik mag Kerstin wel.'

'Wist je het al?'

'Ik had mijn vermoedens. Maar ik wist ook dat het voorbij was.'

'Heb je het aan haar gevraagd?'

'Nee. Ze zei het zelf. Het lijkt alsof ze wil afrekenen met het verleden. De gaten in de tijd dichten, zoals ze het noemde.'

Paul glimlachte zowaar. Hij had waarschijnlijk al eerder met haar gedachten in contact gestaan. Misschien waren het de gedachten van Kerstin die hij dacht. Misschien dat ze daarom haar slaap had laten verdunnen. Zodat verstandige gedachten hem makkelijker zouden kunnen bereiken.

Cilla ging verder: 'Het is goed, Paul. Ik heb ook een verhouding gehad. Toen.'

En nu dan? dacht hij. Zou ik dan nu niet van slag moeten raken?

'Toen we uit elkaar waren?' vroeg hij alleen maar.

Om duidelijkheid te krijgen.

'Ja, dat ene voorjaar; wanneer was dat ook alweer. Het heeft even kort geduurd als jullie affaire. Maar vreemd genoeg zou ik het niet ongedaan willen maken.'

'Ik ook niet', zei Paul.

'Heb je niet gemerkt dat er iets met haar aan de hand is?'

'Met Kerstin? Nee, niet echt.'

'Ze vertelde dat ze een crisis doormaakte. Een metamorfose, noemde ze het. Ze kan het nog niet voor zichzelf toegeven, zei ze.'

'Heeft ze het uitgelegd?'

'Niet echt. Maar volgens mij is ze gelovig aan het worden.'

Ze zwegen. Wat nou direct contact, dacht Paul en hij voelde het leven van alledag de taxi in stromen.

Gelovig?

Toen ze in bed lagen en veel te moe en uitgeput waren om datgene te doen wat ze in de taxi van plan waren geweest, hoorde Paul de inwendige kerkklokken weer. Vlak voordat hij insliep, bedacht hij dat hij verlost was van zijn zwijgplicht. De tijd van de plechtige belofte was ten einde.

Hij vertelde het aan Cilla. Dat ze lag te slapen en te snurken maakte niet uit. Het ging erom dat hij niet uit elkaar zou spatten.

Vermoedelijk sliep ze toen hij zei: 'Er was helemaal geen kerk in Buchenwald.'

32

Aangezien we op humanitaire gronden de zondag in stilte voorbij moeten laten gaan, maken we een tijdsprong naar de maandag.

Maandag 15 mei.

Maandagochtenden kunnen er heel verschillend uitzien. Voor sommigen is het een pure vreugde om weer naar hun werk te kunnen gaan, na een lang en saai weekend in eenzaamheid of echtelijke misère. Voor anderen betekent het een onmetelijk lijden om zich langzaam en met moeite uit bed te werken met een volkomen zinloze, creativiteitsdodende week in het vooruitzicht. Ook zijn er mensen voor wie het een kwelling is om te bedenken dat anderen nu naar hun werk gaan, de gelukkigen die überhaupt werk hebben om naartoe te gaan.

En dan is er nog een categorie. De goed bedeelden, die hoewel het weekend buitengewoon geslaagd was, met een kinderlijke verwachting uitkijken naar hun werk.

Een van de laatstgenoemden heette Paul Hjelm.

Hij boog zich weer over het dagboek van Leonard Sheinkman van die verschrikkelijke week in 1945. Het lag nog op het politiebureau, en als dat niet het geval was geweest, hadden we de zondag niet in stilte voorbij kunnen laten gaan.

Hij ontdekte namelijk nogal wat.

Het begon traag. Alhoewel, 'traag' is niet het juiste woord. Het begon met zelfverachting.

Hij voelde zich een verkrachter.

De tien vergeelde bladzijden van het dagboek lagen uitgespreid op zijn bureau. De plaatsen waar het potlood het papier had beroerd, vormden een schrift. Dit schrift was niet alleen opgeslagen informatie over een objectief reconstrueerbare gebeurtenis in het verleden. Het waren woorden die op de rand van de dood waren geschreven, en deze woorden hadden in hem weerklonken en hem in een afgrond geworpen. Hij had gehuild om deze woorden, een gehuil dat uit het diepste van zijn ziel kwam. Deze woorden hadden een periode en een gebeurtenis teruggeroepen die bezig was te vervagen. Ze voelden op de een of andere manier heilig.

Deze tekst lag nu voor hem, bezoedeld als een verkrachtingsslachtoffer, en hij zou hem te lijf gaan met het hele arsenaal aan rationele structuren waaruit de vooruitstrevende westerse maatschappij was opgebouwd: logica, analytische scherpte, stringente penetratie.

Hij zou de tekst simpelweg verkrachten.

Zoals het een goede Europese, blanke, heteroseksuele man van middelbare leeftijd betaamde.

Maar als hij niets zou doen en de tekst onaangeroerd in zijn cocon zou laten zitten, zou hij zijn ogen voor de waarheid sluiten, zich onthouden van kennis, een mythische, ongewijzigde toestand van angst accepteren, terugtreden in een donker tijdperk en het pad effenen voor duistere, onmenselijke krachten.

Was er niet een manier om nuchter en scherp te analyseren en tóch – of juist daardóór – het verontrustende mysterie levend houden?

Dat leek hem de cruciale vraag. En niet alleen wat betreft het dagboek van Leonard Sheinkman, ook niet alleen wat betreft deze zaak in zijn totaliteit, zelfs niet alleen wat betreft zijn werk in zijn totaliteit, maar ook wat betreft de samenleving in zijn totaliteit.

Wat had Kerstin ontdekt?

Had ze ontdekt dat we zonder het mysterie slechts lege schalen zijn?

Op dat moment overwon Paul Hjelm zichzelf (zoals men pleegt te zeggen als de dingen weer op de oude voet verdergaan) en hij boog zich over de tekst. Met behulp van logica, analytische scherpte en stringente penetratie verdiepte hij zich in het dagboek van Leonard Sheinkman over een levensbepalende week in februari 1945, niet lang voor het einde van de oorlog.

Leonard Sheinkman had níét in Buchenwald gezeten, het grootste concentratiekamp van Duitsland, dat in juli 1937 werd opgetrokken, zeven kilometer bij de culturele stad Weimar vandaan, op een eenzame heuvel met de naam Ettersberg. Daar stond zeker geen kerk voor het raam.

Er waren twee mogelijkheden: óf de kerk was slechts een symbool, een symbool om 'de tijd te zien', waar Sheinkman het voortdurend over had, of hij bestond echt, terwijl hij tegelíjkertijd een symbool was om 'de tijd te zien'. Wat voor de tweede mogelijkheid sprak, was het feit dat de kerk zo gedetailleerd werd beschreven in combinatie met de bombardementen van de geallieerden, die in februari 1945 inderdaad werden geïntensifieerd.

Alles wees erop dat Sheinkman zich in een stad bevond, niet op een eenzame heuvel.

Waarom had hij zijn hele leven dan beweerd dat hij in Buchenwald had gezeten? Waarom had hij zijn kinderen verteld dat hij in Buchenwald had gezeten?

Ook wat dat betreft waren er twee mogelijkheden: óf datgene wat hij in deze stad had moeten ondergaan, was zo huiveringwekkend geweest dat zelfs het nachtmerrieachtige Buchenwald een aangenamer en beter hanteerbaar alternatief leek, óf … hij had iets te verbergen.

Dit laatste liet Paul Hjelm even rusten. Ook liet hij de stad rusten, die op dit moment niet identificeerbaar leek. In plaats daarvan dacht hij na over de plaats zelf.

Het gaat duidelijk om een instelling. De gevangenen zitten in een soort cel. Er is een lijst, en als je boven aan deze lijst staat, moet je iets afschuwelijks ondergaan. Met als gevolg dat je persoonlijkheid op de een of andere manier kwijtraakt. Dat gebeurt immers met zijn vriend Erwin. 'Als ik hem aanspreek, is hij er niet. Hij is een lege schaal. Op de plek waar het binnenste uit zijn hersenen is gestroomd, zit een klein, onschuldig gaasje.' Dit gaasje komt later weer terug. 'De gaasjes op de geleegde schedels lichten op als boordlantaarns.' En: 'Straks zit er ook zo'n gaasje in mijn slaap.'

Slaap, dacht Paul Hjelm en hij sloot zijn ogen.

Natuurlijk.

Een dunne wand scheidde Paul Hjelm van Kerstin Holm. Aan de andere kant van deze wand was een gesprek gaande met Europa. Om precies te zijn met professor Ernst Herschel van het Instituut Geschiedenis van de universiteit van Jena.

Hij was niet toeschietelijk.

Een zogeheten uitdaging.

'Ik had het nooit tegen Josef moeten zeggen', zei hij in academisch Engels. Niet accentloos, maar grammaticaal vlekkeloos.

'Josef?' vroeg Kerstin Holm.

'Josef Benziger uit Weimar. Hij heeft een tijdje bij me gestudeerd. Zeer veelbelovend. Ik snap niet waarom hij politieman is geworden.'

'In welke context hebt u het tegen Josef gezegd?'

'Toen we een keer samen een biertje dronken, verweet ik hem dat hij niet verder was gegaan als onderzoeker. Toen ben ik zo slordig geweest om mijn nieuwe onderzoeksproject te noemen. Voornamelijk om te laten zien welke krenten uit de pap hij was misgelopen.'

'U hebt het over uw nieuwe onderzoeksproject?'

Stilte in Jena. Kerstin ging verder: 'Wat houdt u tegen om over dit nieuwe project te praten?'

'Verschillende redenen, Frau Holm.'

'Fräulein', zei Kerstin Holm jeugdig.

'Het is een erg delicaat onderwerp, Fräulein Holm. Ik hoop dat mijn onderzoeksteam binnen een paar jaar zover is dat het zijn resultaten kan publiceren. Op dit moment bevindt het project zich in een wetenschappelijk onbevredigend stadium.'

Academische territoria, dacht Kerstin Holm. Ze moest haar woorden op een goudschaaltje wegen. Vermoedelijk hing er een goed betaald gasthoogleraarschap in Amerika in de lucht, dat de hoogleraar niet bereid was op te offeren.

Zelfs niet door mee te werken aan een internationaal moord-onderzoek.

Ze kon hem dwingen. Ze kon zwaar geschut inzetten en hem met een gerechtelijk bevel dwingen te praten. Maar dat zou én te veel tijd kosten, én er zouden veel belangrijke zaken, dingen die je alleen in vertrouwen vertelt, verloren gaan. Ze moest hem een beetje paaien.

'We gaan echt geen wetenschappelijke resultaten prijsgeven', zei ze.

Professor Ernst Herschel lachte even.

'Maar Fräulein Holm', zei hij. 'We zijn allebei ambtenaar. We weten hoe weinig we verdienen vergeleken met een willekeurige loopjongen in het bedrijfsleven. Het is op dit moment erg on-eerlijk verdeeld in de wereld, en ik zou het u niet eens verwijten als u mijn informatie voor honderdduizenden D-mark aan *Bild Zeitung* zou verkopen. Maar we weten allebei dat de overheid zo lek is als een mandje. Alles wat de politie weet, is binnen een paar uur bij de pers bekend.'

'U hebt helemaal gelijk', zei Kerstin Holm. 'Hoe gaan we dit dan oplossen? Hebt u een idee?'

Opnieuw een stilte in Jena. Maar deze keer voelde die anders. Een denkende stilte.

'Er is nog iets', zei Herschel. 'Ik weet dat u denkt dat het hier alleen om academische territoria gaat. Dat kan ik aan uw stem horen. Maar er is een belangrijker aspect. Bent u weleens in de bunker van Hitler in Berlijn geweest?'

'Nee', zei Kerstin Holm.

'Dat geldt voor veel mensen. En dat is ook de bedoeling. Deze bunker mag onder geen beding een pelgrimsoord voor het op-rukkende neonazisme worden. De geschiedenis en de weten-schappelijke waarheid moeten afgewogen worden tegen de prak-tijk. Dat is een pragmatische kwestie. Waar is de democratie het meest bij gebaat? De waarheid of de stilte?'

'Dus we hebben het nu over een mogelijk nieuw pelgrimsoord voor neonazi's?'

'Ja', zei Ernst Herschel.

'Ik begrijp het', zei Kerstin Holm.

Het was even stil. Herschel dacht aan het snel oprukkende neonazisme in de niet democratisch geschoolde voormalige DDR. Holm dacht aan de Erinyen. Ze vroeg zich af of haar beeld van hen niet bezig was te veranderen. Uiteindelijk zei ze: 'Ik begrijp uw bezorgdheid echt, professor Herschel. U maakt zich volkomen terecht zorgen om de toekomst. Maar de toekomst moet ook afgewogen worden tegen het heden. En uw zwijgplicht moet afgewogen worden tegen de mijne. Ik zal u iets uiterst vertrouwelijks vertellen.'

Opnieuw een stilte in Jena. Een nieuw soort. Een luisterende stilte.

Kerstin Holm vervolgde: 'Ik werk momenteel samen met verschillende Europese landen in het kader van een gemeenschappelijk onderzoek. Tot nu toe zijn er in Zweden, Hongarije, Slovenië, Engeland, Italië en Duitsland in ruim een jaar tijd zeven mensen vermoord. Allemaal zijn ze ondersteboven opgehangen aan een touw, waarna er met een speciale, harde naald via hun slaap in het pijncentrum van de hersenschors is gewroet.'

Opnieuw een stilte in Jena. Langzaam accepterend, langzaam steeds bereidwilliger.

'Ik begrijp het', zei Ernst Herschel ten slotte. 'De toekomst is al aangebroken.'

'Zo zou je het wel kunnen formuleren.'

'Wie zitten erachter?'

'Dat weten we niet, maar we noemen ze Erinyen.'

Opnieuw een stilte in Jena. Een voorbereidende stilte. Toen barstte hij los: 'Weimar was een gevallen DDR-grootheid toen de muur viel', begon de professor. 'Tien jaar later was de stad – die zestigduizend inwoners telt – de culturele hoofdstad van Europa. In deze stad hebben Cranach, Bach, Goethe, Schiller, Herder, Wieland, Liszt, Nietzsche, Strauss, Böcklin en de Bauhausarchitecten gewerkt. In deze stad werd de eerste Duitse democratie gesticht. In deze stad werd de allereerste partijbijeenkomst van de nazi's gehouden. In deze stad werd de Hitlerjugend opgericht. In deze stad werd Buchenwald gebouwd, eerst het grootste concentratiekamp van nazi-Duitsland en vervolgens dat van de Sovjetunie. In deze stad heeft het beste en het slechtste van de Europese cultuur plaatsgevonden.'

De hoogleraar pauzeerde even en ging toen verder: 'Een paar jaar na de val van de muur werd er een vervallen en vergrendeld gebouw geopend aan de rand van het centrum van Weimar, niet ver van het Weimarhallenpark. Sinds de oorlog was het gebouw niet open geweest. In de kelder trof men de restanten aan van een medisch onderzoekscentrum, dat duidelijk in allerijl was verlaten. Men had zo goed mogelijk getracht alle sporen uit te wissen. De archieven lagen in stukken gescheurd en deels verbrand in de kelder. Er waren cellen met heel dikke ramen en een aantal geluiddichte onderzoeksruimtes in het midden. Ik werd er onmiddellijk bij gehaald en heb ervoor gezorgd dat er geen woord naar de media lekte. Ik heb een kleine kring onderzoekers om me heen verzameld, met wie ik elke vierkante meter van het gebouw minutieus heb onderzocht. Dat heeft een paar jaar geduurd. Nu zijn we bezig de resultaten te verwerken. Het gebouw is een paar jaar geleden volledig gerenoveerd.'

'En wat was het voor centrum?' vroeg Kerstin Holm ademloos.

'Het werd het Pijncentrum genoemd', zei Ernst Herschel.

Aan de andere kant van de wand las Paul Hjelm in het dagboek van Leonard Sheinkman.

Het werd steeds duidelijker.

De mensen zaten te wachten om een experiment te ondergaan waarbij hun ziel werd geleegd door een klein gaatje in de slaap, waarbij een gaasje volstond om de wond te bedekken.

'Erwin is gestorven van pijn.'

Tegelijkertijd vallen buiten de bommen van de geallieerden. Leonard Sheinkman komt steeds hoger op de lijst te staan. Uiteindelijk staat hij bovenaan. Het dagboek stopt op het moment dat hij weggevoerd moet worden. In plaats daarvan wordt hij bevrijd. Gered door de bel. Hij emigreert naar Zweden en wist zijn afschuwelijke verleden uit.

Er worden twee belangrijke dingen genoemd, dacht Paul Hjelm met vlijmscherpe westerse logica. De kerk en de kwelgeesten.

Er lijken drie kwelgeesten te zijn. Op 19 februari schrijft Sheinkman over hen. Ze zijn enigszins verschillend van karakter, zo blijkt. 'Ik weet geen namen. Ze noemen hun naam niet. Het zijn drie anonieme moordenaars. Maar ze lijken niet op elkaar. Zelfs moordenaars lijken niet op elkaar.'

Met een van hen krijgt Sheinkman contact. 'De aardigste. Hij is minder Duits dan ik en heel blond. En hij kijkt heel verdrietig. Hij doodt mensen met verdriet in zijn ogen.' De eerste.

Dan gaat hij verder: 'Dat doen de andere twee niet. Een doodt uit interesse. Hij is niet wreed, slechts koud. Hij kijkt, observeert, noteert.' De tweede.

En dan is er nog een derde. 'Maar degene met de kleine, paarse moedervlek in zijn hals in de vorm van een ruit, die is wreed. Hij wil doden. Ik heb die blik eerder gezien. Hij wil dat je lijdt. Daarna moet je sterven. Dan is hij tevreden.'

Paul Hjelm ordende en schreef.

'Kwelgeest 1: heel blond, niet Duits, verdrietig.

Kwelgeest 2: ijskoud, toegewijde wetenschapper.

Kwelgeest 3: wreed, sadistisch, ruitvormige, paarse moedervlek in zijn hals.'

Meer kon hij er niet van maken.

Dan de kerk. De stad. Waar werden de vrouw en het kind van Leonard Sheinkman omgebracht? Dat is een kamp. 'Ze werden naar de executieplaats gebracht om doodgeschoten te worden.' Dat is naar alle waarschijnlijkheid in Buchenwald. Daarna werd hij verplaatst. 'En ik ben hier terechtgekomen.'

Hij vertelt zijn kinderen dat hij in Buchenwald heeft gezeten.

Als hij naar een plek in de buurt is gebracht, is het heel goed mogelijk dat hij nog steeds denkt dat hij in Buchenwald is. Een dependance van Buchenwald.

In Weimar dus.

De kerk. 18 februari. Die eigenaardige beschrijving van het concrete uiterlijk van de tijd. 'De tijd heeft een witte basis. Deze witte basis is vierkant. Dan komt het zwarte. Het zwarte bestaat uit drie delen. Het onderste zwarte deel is zeshoekig. Op drie van de zes zijvlakken zitten, om en om, twee ramen boven elkaar. Het onderste is iets groter dan het bovenste. En vlak boven het bovenste raam zit het volgende deel, het middenstuk. Dat is even zwart en heeft de vorm van een ronde hoed. Daar bevindt zich de klok. Uiteindelijk komt de spits. De spits is ook zwart, en naaldscherp.'

Paul Hjelm zocht op internet naar 'Weimar'. Het klopte inderdaad dat er in februari 1945 bommen van de geallieerden op Weimar waren gevallen. Hij vond een overzicht van de kerken van de stad. Er waren foto's van.

De dom, de Stadtkirche, was een groot gebouw dat tijdens de oorlog was verwoest, maar die was het niet. Geen enkel detail klopte. De tweede grote kerk van de stad lag iets noordelijker. Die heette de Jakobskirche. Het was een witte kerk met een zwarte toren die uit drie segmenten bestond, het onderste was zeshoekig, en de zijvlakken werden om en om gesierd door twee ramen boven elkaar, het onderste iets groter dan het bovenste. Het segment daarboven had de vorm van een ronde hoed, waar de klok zat. Helemaal bovenaan zat de spits, die naaldscherp was.

Er was geen twijfel mogelijk.

Leonard Sheinkman had de Jakobskirche in Weimar door zijn raam gezien en die met de tijd zelf geïdentificeerd.

Aan de andere kant van de dunne wand ging het gesprek tussen Kerstin Holm en Ernst Herschel verder; het werd steeds vruchtbaarder en steeds afschuwelijker.

'Pijncentrum?' vroeg ze.

'Het heette het Pijncentrum, zei hij. 'Ze experimenteerden met het pijncentrum in de hersenen. De hersenschors. Het doel was een zo groot mogelijke pijnsensatie bij het onderzoeksobject teweegbrengen. Door de experimenten ontwikkelde de procedure zich geleidelijk aan. Alles wees erop dat het begonnen is met eenvoudige pijntesten in Buchenwald. De resultaten waren zo veelbelovend dat er een dependance kwam, vermoedelijk op direct bevel van Himmler zelf. Hier kwamen de experimenten serieus op gang. Langzamerhand ontdekten ze dat een verhoogde bloedtoevoer naar de hersenen de pijn hielp verergeren, waarna de onderzoeksobjecten ondersteboven werden opgehangen. Door experimenten werd de lange naald ontwikkeld. Het lijkt erop dat ze vlak bij een doorbraak waren toen de Amerikaanse troepen Weimar binnendrongen. Het archief houdt eind maart abrupt op. De Amerikanen kwamen begin april. Waarschijnlijk hadden ze aanwijzingen dat het einde nabij was, waarop ze hun spullen hebben gepakt en in het niets zijn opgelost. Niemand is er ooit verantwoordelijk voor gesteld. Het bestaan van het centrum werd zelfs pas bekend toen we de deuren openden. Alle andere sporen zijn uitgewist.'

'Zijn de verantwoordelijken bekend?' vroeg Kerstin Holm en ze herkende haar eigen, normaliter zo welklinkende altstem niet.

'Niet allemaal', zei Ernst Herschel. 'Wat we weten hebben we gemeld bij het Joods Documentatie Centrum in Wenen. Het Simon Wiesenthal Centrum, zoals u weet.'

'Ja', zei Kerstin met dezelfde merkwaardige, krassende stem. 'En wat weet u?'

'Dat er drie verantwoordelijke officiers waren en een paar wachtsoldaten. Allemaal ss'ers.'

'Namen?'

'Slechts twee van de drie, helaas.'

'Welke namen hebt u?'

'Laat ik eerst de hiërarchie uitleggen. Twee van de drie waren arts. ss-artsen, als u de reikwijdte van een dergelijke aanduiding begrijpt. Artsen ... en officiers natuurlijk. De derde was geen arts. Hij was de baas. Het hele Pijncentrum kwam uit zijn koker. Zijn naam was Hans von Heiberg. Hij had er uiteraard voor gezorgd dat al het materiaal over hem werd verbrand, en voor zijn bestaan is er in andere oorlogsarchieven slechts sporadisch bewijs. Na de oorlog is er geen spoor meer van hem gevonden. We hadden hem sowieso niet gekend, niet geweten wie de baas was van het centrum, als hij niet door een van de artsen was behandeld voor een aandoening. Hij had een bloedende moedervlek en was bang dat hij huidkanker had. Dat was in augustus 1944. Die vrees werd door de arts afgedaan als "chronische hypochondrie".'

'Een moedervlek?'

'Een moedervlek in zijn hals. Naar verluidt had deze de vorm van een ruit. Dat is het enige wat we van het uiterlijk van Hans von Heilberg weten.'

'En de artsen?'

'Over de ene weten we erg weinig. Die had ervoor gezorgd dat alle schriftelijke sporen van hem werden gewist. Maar één foto had hij vreemd genoeg over het hoofd gezien. Van hem hebben we dus een foto. Dat is de enige foto die we hebben.'

'En de tweede?'

'Hier heb ik met opzet mee gewacht, en ik weet dat u dat ge-merkt hebt, Fräulein Holm. Hij vormt een probleem voor u. Voor uw hele neutrale land. De tweede ss-arts was namelijk een Zweed.'

'Een Zweed?'

'Over hem hebben we de meeste informatie. Hij heeft zijn sporen niet zo grondig uitgewist als de andere twee. Misschien vermoedde hij dat hij het niet zou overleven. Misschien interes-seerde het hem niet. Hij heette Anton Eriksson.'

'Goeie genade', zei Kerstin.

'Ik weet dat u eindelijk uw nationale erfgoed van de Tweede Wereldoorlog onder ogen begint te zien, Fräulein Holm. Uw land heeft wat kanonnenvoer gevonden bij de Waffen-ss en dergelijke.

Maar op een Zweedse ss'er van dit kaliber bent u vast nog niet eerder gestuit. Dat was ook een van de redenen van mijn aanvankelijke tegenzin. Ik vroeg me af of ik de kwestie niet eerst op een hoger niveau moest aankaarten. Maar nu ligt het op tafel. Doe ermee wat u wilt.'

'Dat zal ik doen', zei Kerstin Holm.

'Ik zal het materiaal faxen', zei Herschel.

Ze ontmoetten elkaar ter hoogte van de dunne wand die hun kamers scheidde. Allebei wezen ze naar de ander.

'Weimar', zeiden ze in koor.

Toen gingen Paul Hjelm en Kerstin Holm de kamer van Holm binnen. Ze brachten elkaar snel op de hoogte van de vooruitgang die ze afzonderlijk hadden geboekt. Toen bekeken ze een fax die net was uitgespuwd. Die ging over Anton Eriksson. En er zat een heel wazige, bijna volledig zwarte foto van de derde man bij.

'Drie mannen', zei Paul Hjelm. 'Kwelgeest 3 zou geïdentificeerd zijn. "Wreed, sadistisch, ruitvormige, paarse moedervlek in zijn hals." Hans von Heilberg. De baas zelf.'

'Deze foto zegt natuurlijk niet zoveel', zei Kerstin Holm. 'Maar je samenvatting van Kwelgeest 1 klinkt als een mogelijke Zweedse Anton Eriksson: "Heel blond, niet Duits, verdrietig." Dat juist deze verdrietige man zijn sporen niet heeft uitgewist, klinkt aannemelijk. Hij zal wel verteerd zijn geweest door zijn geweten.'

'Moeten we er dan van uitgaan dat Kwelgeest 2, de ijskoude wetenschapper, de niet-geïdentificeerde man op de foto is? Het feit dat hij alle andere sporen heeft uitgewist, wijst toch op een zekere kille rationaliteit?'

Ze zaten een tijdje na te denken, ieder voor zich. Toch waren hun gedachten één. Alsof er geen bot of kraakbeen was dat hun hersenen van elkaar scheidde.

'Wat gebeurt er allemaal?' zei Paul Hjelm ten slotte. 'Hoe zijn de Erinyen op de hoogte geraakt van deze executiemethode? Waarom hebben ze juist deze methode gebruikt om de pooiers te liquideren? En wat heeft Leonard Sheinkman er verdorie mee te maken? Hij had geëxecuteerd moeten worden. Hij stond boven aan de lijst. Hij heeft het overleefd. Hoe heeft hij het overleefd?'

Kerstin ging verder: 'En waarom heeft hij dit nooit verteld? Als hij de wereld had verteld over dit verschrikkelijke rotcentrum hadden ze alle drie gevangengezet kunnen worden. Of dan hadden ze in elk geval direct na de oorlog opgespoord kunnen worden. Maar in plaats daarvan heeft hij het een halve eeuw voor zich gehouden.'

'Hij heeft de bladzijden van zijn levensboek omgeslagen', zei Paul. 'Hij heeft zijn verleden uitgewist. Hij wilde er niks meer van weten. Hij heeft het verwijderd. Als een tumor.'

'Dan moeten ze het van Herschel hebben gehoord', zei Kerstin en ze stond op.

'Wie?'

'De Erinyen kunnen maar één bron hebben gehad die wist van het ondersteboven ophangen en die naald in de hersenen, en dat is het onderzoeksteam in Weimar.'

'Ga bellen om te vragen wie ervan wisten. Iedereen. Wie is er als eerste het gebouw binnengekomen? Wie heeft hij het verteld? Hoe is de informatie bij Herschel terechtgekomen? Hoe is hij te werk gegaan toen hij zijn team samenstelde? Wie zaten erin? Wat was er nog meer voor personeel? Hoe is het huis gerenoveerd?'

'Je hebt gelijk', zei Kerstin en ze nam de hoorn van de haak.

'En ook niet', zei Paul. 'Er zijn ook andere bronnen mogelijk. Als Sheinkman het overleefd heeft, kunnen anderen het ook overleefd hebben. De wachtsoldaten in het Pijncentrum. En natuurlijk nog drie.'

'Die drie oorlogsmisdadigers die ruim vijftig jaar geleden in de anonimiteit zijn verdwenen', zei Kerstin terwijl ze knikte.

'Bel toch maar', zei Paul.

Kerstin sprak even met Ernst Herschel. Hij beloofde een lijst samen te stellen met alle denkbare namen en wanneer en hoe ze van de methode gehoord konden hebben.

'Nog één ding', zei Kerstin in de hoorn. 'Waren er eigenlijk dossiers van de onderzoeksobjecten?'

'Ja', zei Ernst Herschel. 'Maar we hebben alleen lettercombinaties gevonden. Geen namen. Geen individuen. Alleen letters. Dat zal wel het makkelijkst zijn geweest.'

'Waarschijnlijk', zei Kerstin Holm. 'Nogmaals bedankt voor uw hulp. En bereidt u zich maar vast voor op een bezoek.'

'Hoezo?' vroeg de professor.

'We sturen iemand naar u toe', zei Kerstin en ze hing op.

'Arto?' vroeg Paul.

'Onze bereisde man', zei Kerstin.

Toen begonnen ze – met één paar ogen en vier verbonden hersenhelften – het dossier van de Zweedse ss-arts Anton Eriksson te lezen.

Het was een Pijncentrum.

33

Odessa was een gevallen schoonheid. Het klonk als een citaat uit een toeristenfolder.

Arto voelde een zekere teleurstelling over het feit dat al zijn vooroordelen werden bevestigd. In elke aan lager wal geraakte wodka-alcoholist – en dat waren er nogal wat – zag hij een potentiële overvaller, en hij werd constant lastiggevallen door bedelaars, voornamelijk kinderen, die belachelijke dure smoezelige ansichtkaarten aan hem probeerden te slijten. En de stad had een heel bijzondere geur. Als een hoer die haar beste tijd heeft gehad, dacht hij meedogenloos. Goedkope parfum om het verval te verhullen.

Hij had echter nog niet de kans gekregen onwillige Oost-Europese politiemannen zonder computers te paaien. Hij wachtte nog steeds tot het bureau open zou gaan. 'Misschien iets later', had iemand die naast het politiebureau woonde in gebrekkig Duits gerateld.

Hij had weinig reden om terug te gaan naar zijn hotel, dat er met zijn combinatie van overdaad en verval bij stond als een irritant opdringerig symbool van Odessa. Dus maakte hij een wandeling. Hij vond de kust … die niet bestond. Want Odessa was een havenstad met de tikje eigenaardige eigenschap zo'n honderd meter loodrecht boven het water te liggen. Het enige wat de stad met het water verbond, was de wereldberoemde trap waarlangs de kinderwagen uit de revolutiefilm *Pantserkruiser Potemkin* van Eisenstein naar beneden was gestuiterd. Pas toen de trap in de negentiende eeuw werd gebouwd, was er een directe verbinding tussen de stad en het water, tussen Odessa en de Zwarte Zee.

Ooit was het een machtige stad geweest, die vanaf het water vermoedelijk nog steeds een machtige indruk maakte. Maar als je

de stad in liep, voelde je de armoede. Een relikwie uit een vervlogen bloeiperiode. Uiteraard liepen de transporten naar de
belangrijkste haven van Oekraïne nu via andere routes, maar destijds was de levendigheid op de trap onmiskenbaar. Het was geen
toeval dat Eisenstein de trap als symbool voor de kapitalistische
economie had laten fungeren.

Dat was althans de interpretatie van Arto Söderstedt.

Nu was de trap een geliefde plek van allerhande gespuis, bedelaars en verslaafden, en deze trap betreden betekende een onmiddellijk gevaar voor je gezondheid. Dus voor hij dat deed,
glipte hij een bosje in en brak een tak af. Die leek op een wandelstok, maar eigenlijk was het een wapen. Hij was klaar om zichzelf
te verdedigen. Maar dat mocht niet te zien zijn.

Hij liep naar beneden en hij liep omhoog. Hij telde zeventien
aanvallen van bedelaars vermomd als ansichtkaartverkopers. En
verder – ondanks alle pogingen zich met de tak te verweren – drie
druppels wodka over zijn kleren. Gelukkig geen kots.

Toen hij boven aan de trap was, bleef hij met de tak in zijn
hand staan. In de dichtstbijzijnde etalageruit stond oom Pertti
met zijn hand op de sabelgreep. Arto keek hem betoverd aan. Hij
staarde terug. Arto liet de tak vallen. Oom Pertti liet de sabel
vallen. Arto stak zijn tong uit. Oom Pertti stak zijn tong uit.

De betovering was verbroken.

Wat wilde die ouwe vent nou eigenlijk? dacht Arto Söderstedt
en hij liet hem achter tussen de laarzen in de etalage. Vanwaar deze
halsstarrigheid?

Hij kuierde langs de opmerkelijke boulevard, honderd meter
boven zeeniveau, en keek uit over het strakke, zwarte oppervlak
van de Zwarte Zee, die wonderschoon glinsterde in de ochtendzon. Hij merkte dat zijn houding tegenover de stad steeds
verzoenlijker werd. De stad had een schoonheid die niet onderdanig was, zoals de Italiaanse soms wel kon zijn. Het was een
schoonheid die haar onvolkomenheden niet trachtte te verbergen. In plaats daarvan leek de stad te zeggen: dit ben ik, *take it*

or leave it. Ongeveer zoals oom Pertti.

Hij kwam langs de beroemde opera en de universiteit, en de gebouwen waren echt mooi. Hij wist ineens niet zeker meer of het verval nou wel zo treurig was. Misschien zou het verstrijken van de tijd in kunstwerken behouden moeten blijven. Misschien zou ze niet moeten worden gerestaureerd, verfraaid en opgedoft en iets proberen te zijn wat ze niet waren. Aangevreten door de tijd … zoals al het andere op aarde. Moest kunst echt uit de tijd worden gelicht en voorzien worden van een eeuwigheidswaarde die bedrieglijk was? En als het alternatief verdwijning betekende? Als de tijd gewoon een saboteur was, een vernietiger van de blijvende waarde? Zou die dan niet moeten worden tegengewerkt?

Het argument van de plastisch chirurg …

Net op het moment dat hij het gevoel had iets wezenlijks op het spoor te zijn, zonder dat het eigenlijk de bedoeling was, was hij weer bij het politiebureau. En nu stond de deur open.

Hij doolde rond in vervallen gangen en besefte dat hij wel heel vaak het woord 'verval' gebruikte. Als exact dezelfde gangen zich in Zweden of Finland hadden bevonden, had hij ze dan ook als vervallen bestempeld? Of was het woord domweg onlosmakelijk verbonden met deze stad? Onmogelijk los te koppelen van Odessa?

Ineens schoot het hem te binnen dat Odessa niet alleen een stad was, maar ook een organisatie. Een uiterst onaangename organisatie. Organisation der ehemaligen ss-Angehörigen. Organisatie van voormalige ss-leden. Opgericht in 1947 met als doel hooggeplaatste nazi's aan een nieuwe identiteit in Zuid-Amerika of het Midden-Oosten te helpen. In 1952 vervangen door Kameradenwerke.

Het verband was hem niet helemaal duidelijk, maar het bestond zeker. Dat gevoel werd nog sterker toen hij aanbelde bij de deur waarop met cyrillische letters iets stond geschreven in de trant van 'Commissaris Alexej Svitlytjnyj'. Dat was in elk geval de man die hij moest hebben.

Alexej Svitlytjnyj zat achter zijn bureau en was op de hoogte gesteld van zijn komst. Precies zoals Söderstedt al had vermoed, stond er geen computer op het majestueus vormgegeven bureau. Wel zat er een merkwaardig gerolde sigaret vastgeplakt in de mondhoek van de grote, gezette man, die een onberispelijk Oost-Europees pak droeg. Het leek op de pakken die de Sovjetleiders droegen als ze op een bordes boven het Rode Plein stijf stonden te zwaaiden naar passerende militaire parades. Arto Söderstedt had altijd gedacht dat ze opgezet waren en op afstand bestuurd werden.

Dat was Svitlytjnyj niet. Eerder sloom. Zijn Engels was echter van onverwacht hoog niveau.

'Ik heb de zaak bij het ministerie van Justitie nagevraagd', zei hij toen ze de introducties achter de rug hadden. 'U kunt als afgevaardigde van Europol zonder problemen ons onderzoeksmateriaal inzien. Maar we hadden wat bedenkingen bij het idee om het spul de halve aardbol over te sturen naar de Zweedse politie.'

'U hebt de neusloze man dus geïdentificeerd?' vroeg Söderstedt.

Svitlytjnyj knikte zwaar als een oude bruine beer.

Tuimelaar, dacht Söderstedt en hij was blij met dit woord, dat hij lang niet meer had gebruikt. Zo'n plastic pop met een loszittend hoofd, die onophoudelijk heen en weer bleef bewegen als je hem eenmaal in gang had gezet.

'Dat klopt', zei Svitlytjnyj uiteindelijk en hij reikte moeizaam naar een versleten bruine map met een hamer en sikkel erop.

'Uit de Sovjettijd', voegde hij eraan toe met een gebaar naar de hamer en sikkel. 'Dat droeg ook bij aan de problemen met de verstrekking.'

Söderstedt sloeg de map open en staarde in een woud van cyrillische letters.

'Dat is Russisch', zei hij zonder nadenken.

'Helemaal niet', zei Svitlytjnyj. 'Het is Oekraïens. Een taal die

329

door zeven keer meer mensen wordt gesproken dan het Zweeds.'

'Sorry', zei Söderstedt beleefd.

'Sla de bladzijde eens om', zei Svitlytjnyj. 'Daar ziet u een foto.'

Söderstedt deed wat hem gezegd werd. Een eigenaardige gestalte staarde hem aan met een donkere blik.

Hij had geen neus.

'Hij heet Kouzmin', zei de commissaris en hij nam een diepe haal van de vastgegroeide sigaret, die op dit moment circa vier millimeter lang was. Söderstedt vroeg zich af hoe het zou aflopen. Het was een echte cliffhanger. Zou hij nog een trekje kunnen nemen? Wordt vervolgd.

'Koutjschmin?' probeerde hij.

Svitlytjnyj knikte zijwaarts en bewoog zijn hand heen en weer.

'Zoiets, ja', zei hij. 'Franz Kouzmin. Hij heeft geen lang strafblad. Zijn overtredingen hebben vooral te maken met zijn langdurige en ernstige wodkamisbruik. Kleine dingen. Inbraken, heling, dronkenschap. Bepaald geen zware crimineel. Eind september 1981 werd hij door zijn dochter als vermist opgegeven. Hij was weduwnaar.'

'Staat er iets in over zijn neus?' vroeg Söderstedt.

'De afwezige neus', zei Svitlytjnyj en hij kwam overeind; dat duurde ongeveer een halve minuut. 'Ik stel voor dat we ons naar de computerkamer begeven.'

Een mysterie, dacht Söderstedt. De microscopisch kleine sigaret was spoorloos verdwenen. In plaats daarvan zat er nu een nieuwe gerolde en brandende sigaret in dezelfde mondhoek. Dat was gebeurd zonder dat hij, de geroutineerde Finland-Zweedse detective, het had gezien.

'Hebt u een computerkamer?' zei hij afgeleid en hij stond op.

Svitlytjnyj grinnikte even en inhaleerde diep.

'Dat had u niet verwacht, hè?' zei hij.

Ze stapten de gang in en wandelden door de oneindigheid.

'We zijn bezig het hele oude archief over te zetten naar het nieuwe computersysteem', zei de commissaris. 'Dan vertalen we meteen alle dossiers naar het Engels. En dat duurt even. We zijn nu bij de letter l. U hebt geluk.'

'Hoe zit het met die neus?' hield Söderstedt vol.

'De afwezige neus', hield Svitlytjnyj vol en hij maakte een deur in de gang open.

Ze kwamen in een paradijs voor hackers. De computerapparatuur zag er hypermodern uit. Er zaten mannen en vrouwen op toetsenborden te tikken achter trendy, flitsende beeldschermen. Het leek wel een Amerikaans beurshandelbedrijf.

'U ziet er een tikje beduusd uit', zei Svitlytjnyj en hij glimlachte.

'Hoe kunnen jullie dit betalen?' riep Söderstedt ondiplomatiek uit.

'Maffiageld', zei de commissaris ernstig.

Maar verschillende mensen in de kamer barstten in lachen uit.

'Ik zal u op de hoogte brengen', vervolgde Svitlytjnyj kalm en hij voegde de daad bij het woord.

Toen las Arto Söderstedt op zijn gemak, en in foutloos Engels, het dossier van Franz Kouzmin.

Zijn twaalfjarige dochter, die in een kindertehuis zat, had hem eind september als vermist opgegeven toen ze hem voor haar maandelijkse bezoek wilde opzoeken. Zijn vrouw was twee jaar na de geboorte van de dochter al aan kanker overleden, en toen zijn alcoholmisbruik erger werd, werd zijn dochter bij hem weggehaald en in een kindertehuis geplaatst. Er zat een uittreksel van een verhoor van haar bij.

Ze had gezegd: 'Papa was net gestopt met drinken. Hij had al een hele maand niet gedronken. En hij was blij, heel erg blij.' Maar ze wist niet waarom.

Oké, dacht Söderstedt en hij stopte even. Kouzmin was gestopt met drinken en hij was blij, verwachtingsvol. Zoals je bent als je op reis gaat. Naar Zweden. Kennelijk had hij iets ontdekt waardoor hij een langdurige alcoholverslaving had weten te overwinnen en aan boord was gegaan van ms. Cosmopolit met als eindbestemming Frihamnen in Stockholm.

Hij las verder.

Toen werd het probleem van zijn neus verklaard. Dat had hij moeten kunnen raden. Dat had iedereen moeten kunnen raden.

Franz Kouzmin werd geadopteerd door een Oekraïense vrouw die zich over hem had ontfermd in Buchenwald, waar zijn ouders waren omgekomen. Zelf had hij een medisch experiment moeten ondergaan die met de ademhaling te maken had. Hoe belangrijk waren de luchtwegen in de neus voor het vermogen van een mens om te kunnen ademen?

Om antwoord te krijgen op die vraag hadden de ss-artsen in Buchenwald de neus van kleine Franz afgezaagd.

Het bleek dat je zonder neus kon leven.

Dat was goed om te weten.

Daarna kreeg hij het steeds moeilijker. Als iemand mijn neus er af had gezaagd, dacht Arto Söderstedt, was ik ook aan de drank geraakt.

Toen kwam het.

Een naam.

Hij verstijfde en belde instinctief met zijn mobiele telefoon naar Stockholm.

Commissaris Jan-Olov Hultin nam op. Hij zei: 'Ik wilde je net bellen, Arto. Je moet naar Weimar.'

Arto Söderstedt negeerde hem volkomen. 'Luister goed naar wat ik je nu ga vertellen', zei hij en hij keek naar het beeldscherm voor hem.

'Ik luister', zei Hultin.

' "Shtayf" van Södra Begravningsplatsen, de man zonder neus, heette Franz Kouzmin. Maar hij is niet onder die naam geboren. Hij is in januari 1935 in een Joods gezin in Berlijn geboren. Zijn naam was Franz Sheinkman.'

Het was even stil aan de andere kant van de lijn.

'Goeie genade', zei Hultin.

'Dat kun je wel zeggen, ja', zei Söderstedt.

332

'Vertel verder.'

'Hij was weduwnaar en alcoholist en hij was net gestopt met drinken. Welgemoed glipt hij de Sovjetunie uit en gaat op weg naar Zweden, om precies te zijn naar zijn vader Leonard Sheinkman op Bofinksvägen in Tyresö. Op de een of andere manier is het hem gelukt de verblijfplaats van zijn vader te achterhalen. Dit is de reden waarom hij stopt met drinken. Zijn vader denkt immers dat hij dood is, gedood samen met zijn vrouw in Buchenwald. Maar zo is het niet gegaan. In plaats daarvan werd hij gebruikt voor medische experimenten, waarbij zijn neus werd afgezaagd. Op 7 september 1981 komt hij 's avonds aan bij zijn vader op Bofinksvägen. Wat er tijdens die ontmoeting gebeurt, weten we niet. Het enige wat we weten is dat hij diezelfde avond met messteken om het leven is gebracht en teruggevonden wordt bij een zwemmeertje in de buurt.'

'Ik begrijp het', zei Hultin.

'Wat begrijp je?'

'Dat je uitstekend werk hebt verricht. Kun je het dossier hiernaartoe mailen? Mag dat van ze?'

'Dat denk ik wel', zei Söderstedt met een blik op de grote Alexej Svitlytjnyj. Nu was zijn sigaret opnieuw zo klein, maar hij moest toegeven dat hij zijn belangstelling ervoor had verloren.

'Dan moet je nu naar Weimar gaan', zei Hultin. 'Daar moet je gaan praten met ene professor Ernst Herschel van het Instituut Geschiedenis van de universiteit in Jena. Ga er zo snel mogelijk heen. Verdere instructies geef ik je onderweg wel.'

'Geef me in elk geval een hint', zei Söderstedt.

'Een centrum waar werd geëxperimenteerd met de methode met de naald in de hersenen.'

'O', zei Söderstedt en hij hing op.

Svitlytjnyj zoog de microscopisch kleine peuk in zijn mond, doofde hem snel met wat verzameld speeksel, spuwde hem uit en had onmiddellijk een nieuwe, gerolde sigaret klaar, die hij opstak terwijl hij zich over de computer boog en Arto Söderstedt hielp met de cyrillische tekens op het beeldscherm.

Daarna vloog het dossier van Franz Kouzmin-Sheinkman door Europa.

Söderstedt kreeg het idee dat hij alleen naar Odessa was gehaald om hun computerapparatuur te bewonderen en goodwill te verspreiden onder de pan-Europese politiegemeenschap.

Hij zei: 'Ik zou het dossier graag ook voor eigen gebruik willen kopiëren.'

Hij kreeg een diskette en de computer vroeg: *'Save Kouzmin?'*

Hij antwoordde: 'Yes.'

Nadrukkelijk.

34

Anton Eriksson werd in 1913 geboren in een klein dorpje met de naam Örbyhus ten noorden van Uppsala. Toen hij ruim twintig was, schreef hij zich in bij de universiteit van Uppsala, en na zijn studies, waaronder geneeskunde, Duits en antropologie, stapte hij over naar het onafhankelijke instituut dat het opvallendste van de roemruchte universiteitsstad was. In 1922, hetzelfde jaar waarin de sociaaldemocraten sterilisatie van verstandelijk gehandicapten bepleitten wegens 'de rashygiënische risico's die de voortplanting van zwakzinnigen met zich meebrengt', werd namelijk 's werelds eerste onderzoeksinstituut voor rassenbiologie in Uppsala in het leven geroepen, het Nationaal Instituut voor Eugenetica, dat nadien maatgevend is geworden voor het Kaiser Wilhelm Institut für Rassenhygiene in Berlijn.

En zonder het Kaiser Wilhelm Institut für Rassenhygiene was de Holocaust ondenkbaar geweest.

Maar de geschiedenis ging verder terug. Het begin van de twintigste eeuw werd gekenmerkt door grote veranderingen. Zweden veranderde van een boerensamenleving in een geïndustrialiseerde samenleving. In tijden van omwentelingen ontstaat de behoefte aan zondebokken. De Joden waren geschikte zondebokken, omdat ze zowel beschuldigd konden worden van bolsjewisme, kapitalisme als antipatriottisme, dat wil zeggen zionisme … wat je maar wilde. Dit rassendenken was verbonden met antropologie en genetica, wetenschappen die op dat moment erg in zwang waren. Het Zweedse genootschap voor rassenhygiëne werd in 1909 opgericht, en er bestond een internationaal rassenbiologisch genootschap dat besprak hoe je een übermensch zou kunnen creëren. En de voorzitter van een groots wereldcongres in Londen in 1912 was niemand minder dan Winston Churchill. In 1918 stelde een hoogleraar aan het Karolinska-instituut voor een Nobelinstituut voor rassenbiologie op te richten, maar toen was de tijd daar nog niet rijp voor. In 1921 werd er een motie ingediend voor de oprichting van een nationaal rassenbiologisch instituut, die gesteund werd door vertegenwoordigers van alle partijen in het Zweedse parlement, en waar het parlement van Zweden vervolgens met een grote meerderheid vóór stemde. Het instituut werd op nieuwjaarsdag 1922 geopend. Het hoofd ervan was Herman Lundborg. Er werkten zeven mensen en het had een budget van zestigduizend kronen.

Herman Lundborg was van mening dat het Scandinavische ras superieur was aan alle andere rassen, en in de loop der jaren neigde hij steeds meer naar antisemitische standpunten. Tegelijkertijd drukte Lundborgs Duitsgezindheid een stempel op het instituut. Verschillende Duitsers gaven er een lezing, waaronder Hans F. Günther, die al snel de ideoloog van de nazi's in rassenkwesties werd. In 1932 hield het internationale rassenbiologische genootschap een wereldcongres in New York. Herman Lundborg was daar ook aanwezig, evenals de hele Amerikaanse hogere klasse, waaronder de families Kellogg, Harriman en Roosevelt. De voorzitter van de vergadering was Ernst Rüdin, de man die niet lang daarna het omvangrijke sterilisatieprogramma van Hitler zou gaan leiden.

Op dat moment stond het Nationaal Instituut voor Eugenetica in Uppsala een beetje stil, ondanks zijn gevestigde internationale naam. Het budget was verlaagd naar dertigduizend kronen en Lundborgs positie als hoofd begon te wankelen. In juni 1936 werd hij vervangen door Gunnar Dahlberg, die de oriëntatie van het instituut tot op zekere hoogte veranderde: van rassenbiologie naar humane genetica en *social engineering*. Dit alles leidde geleidelijk aan tot de beruchte gedwongen sterilisaties van verstandelijk gehandicapten.

Niet lang nadat Anton Eriksson bij het instituut kwam werken, vertrok Herman Lundborg. Eriksson was duidelijk gegrepen door de rassenbiologische en antisemitische ideeën van Lundborg, en toen Dahlberg het stokje overnam, vatte Eriksson de koerswijziging op als een verraad aan de erfenis van Herman Lundborg. Het was de medisch en chirurgisch georiënteerde rassenbiologie waarvoor Eriksson zich interesseerde.

Het materiaal uit Weimar bevatte een korte tekst van Anton Eriksson, die in het voorjaar van 1936 werd gepubliceerd in de avondkrant *Aftonbladet* van de pro-Duitse Torsten Kreuger. In het artikel tracht Eriksson op volstrekt klinische wijze de biologisch bepaalde inferioriteit van de Joden aan te tonen. Om zijn these te bewijzen, gebruikt hij de beroemde tekeningen van menselijke profielen van Herman Lundborg.

Begin 1937 verlaat Anton Eriksson het land om in Berlijn geneeskunde te gaan studeren. Het laatste wat er over hem wordt gemeld, is dat hij verbonden is aan het Kaiser Wilhelm Instituut für Rassenhygiene en dat hij wordt aangenomen bij de interne officiersopleiding van de ss.

Daarna wordt het stil omtrent de begaafde jongeman uit Örbyhus. Heel stil.

Kerstin Holm en Paul Hjelm lazen samen het dossier. Ze zwegen en er was geen afstand tussen hen.

Ze merkten dat de Zweedse geschiedenis voor hun ogen veranderde. Wie had dit ooit op school verteld? Wie had hen geïnformeerd over het duistere erfgoed van het humane en neutrale Scandinavische land?

Niemand.

De zwarte gaten in het ruimte-tijdcontinuüm begonnen zich te vullen.

En het gruis in het mechaniek, de fundamentele gedachtefout, naderde.

De tijd begon zijn normale koers weer te volgen.

Niet in de laatste plaats dankzij de recente en opmerkelijke informatie van Arto Söderstedt uit Odessa.

Niets in het dossier wees erop dat de aankomende ss-arts neigde naar spijt of gewetenswroeging. Hij leek daarentegen een 'IJskoude wetenschapper'.

Kwelgeest 2.

Waarom zou deze rationele, klinisch te werk gaande antisemiet belastend bewijs in het Pijncentrum in Weimar achterlaten? Geen foto weliswaar, maar grote hoeveelheden materiaal.

Waarom?

Er was maar één denkbare reden.

Dat hij een absoluut veilige vluchtroute had.

'Wanneer houdt het dagboek van Leonard Sheinkman op?' vroeg Kerstin.

'Op 21 februari 1945', zei Paul en hij knikte.

'En wanneer kwamen de Amerikanen naar Weimar?'

'Buchenwald werd op 11 april bevrijd.'

Kerstin Holm boog zich over de tafel, stopte een zakje mond-tabak onder haar lip en zei: 'Er zit anderhalve maand tussen de dag waarop Leonard Sheinkman de operatiezaal wordt binnen-gebracht om met een metaaldraad in zijn hersenen ondersteboven opgehangen te worden en de dag waarop Weimar wordt bevrijd. Als hij buiten komt, zijn z'n hersenen nog maar net omgeroerd. Maar hij leert verbazingwekkend snel Zweeds, verandert verba-zingwekkend snel van dichter in hersenspecialist en hij wordt hoogleraar en Nobelprijskandidaat.'

'Wat gebeurt er in de anderhalve maand tussen 21 februari, als het dagboek eindigt, en 11 april, op de dag van de bevrij-ding?'

'Natuurlijk', zei Kerstin Holm, 'overlijdt Leonard Sheinkman. De Joodse dichter uit Berlijn lijdt vreselijke pijnen in een kelder in Weimar. Pal onder het hart van de Europese cultuur.'

Paul Hjelm stond op, liep naar de computer en begon te tik-ken.

'Hoe hebben we het over het hoofd kunnen zien', zei hij na een tijdje en hij wees op het scherm. 'De hopeloze aantekeningen van Qvarfordt van Sheinkmans sectie. De gedachtefout. "Neiging tot spondylosis cervicalis. Circumcisio postadolescent. Reumatoïde artritis, initiaal, in de polsen en enkels".'

'Circumcisio postadolescent', zei Kerstin grimmig. 'Besneden als volwassene.'

'Het verdween in al dat Latijn', zei Paul.

'In de spraakverwarring', zei Kerstin.

Ze zaten een tijdje zwijgend naast elkaar terwijl alles tot hen doordrong. Een voor een verschenen de groteske consequenties van deze wetenschap.

De ijskoude Jodenhater en Jodenfolteraar Anton Eriksson neemt deel aan de experimentele marteling van de Joodse dichter Leonard Sheinkman. De eerste keer op 21 februari 1945. Vermoedelijk heeft Sheinkman het een paar keer overleefd en als een spook door de gangen rondgedoold. Of vermoedelijk overlijdt hij onmiddellijk. In elk geval is hij allang dood als het personeel het instituut eind maart, begin april ontvlucht. Waarschijnlijk weet de kille Eriksson eind februari al dat de dagen van het instituut en nazi-Duitsland zijn geteld. Waarschijnlijk heeft hij al een geschikt slachtoffer uitgekozen met wie hij van identiteit kan ruilen als de oorlog voorbij is. De even oude Leonard Sheinkman.

De Jodenhater wordt Jood.

De moordenaar neem de identiteit van het slachtoffer over.

Na de dood van Sheinkman houdt Eriksson zijn papieren, voorzover hij die nog heeft, en van de rest maakt hij nieuwe. Hij laat het concentratiekampnummer van Sheinkman op zijn arm tatoeëren, en hij laat zich besnijden. Alle hiaten moeten worden opgevuld. Hij weet, niet in de laatste plaats via het dagboek van Sheinkman en waar hij vanzelfsprekend beslag op legt, dat zijn vrouw en zoon zijn omgekomen in Buchenwald. Verder is er geen familie. Misschien ondergaat hij ook een vorm van plastische chirurgie, om niet ontdekt te worden in Zweden. Er zijn echter tien jaar en een wereldoorlog overheen gegaan, en het risico om ontmaskerd te worden is minimaal. Hij komt aan in Zweden, leert in recordtijd Zweeds, wat niet zo vreemd is, aangezien hij zijn moedertaal leert. Hij studeert in recordtijd geneeskunde, wat niet zo vreemd is, aangezien hij al arts is. Hij wordt razendsnel hersenonderzoeker, wat niet zo vreemd is, aangezien hij al driftig met mensenhersenen heeft geëxperimenteerd. En niemand herkent hem. Hij redt het. Hij heeft een metamorfose ondergaan en leeft nu als Jood. Hij gaat naar de synagoge, viert de sabbat, Pesach, Soekot, Chanoeka, Jom Kippoer en trouwt met een Joodse vrouw.

En de nazi krijgt Joodse kinderen.

Niets hiervan hoefde gezegd te worden.

Maar één ding moest wel gezegd worden, en dat was: 'Hoe kon hij daarmee leven?'

Ze keken elkaar aan.

'Ik denk niet dat hij het kon', zei Paul Hjelm. 'Ik denk dat hij zijn hersenen doelbewust heeft getraind om het te blokkeren. Ik denk eigenlijk dat Anton Eriksson Leonard Sheinkman is gewórden. Ik denk dat hij zichzelf heeft weten wijs te maken dat hij het dagboek geschreven heeft.'

'Maar twéé keer wordt hij aan zijn verleden herinnerd', zei Kerstin Holm. 'De eerste keer is op 7 september 1981. Hij is dan bijna zeventig. Op de drempel van zijn fraaie huis aan Bofinksvägen in Tyresö staat een blije, stralende, nuchtere Oekraïense Jood zonder neus die zijn zoon beweert te zijn. Franz Sheinkman. Dat is krankzinnig. Hij vermoordt hem met een keukenmes. Twee enorme messteken die alle kracht van zijn handelingen en de omvang van zijn besef bevatten. Hij brengt het lijk naar het bos en dumpt het bij een zwemmeertje in de buurt.'

'De tweede keer is wanneer hij de aanwezigheid voelt van de Erinyen', zei Paul Hjelm. 'Dan komt alles met een enorme kracht weer boven. Hij wordt gedwongen de bladzijden van zijn leven opnieuw om te slaan. Hij wordt gedwongen de tekst te lezen op de achterkant van het papier, waarvan hij dacht dat die uitgewist was. Die voert hem naar het anonieme graf van Franz Sheinkman. "Shtayf". De grafsteen is vernield. Door neonazi's. Dat moet enigszins ironisch hebben gevoeld. Precies op dat moment worden de Erinyen belichaamd. De wraakgodinnen uit de diepte van de oertijd. Voordat ze hem ombrengen met exact dezelfde methode waarmee hij talloze mensen in het Pijncentrum in Weimar had omgebracht, praat hij met ze. Vermoedelijk wordt hij op dat moment geconfronteerd met de enorme omvang van zijn schuld en hij zegt iets in de trant van "eindelijk" of "wat hebben jullie lang op je laten wachten". Net als Nikos Voultsos in Skansen ziet hij ze als echte wraakgodinnen, echte Erinyen.'

In beide gevallen viel er veel te wreken.

'Maar dan is het nog steeds de vraag wat de twee soorten wraak met elkaar verbindt. De wraak van de prostituees op hun pooiers en de wraak van de kampslachtoffers op hun beulen. Waar zit de link?'

'Laten we afwachten met welke namen professor Herschel uit Weimar op de proppen komt', zei Paul Hjelm.

Daarna zei hij niet veel meer.

Woorden leken zo triviaal.

35

Arto Söderstedt wilde altijd nog eens naar Weimar. Dat was een van zijn heimelijke wensen die hij met het geld van oom Pertti zou verwezenlijken. Ergens in de nabije toekomst zou hij ernaartoe gaan.

Dit bezoek telde namelijk niet.

Hij zat in de trein uit Leipzig, waar het vliegtuig uit Odessa hem de avond ervoor naartoe had gebracht. Daar had hij zijn intrek genomen in hotel Fürstenhof, was in slaap gevallen zonder genoten te hebben van de schoonheid van het patriciërpaleis, en hij kreeg de hik toen de hotelrekening naar hem toe geschoven werd door een prachtige blondine, tegen wie hij niet durfde uit te varen. Hij betaalde braaf en hoopte dat de accountants van de rijksrecherche niet al te luid zouden gaan klagen. Of durfde hij de rekening naar Europol in Den Haag te sturen?

Daarna had hij op deze prachtige lentemorgen in het milde, Midden-Europese licht een paar passen over de Tröndlinring gewandeld, waarna hij op de trein naar Weimar was gesprongen, die nu over het vlakke land gleed en de grens tussen Saksen en Thüringen in de voormalige DDR passeerde.

Terwijl plaatsen als Bad Kösen, Bad Sulza en Apolda voorbij-gleden, las hij het laatste e-mailtje van Hultin, dat hij in hotel Fürstenhof in Leipzig voor het luttele lokale gesprekstarief van vijfenveertig D-mark had ontvangen. Moest die rekening ook naar Den Haag? Waar lag de grens voor het pan-Europese mis-bruik van overheidsgelden?

Hij liet een redenering over deze vraag voor wat het was, en begon te lezen.

Leonard Sheinkman was Leonard Sheinkman niet.

Hij was een onaangename Zweedse ss-arts met de naam Anton Eriksson.

Dat was dus des poedels kern.

Zoals Goethe in Weimar had gedicht.

Elders in *Faust* noemde hij Leipzig bovendien 'Klein Parijs', en toen de trein Weimar Hauptbahnhof binnengleed, voelde Leipzig onmiskenbaar als een metropool.

Weimar was eigenlijk een plattelandsdorp.

Toch was de stad het jaar ervoor de culturele hoofdstad van Europa geweest, waarin Goethe ook tweehonderdvijftig jaar was geworden.

Still going strong.

Op het perron stond een kleine, donkere vrouw van begin dertig te wachten. In haar hand hield ze een handgeschreven bordje met daarop 'Herr Söderstadt'.

Het gaat steeds beter, dacht hij en hij sjouwde met zijn onnodig zware koffer naar haar toe en stak zijn hand uit. Ze wierp hem een snelle, scherpe en schuchtere blik toe.

'Ik ben Elena Basedow', zei ze in het Engels met een onverwacht lage stem. 'Ik zit in het assistententeam van professor Ernst Herschel.'

'Arto Söderstedt', zei Arto Söderstedt.

'Niet "Stadt"?' zei Elena Basedow, en ze keek op haar handgeschreven bordje.

'Niet echt', zei hij. *'More of a small village.'*

Hij glimlachte ingetogen.

'Like Weimar', zei ze en ze maakte een gebaar met haar hand.

'Hopefully', zei Söderstedt een tikje onbeholpen.

Ze zetten zich in beweging. Het was nog steeds een zeer fraaie Midden-Europese voorjaarsochtend.

'Team?' vroeg Söderstedt. 'Heeft de professor veel assistenten?'

'Niet echt', zei Elena Basedow. 'Op dit moment zijn we een puur onderzoeksteam. De assistenten zijn promovendi. Voorheen waren we met veel meer.'

'Tijdens het onderzoek naar het Pijncentrum?'

'Precies. Tot het najaar van 1998 zaten er ook een heleboel

vrijwillige studenten bij. Onbezoldigde studenten geschiedenis en archeologie.'

'Hm', zei Arto Söderstedt.

Ze kwamen bij een oude Volkswagen Vento, die voor het station op hen stond te wachten. Elena Basedow maakte de deur voor hem open en tilde eigenhandig zijn onnodig zware koffer in de kofferbak.

'Eerst gaan we daarheen', zei ze en ze smakte de achterklep zo hard dicht dat de auto omhoogkwam. 'Hij wacht daar op ons.'

Aangezien het gezegde enigszins cryptisch was, vroeg Söderstedt: 'Waarheen?'

'Naar het Pijncentrum. Het is volledig gerenoveerd. Het gebouw is nu van een IT-bedrijf dat geen flauw benul heeft van wat er zich daar tijdens de oorlog heeft afgespeeld. Niet dat het ze iets kan schelen …'

'Maar jou wel', zei Söderstedt terwijl de auto bij het station wegreed naar het zuiden, in de richting van het kleine stadshart.

Ze wierp hem een snelle, enigszins schuchtere blik toe.

'Ja,' zei ze, 'dat klopt.'

'Je bent Joodse', zei Söderstedt.

'Ik ben van alles', zei Elena Basedow. 'Ik ben familie van de door Rousseau beïnvloede pedagoog Johann Bernhard Basedow, die in de achttiende eeuw werkzaam was. Ik ben half Grieks. En ik ben Joodse. Ja.'

'Een mix van het beste', zei Söderstedt en hij voelde zich stuitend raszuiver.

Ze wierp hem opnieuw zo'n snelle, schuchtere blik toe. 'Daar is het', zei ze terwijl ze ernaar wees.

In een achterafstraatje ten noorden van het stadshart stond een gebouw dat eruitzag alsof het van plastic was, alsof het geglaceerd was, overgoten met glanzende suikerglazuur. Een eindje verderop zag hij de Jakobskirche verrijzen, met zijn zwarte, zeshoekige, volledig gerestaureerde toren.

'Ik zie de tijd.'

Vanuit het kelderraam van het glazuurgebouw was de kerktoren heel goed te zien.

Voor het geglaceerde gebouw, met een glazig uithangbord waarop in grote letters 'OUD-data' stond, stond een goed geklede man in pak in kaarsrechte houding te wachten. Hij beende rechtstreeks naar de passagierskant van de Vento en maakte het portier open voor de gast.

'Professor Ernst Herschel', zei hij en hij stak zijn hand uit.

Bij de aanblik van Arto Söderstedt verstijfde hij, heel even, maar lang genoeg om de speurder in Söderstedt te laten reageren. Omdat zijn gelaatsuitdrukking daarna onmiddellijk normaliseerde, besloot hij af te wachten.

Maar hij had er een slecht gevoel over.

Niet langgeleden had iemand tegen hem gezegd: 'Ik moet toegeven dat ik nogal schrok toen u de kamer binnenkwam.'

Met bange vermoedens in zijn achterhoofd wurmde hij zich uit de auto en volgde de wijsvinger van de professor naar het geglazuurde gebouw.

'Zo ziet het er nu dus uit', zei Ernst Herschel op ongedwongen toon. 'De nieuwe tijd neemt het over en hult alles in het bladgoud der vergetelheid.'

Toen sprong hij op de achterbank. Söderstedt wurmde zich weer in de auto. De Vento reed weg.

'We rijden naar het zuiden, naar de Hochschule für Architektur und Bauwesen', legde Herschel uit. 'Daar heb ik mijn oude werkkamer nog. Ik kom eigenlijk uit de universiteitsstad Jena, twintig kilometer ten oosten van Weimar. Deze stad heeft geen echte universiteit, maar wel een aantal kleine hogescholen. Een ervan heeft ons een kamer ter beschikking gesteld.'

De auto passeerde het enorme slot, dat in een beduidend grotere stad thuis leek te horen. Of nog beter, in een imperium.

Toen kwamen ze aan bij de Hochschule für Architektur und Bauwesen. Terwijl ze een trap op liepen, die roemrijk aanvoelde, vroeg Arto Söderstedt zich af wat het personeel van de hogeschool voor architectuur zou vinden van het geglazuurde gebouw in de buurt.

Ze traden een tamelijke koude, maar zeer stijlvolle werkkamer binnen. Elena Basedow zette meteen automatisch het koffiezetapparaat aan. Toen verdween ze door de deur.

Het assistententeam, dacht Söderstedt en hij ging op de hem aangewezen stoel zitten. Herschel zonk neer achter het bureau.

'Ik kom hier nog hoogstzelden', zei hij. 'De afrondende werkzaamheden wat betreft het Pijncentrum vinden plaats op het Instituut Geschiedenis in Jena.'

Hij hield een lijst omhoog voor Söderstedt.

'Ik heb deze net naar Stockholm gefaxt. Een lijst met namen van al onze werknemers en alle mogelijke personen die tijdens het onderzoek in Weimar gehoord kunnen hebben over … de aard van het experiment. U krijgt ook er een. Alstublieft.'

'Dank u', zei Arto Söderstedt. 'En bedankt voor uw medewerking. Die is van onschatbare waarde.'

'Uw collega Kerstin Holm heeft me ervan overtuigd dat ik moest meewerken; ik was aanvankelijk nogal sceptisch. Maar ik begrijp het nog niet helemaal. Er is dus een soort bende die in Europa huishoudt met dit soort naalden?'

Herschel trok een bureaula open, haalde een roestige, lange, dunne, harde naald tevoorschijn en gaf deze aan Söderstedt.

'Getver', zei Söderstedt en hij nam hem aan. Die droeg een zware erfenis, dat voelde hij. Hij was bijna niet te tillen.

'Ja', ging hij verder terwijl hij de naald heen en weer draaide. 'Dat klopt. Maar we kunnen er heel moeilijk de vinger achter krijgen wie het zijn.'

'De Erinyen', zei Ernst Herschel.

Söderstedt nam hem op. Had Kerstin dat ook verteld? Hadden ze zo'n goed contact gehad?

Herschel vervolgde: 'Volgens de mythe veranderen ze in Eumeniden als Athene hen civiliseert. Ze worden opgenomen in een moderne rechtsstaat. Denkt u dat er iets soortgelijks gaat gebeuren?'

'Is er een moderne rechtsstaat waarin ze kunnen worden opgenomen?' vroeg Arto Söderstedt.

Herschel staarde hem een tijdje aan. Toen begon hij te lachen. Luid en bijna ongecontroleerd.

Toen de bui over was, zei hij: 'Er is één ding dat ik vergeten ben te vertellen aan de charmante Fräulein Holm. Over een moderne rechtsstaat gesproken. Weet u wat de drie hoofden van het Pijncentrum als salarisbonus kregen?'

Dat wist Söderstedt niet.

'Gouden tanden', zei Herschel.

Hij pauzeerde even en ging verder: 'Ze deelden de bezittingen van hun slachtoffers. Gouden tanden vormden hun belangrijkste bron van inkomsten. Ze schijnen heel wat vergaard te hebben. Hoe meer Joden ze doodden, hoe meer goud ze hadden. Dat is wetenschap.'

Söderstedt voelde zich misselijk worden. Na een tijdje zei hij: 'Er is me iets opgevallen. U hebt vrij veel informatie over Anton Eriksson gefaxt. Maar u had ook veel informatie over Hans von Heilberg, het hoofd van het Pijncentrum. Ik heb het idee dat dat materiaal Stockholm niet heeft bereikt. Mij in elk geval niet.'

Herschel knikte. 'Daar hebt u gelijk in', zei hij. 'Ik heb waarschijnlijk alleen het materiaal over Eriksson gestuurd. Dit is het dossier van Hans von Heilberg.'

Als op bestelling haalde hij het tevoorschijn.

Söderstedt wachtte even voordat hij het dossier van Hans von Heilberg in keek. Hij wist vrijwel zeker wat hij zou aantreffen. Hij haalde diep adem en boog zich over de tekst.

Het stond er onmiddellijk. Heel eenvoudig, heel helder.

'Heilberg, Hans von. Geboren op 08-07-1918 in Magdeburg. Vader van Duitse adel, moeder van Italiaanse adel. Tweetalig.'

De rest leek overbodig om te lezen.

Hans von Heilberg was Marco di Spinelli.

Zo zat het.

Arto Söderstedt was mentaal al onderweg naar Milaan. Hij

schoof het papier naar de verbaasde Herschel en wilde opstaan, toen hem nog iets te binnen schoot.

'Dat is waar ook', zei hij. 'In Stockholm zeiden ze dat de foto van de derde man erg onduidelijk was op de fax. Ik zou die graag willen zien.'

Heel even verstijfde Ernst Herschel. Precies dezelfde beweging als bij de auto. De stem van Marco di Spinelli weerklonk in Arto Söderstedts hoofd: 'Ik moet toegeven dat ik nogal schrok toen u de kamer binnenkwam, signor Sadestatt. U doet me namelijk denken aan iemand die ik heel lang geleden heb gekend, in een ver verleden.' En hij zag een beeltenis, een foto van een statige man met een licht gezicht die stevig in de sneeuw stond met zijn hand op de sabelgreep. En de foto was niet alleen indrukwekkend, maar ook bekend.

Opmerkelijk bekend.

Hij zuchtte zwaar terwijl de foto van de derde man van het Pijncentrum aan hem werd overhandigd. Hij wist dat hij zichzelf zou ontmoeten.

En dat gebeurde ook.

De man op de foto was Arto Söderstedt zelf.

Er ging een huivering door hem heen.

'Een opmerkelijke gelijkenis', zei Ernst Herschel.

Arto Söderstedt stond op en vloog de kamer uit.

36

In het vliegtuig tussen Leipzig en Milaan kreeg hij zijn gedachten weer een beetje op een rij. Toen waren de ergste woede en schrik gezakt.

Maar het was volkomen duidelijk.

Hij kon er niet omheen.

Hij voelde zich verdreven uit het paradijs.

In Finland genoten de Finse ss'ers dezelfde rechten als alle andere oorlogsveteranen. Omdat de Finse Winteroorlog een strijd was tegen de binnendringende Sovjetunie, was het niet meer dan logisch dat de verzetsmannen zich tot Duitsland wendden, de tegenstander van de Sovjetunie. Veel strijders uit de Winteroorlog sloten zich daarna aan bij de ss. Herdenkingsplechtigheden werden uitgebreid gevierd.

Ruim een jaar eerder was het feit dat de vereniging voor gesneuvelden een herinneringsteken wilde oprichten voor de Finse en Duitse ss'ers die op het slagveld in Oekraïne de dood hadden gevonden, uitgegroeid tot een internationaal schandaal. En onlangs had de Joodse gemeenschap in Helsinki geprotesteerd tegen een wel heel bijzonder voorval. Voor een Fins ss-feest hadden de veteranen hun Duitse collega's uitgenodigd. Zou Finland echt Duitse ss-veteranen officieel uitnodigen, oude Duitse nazi's van een organisatie die een systematische uitroeiing van miljoenen Joden in Europa had voorgestaan?

Dat vond de Joodse gemeenschap wel erg kras.

Het was dus niet ongebruikelijk dat Finse strijders uit de Winteroorlog zich bij de ss aansloten, en ze werden door de Finse regering officieel aangemerkt als oorlogsveteranen.

De oom van Arto Söderstedts moeder, Pertti Lindrot, was een jonge, enthousiaste plattelandsdokter die na de nogal plotselinge inval van de Sovjetunie bij de Finse Winteroorlog betrokken raakte. Hij bleek een grote voorliefde te hebben voor guerrillaoorlogvoering in winterbossen, en al snel steeg hij in rang. Een aantal beslissende veldslagen maakte hem tot een held, en na de Russische overwinning verdween hij spoorloos. Naar eigen zeggen had hij zich als een ware, klassieke guerrillastrijder in de Finse bossen begeven. Na de Tweede Wereldoorlog keerde hij, min of meer gebroken, terug. Ging drinken, had moeite zijn baan als arts te behouden in de steeds meer geïsoleerde plattelandsgehuchten, keerde uiteindelijk terug naar Vaasa en werd een zonderlinge figuur, die tot zijn negentigste een treurig leven leidde.

Nu wist Arto Söderstedt waar oom Pertti zich mee bezig had gehouden na de overwinning van de Sovjetunie in de Finse Winteroorlog.

De jonge plattelandsdokter was ss-officier geworden.

Hij was een van de verantwoordelijken geweest van het Pijncentrum in Weimar. En hij leek veel, heel erg veel op zijn achterneef.

Ook had hij het moeilijk gevonden. Kwelgeest 1, volgens het schema van Paul Hjelm: 'Heel blond, niet Duits, verdrietig. De woorden van Leonard Sheinkman voor zijn dood: 'De aardigste. Hij is minder Duits dan ik en heel blond. En hij kijkt heel verdrietig. Hij doodt mensen met verdriet in zijn ogen.'

Oom Pertti had het moeilijk gevonden, maar de gouden tanden had hij wel aangenomen. En doorgegeven.

Arto Söderstedt had zijn Toscaanse paradijs gebouwd op uitgetrokken Joodse gouden tanden.

Hij voelde dat hij bleek wegtrok.

Zijn paradijs was betaald van uitgetrokken tanden van honderden vermoorde Leonard Sheinkmannen.

Hij moest naar het vliegtuigtoilet rennen om over te geven. Het leek alsof het er met emmers tegelijk uit kwam. Hij braakte al zijn afschuw, al zijn ontzetting, al zijn angst, zijn hele aan flarden gescheurde geweten uit.

Ik loop over hun lijken, schreeuwde het braaksel. Het brulde:

Ik loop over hun lijken ten gunste van mezelf. Ik ruik de stank, krijste het braaksel. Het schreeuwde: Ik ruik de stank en ik kijk uit over de horizon en ik doe alsof ik die mooi vind en dat het naar zeventien soorten basilicum ruikt en niet naar stront en dood en lijken.

Toen veranderde het gevoel van ontreddering in iets anders. Wat in hem naar boven kwam, was niet meer het braaksel van zelfverachting. Het was niet meer de ontzetting over de transformatie van oom Pertti van oorlogsheld in folteraar en moordenaar. Niet meer de walging omdat het kwade bloed van een oorlogsmisdadiger, een nazi, in zijn lichaam circuleerde. Niet meer de braakneigingen omdat hij het geroofde geld van de oorlogsmisdadiger had gebruikt.

Het was woede.

Pure woede, en die was slechts op één persoon gericht.

Hans von Heilberg, alias Marco di Spinelli.

Arto Söderstedt ging terug naar zijn stoel. Een kort moment van turbulentie deed het vliegtuig trillen.

Hij was het die trilde.

Hij keek op het computerscherm. Er stond een plattegrond op. Een plattegrond van een paleis. En een kleine, slingerende streep die dwars door het bouwwerk liep.

Hij zou hem ter verantwoording roepen.

Zo simpel was het.

Hij herinnerde zich het einde van zijn laatste ontmoeting met commissaris Italo Marconi. Dat was merkwaardig geweest.

De commissaris had zijn slingerende streep kriskras over de plattegrond afgemaakt. Hij leek op een bibberige pennenstreek van een kind door een doolhof in een stripblad. Söderstedt vroeg: 'Wat denkt u zelf dat Marco di Spinelli in de oorlog heeft gedaan?'

Marconi legde zijn pen weg en keek zijn Scandinavische collega strak aan. 'Maar dat is toch overduidelijk', zei hij. 'Hij was een nazi.'

Söderstedt keek strak terug, knikte langzaam en zei: 'Allemachtig, Italo. Je wilt dat ik hem pak.'

'Ik wil dat je uitzoekt wie hij eigenlijk is, ja. De kans is groot dat jij daar beter in slaagt dan ik, Arto. Met nieuwe uitgangspunten en minder rigide beperkingen.'

'Dat bedoel ik niet', zei Söderstedt. 'Je wilt dat ik via díé weg naar binnen ga.'

Marconi blikte heel kort in zijn richting, wreef even over zijn grote snor en zei toen, terwijl hij met zijn vinger over de plattegrond ging: 'Puur theoretisch – en dan bedoel ik puur theoretisch – is het een uitgesproken eenmansklus. Je kunt naar binnen door de klep van de afvalruimte. De klep zit in een steegje aan de achterkant van het paleis. Via deze klep wordt het afval een keer per week met een afvalzuiger opgezogen. Er zit een heel zwaar slot op. Het moet heel snel gebeuren, en je moet je op een bepaalde manier verplaatsen, omdat de bewakingscamera's op de muren tegenover elkaar een bepaald bewegingspatroon volgen.'

'Dat klinkt volstrekt ondoordringbaar', zei Söderstedt.

'Dat zou zo zijn', zei Marconi, 'als je niet weet hoe je moet verplaatsen, het bewegingspatroon niet kent en niet de beschikking hebt over een onlangs gekopieerde sleutel.'

Er werd een bruine envelop op het bureau gelegd; het rammelde een beetje. Söderstedt bekeek hem argwanend.

'Ben je van plan om met voorbedachten rade een blauwogige Zweedse politieman naar het hol van de leeuw te sturen?'

'Dat waren een hoop clichés in één zin', zei Italo Marconi met een flauw, amper zichtbaar glimlachje.

'Ga verder', zei Arto Söderstedt zonder een spier te vertrekken.

'In de afvalruimte wordt het makkelijker. Daar zijn in elk geval geen bewakingscamera's. Het afval wordt vanaf drie plekken in het paleis weggegooid en valt via dikke schachten in de afvalcontainer.'

'Even kijken of ik het goed begrijp, puur theoretisch dus. Die afvalcontainer is dus helemaal afgedekt?'

'Helemaal juist. Er komen vier buizen op uit. De buis waardoor het afval wordt opgezogen, loopt naar de steeg; daardoor ga je naar binnen. Dan ben je in de afgedekte afvalcontainer.'

'Een afgedekte, stinkende en pikdonkere afvalcontainer.'

'Aan de stank en het gevoel ingesloten te zijn, kun je helaas niks doen. Maar een zaklamp kan voor licht zorgen. Vanuit de container lopen er dus drie buizen door drie verschillende schachten naar boven, naar drie plekken in het paleis. De dichtstbijzijnde loopt naar de keuken, die veel te ver van het middelpunt van de ui ligt. De achterste loopt naar de zitkamer van de grote salon, die ook te ver weg ligt, maar dan aan de andere kant. De middelste schacht daarentegen komt uit in een kleine pantry, die bij de geheimste kamer van Di Spinelli hoort. Zijn drie persoonlijke lijfwachten, die je hebt ontmoet, kennen deze kamer. Net als zijn privésecretaris natuurlijk.'

'De bril', zei Söderstedt.

'Precies', zei Marconi onverwacht. 'De geheime kamer van Marco di Spinelli is de plek waar hij al die jaren prostituees heeft ontvangen. Het liefdesnest. Afgezien van de pantry is er maar één deur naar het liefdesnest, en die komt uit in zijn werkkamer.'

'Ik heb maar één deur in zijn werkkamer gezien, naar de kamer van zijn privésecretaris. Waardoor ik naar binnen kwam.'

'De deur bevindt zich achter de grote zestiende-eeuwse wandkleden.'

'En om daar te komen moet je dus tien meter loodrecht door een afvalbuis omhoogklimmen?'

'Zeven', zei Italo Marconi. 'Zeven meter loodrecht, en zo'n tien meter hellend vlak aan het begin en het eind. Puur theoretisch zou ik sterke klimschoenen en een heel dikke trui met veel wrijvingsweerstand en versterkte ellebogen aanraden. De klep van de afvalbuis moet van binnenuit worden geopend met een Engelse sleutel.'

'En wat moet ik daar verdorie doen?'

'Jij?' zei Marconi en hij keek Söderstedt strak aan. 'Wie heeft het verdorie over jou?'

Toen zweeg hij even, zuchtte en vervolgde: 'Jou is iets gelukt wat niemand lange tijd meer is gelukt. Je hebt Marco di Spinelli van zijn stuk gebracht. Ik weet niet hoe je dat voor elkaar hebt gekregen, maar het is zo. We moeten het vuurtje opstoken, en jij zou weleens de persoon kunnen zijn waar we al zo lang naar op zoek zijn. Puur theoretisch, dus.'

'En de Erinyen?'

'Tja. Die blijven voor ons een veel abstracter verhaal. Misschien kun je hun plannen ook dwarsbomen.'

Toen Arto Söderstedt die dag Italo Marconi's kamer verliet, was hij absoluut niet van plan sterke klimschoenen en een heel dikke trui met veel wrijvingsweerstand en versterkte ellebogen aan te schaffen; dat waren dingen waar Viggo Norlander en Gunnar Nyberg zich mee bezighielden.

Nu was het anders. In Leipzig had hij meteen sterke klimschoenen en een heel dikke trui met veel wrijvingsweerstand en versterkte ellebogen gekocht.

En nu begreep hij hoe hij Di Spinelli van zijn stuk had gebracht. Dat was slechts voor een deel zijn eigen verdienste. Zijn uiterlijk speelde ook een rol. Hij verscheen thuis bij Hans von Heilberg, die al een halve eeuw geen Hans von Heilberg meer was, en liet zijn twee kompanen uit het Pijncentrum zien: eerst, in eigen persoon, Pertti Lindrot, en daarna, in de persoon van Leonard Sheinkman, Anton Eriksson. Zoals ze er in die tijd uitzagen.

Logisch dat hij van zijn stuk was gebracht.

In de persoon van Marco di Spinelli kwamen de twee wraakmotieven samen. Als Hans von Heilberg, hoofd van het Pijncentrum in Weimar, had hij grote aantallen mensen vermoord en vernederd. Als Marco di Spinelli, hoofd van het misdaadsyndicaat Ghiottone in Milaan, had hij ook grote aantallen mensen vermoord en vernederd.

Het was een uiterst onaangenaam persoon.

Ook de Erinyen verenigden de twee wraakmotieven, dat was duidelijk. Maar hoe? Wat ontbrak was een vrouw die tot twéé keer toe getroffen was door het kwaad van de Ghiottone-leider. Eerst door Hans von Heilberg, vervolgens door Marco di Spinelli.

Deze vrouw wist bovendien dat de oude hoogleraar in Stockholm niet Leonard Sheinkman heette en dat de oude maffialeider niet Marco di Spinelli heette.

De leidster van de Erinyen was een Joods-Oekraïense ex-prostituee, die een link had met het onderzoeksteam in Weimar.

Arto Söderstedt zweeg een tijdje. Het moest allemaal bezinken.

Toen knikte hij en stopte een diskette in zijn laptop.

Een diskette uit Odessa.

Het dossier Kouzmin. Het trieste leven van Franz Kouzmin verscheen op het scherm, en Söderstedt vulde zelf de hiaten in.

Kouzmin, Franz. Op 17 januari geboren als Franz Sheinkman in een Joods gezin in Berlijn. Concentratiekamp Buchenwald vanaf augustus 1940. Slavenarbeid in de oorlogsindustrie. Moeder geëxecuteerd in 1944. Vader overgebracht naar het Pijncentrum in Weimar, waar hij in februari 1945 overlijdt. De negenjarige Franz wordt gebruikt voor medische experimenten. Zijn neus wordt in 1945 verwijderd. Een Oekraïense vrouw met de naam Elena Kouzmin ontfermt zich over hem, adopteert hem en neemt hem mee naar haar geboortestad, het door de oorlog verwoeste Odessa. Het gezin leeft in grote armoede. Franz groeit op als een geadopteerde, Joodse, neusloze arme sloeber. Uiteraard wordt hij op school vreselijk gepest en hij raakt al snel aan de drank. In 1967, op tweeëndertigjarige leeftijd, trouwt hij met een alcoholiste. In 1969 krijgen ze een dochter. In 1971 overlijdt zijn vrouw aan alcoholgerelateerde strottenhoofdkanker. In 1974 wordt zijn dochter in een kindertehuis geplaatst.

Ergens begin jaren tachtig vermant Franz zich en gaat op zoek naar nog levende familie in Europa. In de zomer van 1981 vindt hij de naam van zijn vader. In Zweden. In augustus gaat hij aan boord van ms. Cosmopolit en begeeft zich naar Zweden om het contact met zijn vader te herstellen, en vermoedelijk met de bedoeling zijn dochter onmiddellijk daarna uit het kindertehuis te halen. Hij herinnert zich zijn vader vaag als een (naar het dagboek te oordelen) goed mens uit een heel ver verleden. Op 7 september meert ms. Cosmopolit om 18.25 uur aan in Frihamnen in Stockholm. Franz gaat aan land en neemt een illegale taxi die bestuurd wordt door een Fin met de naam Olli Peltonen. Die rijdt hem naar Bofinksvägen in Tyresö. Hij belt aan bij het huis van zijn vader. Zijn vader doet open. Ze herkennen elkaar niet. Dat is niet zo vreemd. Ze hebben elkaar een halve eeuw niet gezien. De stralende Franz gaat het mooie huis van zijn vader binnen. De man van wie hij denkt dat het zijn vader is, steekt hem een keukenmes in zijn rug. Van wat er de laatste seconden van zijn leven door hem heen moet zijn gegaan, kun je je geen voorstelling maken. In Odessa gaat zijn dochter eind september weer naar het huis van haar vader. Het huis is leeg. Ze meldt de verdwijning bij de politie. Het laatste wat er over Franz Kouzmin wordt gezegd, zijn de woorden van zijn dochter: 'Papa was net gestopt met drinken. Hij had al een hele maand niet gedronken. En hij was blij, heel erg blij.'

Daar zou het dossier moeten eindigen. Meer kon er niet verteld worden over de trieste persoon Franz Kouzmin.

Maar het document bevatte nog een paar bladzijden.

'Save Kouzmin?' 'Yes.'

Het was een ándere Kouzmin. Dat dossier had hij per ongeluk ook gekopieerd.

Magda Kouzmin.

Zijn dochter.

Kouzmin, Magda. Geboren in Odessa in maart 1969, dochter van Franz Kouzmin, geboren Sheinkman, en Lizavjeta Kouzmin, geboren Sjatova. De moeder overleden in 1971. Sinds haar vijfde in een kindertehuis. De vader overlijdt als ze twaalf jaar is. Al vroeg diverse verslavingen. Eerste arrestatie wegens prostitutie in

1984, op vijftienjarige leeftijd, daarna tot 1997 nog ongeveer dertig keer gearresteerd. Verder zo'n twintig keer mishandeld, waarvoor ze naar het ziekenhuis moest. Komt in 1987 bij een pooier die partijfunctionarissen van prostituees voorziet. Naar verluidt zeer gewaardeerd door de partijfunctionarissen. Citaat getuige: 'Ongelooflijk goed in haar werk. Ik heb nog nooit zo genoten.' Na de val van de muur wordt deze groep overgenomen door de opkomende Oekraïense maffia, die in februari 1996 op zijn beurt in handen komt van de voor de Oekraïense overheid onbekende internationale organisatie met de naam Ghiottone. Van februari 1996 tot augustus 1997 zeven keer mishandeld. In augustus 1997 samen met nog twee prostituees als vermist opgegeven door hun pooier, Artemij Tolkatjenko. In 1998 is Tolkatjenko naar Manchester in Engeland verhuisd, waar hij op 13 maart 1999 is vermoord in de buurt van het voetbalstadion Old Trafford. Het verdere levenslot van Magda Kouzmin is onbekend.

Magda. Vernoemd naar haar grootmoeder van vaders kant, de vrouw van Leonard Sheinkman.

Magda. Opgebeld uit Lublin van metrostation Odenplan in Stockholm.

Magda. De leidster van de Erinyen.

Magda. Leonard Sheinkmans kleinkind.

In februari 1996 werd Magda's groep overgenomen door Ghiottone, waarna de hel natuurlijk alleen maar groter wordt. Zeven aangiftes van mishandeling betekent minstens twintig in werkelijkheid. In augustus heeft ze er genoeg van. Het gaat niet meer. Ze vlucht samen met twee collega's. Ze is achtentwintig en volledig afgetakeld. Ze heeft twee keuzes. Doodgaan of de bladzijde van haar levensboek omslaan. Ze slaat de bladzijde om, zonder de pagina ervoor te vergeten. Integendeel, die zal haar hele toekomst bepalen. Die wordt haar drijfveer als ze gaat afkicken en trainen. Haar twee ex-collega's blijven bij haar. Ruim een jaar lang trainen ze doelbewust. Dan is het uur van de wraak aangebroken. Ze gaan op zoek naar hun oude kwelgeest, Artemij

Tolkatjenko, de pooier van Ghiottone uit Odessa. Hij wordt overgeplaatst naar Engeland, vermoedelijk om – evenals Nikos Voultsos een jaar later – een groep prostituees over te nemen. Ze vermoorden hem. Wellicht sluiten er zich nu al een paar geredde collega's bij hen aan.

Er is iets gebeurd. De mogelijkheden dienen zich aan. Ze weten hoeveel ellende er is in wereld van de Europese prostitutie. Maar ze kunnen iets doen. Ze worden wraakgodinnen. Erinyen.

Waarom gebruiken ze bij de eerste moord de executiemethode uit Weimar al? Heeft Magda Kouzmin het verband tussen Ghiottone en het Pijncentrum dan al gelegd?

Kent ze Marco di Spinelli dan al?

Tussen haar vlucht in augustus 1997 en de eerste moord in maart 1999 moet er nog iets zijn gebeurd. Ze heeft ontdekt wat er zich in het Pijncentrum in Weimar heeft afgespeeld. Ze imiteert de methode. Hoe heeft ze dat ontdekt? Legt ze meteen de link met wat haar vader is overkomen? Waarschijnlijk niet. Waarschijnlijk ontdekt ze dat pas later, misschien dit jaar. Als ze jacht maken op de zogenaamde Leonard Sheinkman.

Hoe is Magda Kouzmin voor maart 1999 de methode te weten gekomen?

Er was maar één manier. Het onderzoeksteam van professor Ernst Herschel.

Arto Söderstedt had een lijst van Herschel gekregen. Hij viste hem op uit zijn laptoptas. Wat zeiden ze in Weimar ook alweer? 'Tot het najaar van 1998 zaten er ook een heleboel vrijwillige studenten bij. Onbezoldigde studenten geschiedenis en archeologie.'

In augustus 1997 is Magda uit de prostitutie gestapt. Toen kan ze zich niet meteen hebben voorgedaan als 'onbezoldigde studente geschiedenis en archeologie'. Haar situatie is chaotisch. Ze zijn een verschrikkelijke maffiaorganisatie ontvlucht en moeten zich schuilhouden. Bovendien moeten ze afkicken en besluiten nemen over hun toekomst. Dus waarschijnlijk is het pas na de jaarwisseling van 1997/1998 mogelijk. Tot het najaar van 1998 werkten er onbezoldigde studenten geschiedenis en archeologie. Dat beperkte de periode tot, pakweg, de eerste helft van 1998.

Söderstedt werkte de lijst door. Volgens de aantekeningen van Herschel konden de vrijwillige studenten weliswaar niet over veel informatie beschikken, maar dat moest wel te regelen zijn. Ze heeft zich niet kunnen voordoen als een gevestigde geschiedkundige.

Wie werkten er tijdelijk in de eerste helft van 1998?

In het voorjaar van 1998 zijn er zeven studenten begonnen, die verdwenen toen het gebouw gesloten werd voor een glazuurachtige renovatie in het najaar van 1998. Vijf van hen waren vrouw. Ze heetten Steffie Prütz, Maryann Rollins, Inka Rothman, Elena Basedow en Heidi Neumann.

Arto bestudeerde de namen een tijdje.

Elena Basedow had hij ontmoet. Ze zat nog steeds in het zogeheten 'assistententeam' van Herschel. Die montere, kleine vrouw die hem had opgehaald van Weimar Hauptbahnhof.

'Herr Söderstadt.'

Haar kon hij schrappen.

Maar toen hij de overige vier namen bekeek, gebeurde er iets. Er was iets met haar voornaam. Magda naar haar grootmoeder. Maar er was nog een grootmoeder. Mevrouw Kouzmin die zich had ontfermd over de ouderloze Franz Sheinkman in Buchenwald. Hoe heette zij?

Elena Kouzmin.

Arto zat roerloos stil.

Elena.

Hij had haar ontmoet.

Slechts een paar uur geleden had hij haar ontmoet.

Een ijskoude golf stroomde door zijn lichaam.

De leidster van de Erinyen had hem een lift gegeven in haar auto. Een Volkswagen Vento in Weimar.

Elena Basedow was Magda Kouzmin.

De vrouw die de veelvraten had gevoerd met Nikos Voultsos, die Hamid al-Jabiri als een kruiwagen over het perron van metrostation Odenplan had gesleept, en Anton Eriksson, alias Leonard Sheinkman, op Södra Begravningsplatsen aan een eik had opgehangen.

Hij belde Ernst Herschel en vroeg: 'Elena Basedow, die me van het station haalde. Werkt ze al lang voor u?'

'Ze werkt niet voor me.'

'Hoe bedoelt u?'

'Ik was gisteren al in Weimar om wat dingen op mijn werk door te nemen. Ik heb in een hotel overnacht. We kwamen elkaar die avond toevallig tegen en ik herinnerde me haar van het Pijncentrum. 's Morgens heb ik haar gevraagd of ze u misschien met mijn auto van het station wilde halen, omdat ik nog een paar dingen moest doen.'

'Hoe was ze?' vroeg Söderstedt.

'Hoe bedoelt u?'

'Hoe was ze in bed?'

'Nou ja, zeg.'

'Ik meen het serieus', zei Söderstedt. 'Hoe was ze in bed? Dat is van belang.'

Het was even stil.

'Ik heb nog nooit zo genoten', zei professor Ernst Herschel.

Söderstedt bedankte hem en hing op. Hij bleef een tijdje in gedachten verzonken zitten.

Waarom was ze daar?

Wat had ze voor extra informatie nodig?

Hij haalde alles wat er tussen hen gebeurd was weer voor de geest. Het was nog geen vijf uur geleden. Hoe was de blik op het perron? De eerste blik? Een snelle, scherpe en schuchtere blik.

Als zij – net als Di Spinelli en Herschel – in Arto Söderstedt Pertti Lindrot had herkend, had ze dat heel goed gemaskeerd.

Natuurlijk had ze hem herkend.

Wat was de volgende stap?

Toen bereikte hem een opgewonden vrouwenstem: 'En nu zeggen we het niet nog een keer.'

Arto Söderstedt keek op en zag een woedende stewardess met haar handen stevig in haar zij geplant.

'Sorry?' zei hij verbaasd.

De stewardess zei: 'Het vliegtuig is een half uur geleden al geland.'

37

Arto Söderstedt droeg sterke klimschoenen en een heel dikke trui met veel wrijvingsweerstand en versterkte ellebogen. Verder een degelijke, legergroene broek met heel veel zakken. Hij had een hotel genomen in de onmiddellijke nabijheid van Palazzo Riguardo. Hij zat in zijn hotelkamer en keek op zijn horloge. Het was vier uur. Toen begaf hij zich in de Milanese nacht.

Het was aardedonker. Milaan was nog bezig met zijn schoonheidsslaapje. Slechts een enkele automotor weerklonk door de grootsteedse nacht. De sterren piepten tevoorschijn uit het hemelgewelf, de maan was niet meer dan een minimale sikkel.

Hij stak een parkje over en bleef staan bij een steegje. Aan de ene kant was een volkomen gladde huisgevel. Een stukje hoger aan de muur hingen twee bewakingscamera's. Aan de overkant van de steeg was de achterkant van Palazzo Riguardo. De weinige ramen aan deze kant zaten hoog in de gevel.

Wat je zag, was een ronde klep met een groot slot, diep verzonken in de dikke, roze huismuur.

Söderstedt bekeek de twee bewakingscamera's, die traag, heel traag om hun as draaiden. Hij wachtte.

Toen de camera's helemaal de andere kant op stonden, rende hij de steeg in en drukte zich tegen de gladde gevel tegenover het paleis. Hij keek op zijn horloge en wachtte. De camera's begonnen weer terug te draaien, elk van hun eigen kant.

De sleutel aan zijn hand bewoog zachtjes in de voorjaarsnacht. Zijn blik was op zijn horloge gevestigd. Vier, drie, twee, een. Nul.

Hij stak de steeg over. Snel de sleutel in het slot. Snel de klep open. En hij dook erin. In het onbekende.

Terwijl hij door de pikdonkere buis gleed, hoorde hij de klep in de steeg dichtklappen. Toen viel hij met een smak in de container.

Er hing een afschuwelijke stank. Van rottende vis. Het was aardedonker en de lucht leek bijna zuurstofloos. Als een vormeloze hoop bleef hij tussen het afval liggen en probeerde rustig adem te halen. Hij stopte de sleutel in een broekzak met klittenband. Hij legde zijn hand op een andere zak en voelde de contouren van een klein pistool die in de envelop van Marconi had gezeten. 'Een puur theoretisch pistool, begrijp ik', zoals Söderstedt had gezegd. Hij liet het los en gleed met zijn hand naar een andere zak. Daar viste hij een kleine zaklamp uit. Hij deed hem aan.

Hij lag op een berg afval. Kriskras over resten oude vis liepen mieren. Een paar kleine, zwarte maden kronkelden in en uit de oogkassen van een vissenkop. Hij moest braakneigingen onderdrukken. Hij had geen keus.

Hij richtte de sterke lichtstraal naar de bovenkant van de afvalcontainer. Daar zaten inderdaad de ingangen van vier ruim een halve meter dikke buizen. Hij vond de buis waardoor hij naar binnen was gekomen. Die bevond zich achter hem. Hij kwam langzaam overeind. Als hij zijn rug boog, kon hij staan. Hij liep langs de eerste van de drie openingen in de achterste helft van de container. Bij de tweede buis blijf hij staan en stopte zijn hoofd erin. Hij bracht de zaklamp omhoog en scheen naar boven.

De buis ging over in een schacht, die eerst schuin opzij liep met een helling van ongeveer zestig graden. Zo'n acht meter verderop zag hij dat deze steil omhoog begon te lopen. Vanaf daar wachtte hem dus een loodrechte klim van zeven meter.

Hij hoopte maar niet dat iemand om vier uur 's nachts afval uit de kleine pantry naar beneden zou gooien.

Bovendien zou iemand hem natuurlijk kunnen horen.

De buis was van metaal, wellicht een soort aluminiumlegering. Onvoorzichtige bewegingen zouden vermoedelijk behoorlijk weergalmen, ook al zat de buis direct tegen een dikke, geluiddempende stenen muur.

Hij merkte dat hij stonk.

Ze zouden hem onmiddellijk ruiken.

Marconi: 'Probeer extra kleren mee te nemen. Doe een broek aan met veel grote zakken. Puur theoretisch, dus.'

Erin komen was het moeilijkste. Hij kwam tot iets verder dan zijn schouders in de buis. Hij moest dus zo hoog mogelijk springen, zichzelf vastklemmen en schrap zetten met zijn versterkte ellebogen en zich omhoogwerken, tot zijn voeten op de goede plek zaten. De helling maakte het iets makkelijker.

Hij sprong en zette zich vast. Hij zette zich schrap met zijn ellebogen en werkte zich omhoog tot zijn voeten op de goede plek zaten. Het lukte.

Nu zat hij vast in de hellende schacht. Hij scheen naar boven. De acht meter voelden als achthonderd. Nu moest hij zijn krachten sparen. Die zou hij nodig hebben voor de loodrechte klim.

Dit was nog maar het voorspel.

Het kostte veel tijd. Hij werkte zich langzaam, heel langzaam omhoog. Hij merkte dat hij meer kracht gebruikte dan eigenlijk zou moeten.

Over de acht meter deed hij bijna een kwartier. Hij ging in de bocht zitten waar de hellende schacht loodrecht werd, om op adem te komen. Hij maakte opnieuw een van de vele zakken van zijn broek open en haalde een energiedrankje tevoorschijn. Hij dronk het gulzig op, stopte het weer in zijn zak en wachtte tot zijn ademhaling genormaliseerd was. De energiestoffen bereikten zijn bloed. Hij hervond zijn krachten.

Hij scheen de verticale schacht in. Na een flink aantal meters – misschien wel zevenhonderd, dacht hij – zat er weer een bocht in de schacht, waarna die schuin naar boven liep.

De eindsprint van een marathon.

Toen begon hij zich omhoog te werken. Het was vermoeiend, maar al snel vond hij een ritme waarin het lukte. Hij ploeterde uit alle macht, en ondanks de inspanning maakte hij weinig geluid. Ondanks het kruisvuur van korte, licht echoënde ademhalingen was hij tevreden dat hij geen geluid maakte.

Toen kwam de vuilniszak.

Hij hoorde de klep van de afvalbuis opengaan, dus hij was voorbereid. Hij hield zijn adem in en drukte zich uit alle macht tegen de schacht aan. Hij wachtte terwijl het geluid sterker en sterker werd. Hij spande zijn nekspieren tot het uiterste. Toen viel de afvalzak met een klap op zijn hoofd.

Hij rook de stank.

Restjes van schaaldieren.

In deze ongelukkige toestand lukte het hem toch om na te denken. Hij wilde de zak niet langs zijn hoofd laten zakken, mocht deze ergens tussen zijn gezicht en de schacht of tussen zijn borst en de schacht blijven steken. Het was beter om hem op zijn hoofd mee te nemen naar de bocht en daar er proberen langs te wurmen. In een bocht is automatisch meer ruimte.

Dus klom hij de laatste drie meters met een vuilniszak op zijn hoofd, als een soort gedegenereerde Afrikaanse waterdraagster.

In de bocht lukte het hem inderdaad om zich langs de zak te wurmen. Hij zat in de bocht met zijn voeten tegen de verticale schacht aan gedrukt en hield de zak boven de diepte.

Durfde hij hem te laten vallen? Als het te horen was, zou de vertraging van een paar minuten natuurlijk de aandacht trekken. Maar aan de andere kant bevond hij zich vrij diep in het metselwerk.

Hij liet hem vallen. De zak maakte niet veel lawaai tijdens zijn reis naar de container.

Toen scheen hij omhoog. De schacht begon weer te hellen, deze keer bijna zeventig graden. Zo'n zes meter schuin naar boven in de schacht kon hij de binnenkant van de klep van de afvalbuis onderscheiden. Nog maar enkele minuten geleden was deze klep geopend. Als hij opnieuw opengedaan zou worden, zou hij heel waarschijnlijk worden ontdekt, doodgeschoten en als een stuk afval tussen het andere afval in de container vallen.

Misschien hadden ze inmiddels weer een volle vuilniszak.

Maar anderzijds, er was eigenlijk geen weg terug.

Hij drukte zich omhoog, centimeter voor centimeter. De ellebogen van zijn dikke trui begonnen te slijten. Hij voelde de ruwe stenen muren van de schacht gretig tegen zijn steeds blotere huid schuren.

Hij was nu zo hoog dat hij de klep kon zien zonder een stijve nek te krijgen. Hij maakte het klittenband van de broekzak los waar zijn pistool in zat. Hij vroeg zich af hoe snel hij het tevoorschijn zou kunnen halen zonder zijn houvast te verliezen en hulpeloos door de schacht naar beneden te vallen.

Centimeter voor centimeter, millimeter voor millimeter, dichterbij, dichterbij, dichterbij. De huid van zijn ellebogen schaafde open. Hij voelde het bloed naar buiten komen. En toch ging hij verder, centimeter voor centimeter, millimeter voor millimeter, tot hij bij de klep was.

Voorzichtig legde hij zijn vingertoppen tegen het metaal, haalde een Engelse sleutel uit een andere zak en zette die met alle fijne motoriek die hij in zich had vast aan de binnenkant van het handvat. Zijn handen trilden hevig. Een paar tellen rammelde het zachtjes tussen de sleutel en het handvat. Toen zat het gereedschap op zijn plaats.

Hij haalde een keer diep adem en hield de sleutel helemaal, helemaal stil.

Toen draaide hij hem langzaam tegen de wijzers van de klok in.

Terwijl hij draaide dacht hij aan de consequenties. Een kwartier geleden was hier nog iemand geweest die een vuilniszak naar beneden had gegooid. Wie zegt dat die persoon weg is? Hij hoorde weliswaar geen geluid uit de pantry, maar het zou al erg genoeg zijn als Di Spinelli in zijn liefdesnest was, de kamer ernaast dus. Het was weliswaar niet zijn gebruikelijke slaapkamer, maar wie weet had hij wel een prostituee op bezoek. Misschien hadden ze kreeft gegeten en champagne gedronken. Hij was blij dat hij de champagnefles niet op zijn hoofd had gekregen.

Hij had zich geen zorgen hoeven maken.

Hij zette de klep op een kiertje. Hij zag de contouren van een fornuis met kookplaten. Verder niets.

Toen werd de klep opengetrokken en er werd een schietijzer van zeer zwaar kaliber in zijn mond gestopt. Het licht in de pantry ging aan en sneed in zijn ogen, die aan het donker gewend waren. Met geweld werd hij uit de schacht getild en op de grond gesmeten.

'Nieuw geurtje?' vroeg Marco di Spinelli.

Toen kreeg Söderstedt een trap in zijn buik, werd daarna aan zijn haren omhooggetrokken en op een stoel gekwakt. De drie kleerkasten stonden in een kring om hem heen. Een van hen stopte opnieuw zijn schietijzer van zwaar kaliber in Arto Söderstedts mond. Hij dacht: toen, op dat moment, toen mijn mobiele telefoon ging in het restaurant aan de Piazzale Michelangelo in Florence, was alles mogelijk. Toen, op dat moment, toen de wijn was ingeschonken en ik zat te genieten in de voorjaarsbries en over de Arno uitkeek en Florence als een door de mens geschapen paradijs voor me lag, op dat moment was het mogelijk geweest me te onthouden van het opnemen van mijn mobiele telefoon.

Dan was zijn paradijs behouden gebleven.

Een tikje saai misschien, maar saai op een paradijselijke manier.

Het pistool werd uit zijn mond gehaald. Bij de muur achter de kleerkasten stond Marco di Spinelli met een rechte rug. Tweeënnegentig jaar oud en overtuigd van de superioriteit van zijn genen.

'Geinig, hè, die vuilniszak?' zei hij en hij vervolgde met opgetrokken neus: 'U ruikt niet bepaald fris, signor Sadestatt.

Een van de kleerkasten nam zijn kleine pistool in beslag en gaf hem aan Di Spinelli, die het geïnteresseerd bekeek.

'Zo een die ze bij de politie gebruiken als ze er niet als politie uit mogen zien. Altijd hetzelfde liedje.'

Hij gaf het pistool terug aan de kleerkasten en zei nonchalant: 'Ik neem aan dat die in de envelop zat.'

Arto Söderstedt deed zijn ogen dicht en begreep het. Hij voelde het bloed uit zijn mond stromen en vroeg zich af hoeveel tanden eruit geslagen waren.

En met een soort ijzige helderheid besefte hij dat hij zijn nakomertje nooit te zien zou krijgen.

'Maar u zult toch wel begrijpen', zei Di Spinelli, 'dat we die zo verschrikkelijk onkreukbare Marconi al jarenlang filmen. We hebben u gevolgd naar Odessa en naar Leipzig en naar Weimar en weer terug naar Milaan. Er had u wel iets kunnen overkomen.'

'Hans von Heilberg', siste Söderstedt.

'Ja, ja', zei Di Spinelli ongeïnteresseerd. 'Maar Marconi had helemaal gelijk dat u me verraste met uw vorige bezoek. Ik had de film gezien van Marconi's werkkamer, maar u zat met uw rug naar de camera, dus ik had uw gezicht niet gezien. Het verraste me. Bovendien leek u me buitengewoon doorsnee. Later begreep ik dat dat een masker was. U was niet buitengewoon doorsnee, maar alleen maar doorsnee. En dat is eigenlijk triester.'

'En de Erinyen?' snoof Söderstedt.

'Oost-Europese concurrentie', zei Di Spinelli en hij haalde zijn schouders op. 'Die hebben we tegenwoordig steeds meer. Maar die kunnen we wel aan. We krijgen ze wel. Meestal verliezen ze hun geduld. Maar we hebben een belangrijkere vraag die we beantwoord willen zien, signor Sadestatt.'

'Hoe het kan dat ik zo veel op de ss-arts Pertti Lindrot van het Pijncentrum in Weimar lijk?'

'Ja, hoe kan dat?'

'Maakt u zich geen zorgen', zei Söderstedt. 'Ze zijn allebei dood. Pertti heeft zijn leven gewijd aan het zichzelf doodzuipen. Anton Eriksson is een Joodse hoogleraar geworden, is onderste-boven opgehangen en kreeg een metaaldraad in zijn hersenen.'

'Kijk eens aan', zei Di Spinelli. 'Maar u hebt geen antwoord op mijn vraag gegeven.'

'Dat ben ik ook niet van plan', zei Arto Söderstedt simpel.

En ineens voelde hij een soort glijdende aanwezigheid in het paleis. En hij glimlachte breed om de vreugdesprong van Di Spinelli op de rand van de afgrond.

'In dat geval wordt het tijd om wat oude herinneringen op te halen', zei Hans von Heilberg en hij pakte een doosje waar door-gaans kostbare kettingen in bewaard worden.

'Dit is een echt collector's item', zei hij en hij haalde een lange, dunne, harde metalen naald uit het doosje. Hij boog hem een beetje, zoals een schermkampioen zijn degen buigt voor een wedstrijd.

Toen stierven zijn drie gorilla's.

De naald veerde terug, en Marco di Spinelli keek verbaasd naar zijn drie neergeschoten vleeshompen.

Er bewoog iets in de deuropening van het liefdesnest. Als een luchtspiegeling. Er was helemaal niets. Het enige wat je voelde, was een doffe beweging.

'Je beweegt je snel, Magda', zei Arto Söderstedt in het niets.

Het bleef leeg en stil. Marco di Spinelli staarde in de stille duisternis van de kamer waar hij decennia lang prostituees had ontvangen. Mogelijk was er een zweem van angst in zijn staal-grijze ogen te zien. Hij pakte het pistool van zwaar kaliber van de gorilla en sloop langzaam naar het liefdesnest. Hij verdween om de hoek.

Söderstedt hoorde hem.

Hij hoorde hem sterven.

Hij schreeuwde niet, dat was beneden zijn waardigheid, maar je hoorde gereutel, en het gereutel zei dat hij al te lang had geleefd.

Veel te lang.

Hij hing ondersteboven aan de kristallen kroonluchter in zijn wonderschone werkkamer. Hij hing als een beduidend moderner kunstwerk naast de meesterwerken van Leonardo da Vinci en Piero della Francesca en de grote zestiende-eeuwse wandkleden. Een zeer zwakke maneschijn scheen naar binnen door het raam waarachter markies Perduto zijn beroemde sonnetten had ge-schreven aan de kleine Amalia, die hij op achtjarige leeftijd had ontmoet en nooit had kunnen vergeten.

Arto Söderstedt stond naast hem. Het kleine pistool hing op dezelfde manier aan zijn hand als Marco di Spinelli aan zijn volmaakte kroonluchter. Bungelend. Er was niets om het pistool op te richten. De kamer was leeg. Elders in het paleis zaten bewakers te kaarten. Ze wisten nog niet dat ze werkloos waren.

Hij boog voorover en bekeek het gezicht van Hans von Heilberg. Zoals hij zelf honderden slachtoffers had bekeken, wier gouden tanden de basis hadden gelegd voor zijn bankwerkzaamheden in Milaan, die op hun beurt weer de basis hadden gevormd voor zijn misdaadimperium.

Alles hing samen.

De polokraag van Hans von Heilberg was eraf gesneden. Een paarse, ruitvormige moedervlek stak af tegen zijn witte huid.

Uit zijn slaap stak een lange, scherpe, harde naald, en zijn staalgrijze ogen waren gesprongen van de pijn.

En de tijd draaide langzaam weer op zijn plaats.

'Ben jij hier, Magda?' vroeg Söderstedt en hij bekeek het uitgestroomde grijs in het oogwit.

Een licht glijdende aanwezigheid bevestigde dat ze er was.

Ze waren er allemaal.

Maar toen hij zich omdraaide, zag hij niemand.

Hij glimlachte.

Toen zei hij, in de kamer, in het onbegrijpelijke: 'Bedankt.'

38

Het was hoogzomer in Stockholm. De zon stond laag en de hemel was op een ongebruikelijk donkere manier blauw. Toch leek het niet alsof een operadecorbouwer had geprobeerd de natuur te imiteren.

Het was misschien geen natuur, maar het leek in elk geval meer op natuur dan ervoor.

Dan een paar weken ervoor.

En natuur is de vreselijk wrede waarheid.

De vorige keer dat Paul Hjelm op Bofinksvägen in Tyresö was geweest, had hij een langdurig, diepgaand en openhartig gesprek met de zoon van Leonard Sheinkman gehad. Ook al was de enige zoon van Leonard Sheinkman twintig jaar geleden overleden. De man met wie hij had gesproken, was niet de zoon van Leonard Sheinkman. Hij was de zoon van de massamoordenaar en nazi Anton Eriksson. Hij was een Joodse man met de naam Harald Sheinkman en zou nu van de stand van zaken op de hoogte worden gebracht.

Dat zijn vader geen Jood was, maar een nazi.

Dat zijn vader geen slachtoffer was, maar een beul.

Dat zijn vader zijn eigen dagboek niet had geschreven, maar het had gestolen om het te gebruiken voor achtergrondstudies en autosuggestie.

Dat zijn vader had geëxperimenteerd met de ergst denkbare pijn door het ene na het andere proefobject af te werken in een nachtmerrieachtige kelder in Weimar.

Dat zijn vader kinderen en moeders had vermoord.

Tot hoe ver reikten de mogelijkheden van de verzoening?

Het Pijncentrum.

De tonen van 'Kind of Blue' van Miles Davis rolden door de oude Audi. En zo voelde Paul Hjelm zich ook.

Kind of Blue.

Hij zei: 'Waar denk je aan?'

Kerstin Holm draaide haar hoofd en keek hem aan.

Haar eigen crisis was afgewend. Haar gedachten werden beheerst door de Erinyen. Er was weinig plaats voor iets anders.

Ze hadden recht gesproken, hun eigen vorm van recht. Dat recht bestond uit wraak, niet meer en niet minder. Ze wreekten ongewroken onrecht.

Maar wat voor onderscheid was er eigenlijk tussen hen en een van overheidswege gesanctioneerde doodstraf?

Ze wist het niet. De ene keer leken ze fascistoïde, dan weer rechtmatige wrekers. De ene keer de enige echte, moderne vrijheidsstrijders, dan weer pure terroristen. Maar ook verdrongen en tegelijk noodzakelijke mysterieuze krachten.

Eén ding stond vast: de Erinyen zouden nooit Eumeniden worden. Ze zouden zich nooit laten neutraliseren door de huidige lichtgewichtsamenleving.

Zo zag het westerse leven eruit: licht, licht geleefd, licht verteerbaar, licht geneukt. De ondraaglijke lichtheid van het bestaan. Een Amerikaanse *Existence Light*. Met chemische zoetstoffen die veel dodelijker zijn dan echte suiker.

En zo zag haar crisis eruit: haar ... metamorfose. Al was dat wel een iets te groot woord. Pretentieus ... en als je iets niet mocht zijn, was het wel pretentieus. Daar liep voor iedereen de grens.

Ze was op zoek naar de vrijzone waar alle oerkrachten vrijelijk mochten borrelen. De luchtbel die we altijd uiteen laten spatten voor hij te groot wordt. De virtuele aanwezigheid die ze elke keer voelde als ze in het koor in de kerk stond en de tonen naar de hoge gewelven liet stijgen en ze zich door hen liet insluiten als in een warme, heel warme omhelzing. Religieus? Ja en nee. Maar zonder gevoel voor het heilige sterft ook het gevoel voor het ónheilige. En dat moeten we behouden. Anders sterven we.

Zo zat het ongeveer. Maar hoe bracht je dat het beste onder woorden?

Misschien zo: 'Het is moeilijk uit te leggen. Maar er is niks aan de hand. Ik zit te piekeren en lig met mezelf overhoop.'

Paul Hjelm lachte een beetje.

'The story of my life', zei hij.

Ze zwegen een tijdje. De afstand tussen hen was niet groot. Er stond geen onoverkomelijke barrière tussen hen in. Er waren openingen. Nee, je kon elkaar niet volledig begrijpen. Maar kon je jezelf überhaupt begrijpen?

So what? zoals het uit de luidsprekers klonk.

De beelden op hun netvlies waren in elk geval dezelfde. Hultins whiteboard. Eerst vijf namen: onderaan de twee die samen met Magda in augustus 1997 Ghiottone en Odessa waren ontvlucht. Bovenaan drie namen die in rode hoofdletters stonden geschreven: Magda Kouzmin, Magda Sheinkman, Elena Basedow. Drie namen, één persoon. Daarnaast een compositietekening gemaakt door Arto Söderstedt en Ernst Herschel. Arto had in vertrouwen meegedeeld dat hij vermoedde dat Herschel beter in staat was haar vagina te beschrijven dan haar gezicht, maar ze hadden in elk geval een tekening. Van een gezicht, en verder niet. Die hadden ze ook aan Adib Tamir laten zien, en hij had deze goedgekeurd. Zo zag ze eruit, die griet die Hamid in mootjes had gehakt.

Arto Söderstedt was dus ongedeerd. Hij was weliswaar vier tanden kwijt, droeg nog steeds een eigenaardige beugel en kon zijn Vin Santo alleen door een rietje drinken. Ook praatte hij een beetje vreemd. Verder leek hij vrolijker dan ooit.

Het was nog maar de vraag of hij weer naar huis zou gaan.

Naast de compositietekening van Magda hingen nu vier foto's, dat wil zeggen drie compositietekeningen en een echte foto. Slechts een van de Erinyen was vastgelegd op de gevoelige plaat, de vrouw met de mobiele telefoon in de bus in Gdynia. Twee waren compositietekeningen die op aanwijzingen van Jadwiga van ms. Stena Express waren gemaakt, en de derde was in elkaar geflanst door een verkoper in een supermarkt in Bromma, waar

Jorge met veel raffinement het rood-paars gestreepte touw naartoe had weten te traceren. De verkoper kon zich een zwartgeklede vrouw herinneren die hij als Oost-Europees had bestempeld en die hij bovendien had geprobeerd te versieren. Ze betaalde hem honderdtwintig kronen en verkocht hem een trap in zijn kruis. Daarom herinnerde hij haar zo goed, en ze was niet een van de bekende vier. Dus moest ze een van de vrouwen zijn die hadden deelgenomen aan de ophanging in Skansen en op Södra Begravningsplatsen. En vermoedelijk ook in Palazzo Riguardo.

De trap in zijn kruis leek ineens buitengewoon mild, bijna een streling.

Daar hingen ze in elk geval, vijf scherpe vrouwengezichten met licht Slavische trekken.

Geen enkele was geïdentificeerd, behalve Magda Kouzmin.

Europa was nu op zoek naar hen, en dat was hun schuld.

De schuld van het A-team.

Paul en Kerstin waren er allebei niet zeker van of dat wel een goede zaak was.

Dit was een zaak waar veel schuldigen waren geïdentificeerd, maar geen enkele gepakt. Daarentegen was de tijd enigszins rechtgezet, die liep weer in de pas. En Jan-Olov Hultin zag er kerngezond uit. Geen naderende beroerte. Geen zwart gat in het ruimte-tijdcontinuüm. Misschien een nieuw gevoel van helderziendheid, maar daar viel mee te leven. Zelfs voor Hultin.

Het trage telecombedrijf uit Oekraïne had gereageerd. Met de mobiele telefoon van Odenplan was meerdere malen naar twee verschillende nummers in Milaan gebeld. Naar Palazzo Riguardo, vermoedelijk dreigtelefoontjes, en naar een hotelkamer in de buurt, waar heel waarschijnlijk een aantal Erinyen bezig was geweest zijn leven in kaart te brengen. Verder een groot aantal telefoontjes naar en van Slagsta. En verder niks belangrijks.

'Gaan we naar binnen?' zei Paul Hjelm. 'Gaan we Harald Sheinkmans leven ruïneren, nu hij net weer overeind gekrabbeld is?'

Dat was hun taak.

Ze bekeken het mooie huis aan Bofinksvägen in Tyresö. Ze zagen een man zonder neus bijna huppelend door de fraaie tuin lopen en met zijn handen langs de rozenstruiken glijden terwijl hij de geuren van de tuin opsnoof door de gaten die hij had in plaats van een neus. Hij kwam bij de mooie deur en dacht: dat papa het zo goed heeft en ik zo slecht. Maar nu worden de wonden van mijn leven geheeld. Zodra ik word herenigd met papa, van wie ik hield toen we in Berlijn woonden, die me elke avond troostte in het gruwelijke Buchenwald. Dan ga ik weer naar Odessa om Magda uit dat vreselijke kindertehuis te halen, waar iedereen verslaafd raakt en in de prostitutie belandt. Daarna verhuizen we naar het fijne Zweden en worden we eindelijk weer een echte familie.

Een paar tellen later was hij dood.

Moest Anton Eriksson het leven van zijn eigen kinderen ook verwoesten? Postuum?

'Bekijk het maar', zei Kerstin Holm en ze klikte haar gordel vast.

'De waarheid?' zei Paul Hjelm en hij klikte zijn gordel vast.

'Er zit een grens aan', zei Kerstin Holm.

Paul Hjelm lachte, draaide de sleutel om en reed Bofinksvägen in Tyresö uit.

Anton Eriksson moest degene blijven die hij zijn halve leven had gedacht dat hij was. Emeritus hoogleraar Leonard Sheinkman.

Nobelprijskandidaat.

Hopelijk had hij zich voor zijn dood op de een of andere manier verzoend met zijn verzonnen leven.

Paul Hjelm gaf gas en zette het geluid harder.

Zo voelde hij zich. Precies zo.

Kind of Blue.

Een soort blauw.

39

Toen gebeurde dat waar hij alleen van had durven dromen.

Ze kwam op bezoek. 'Een zonnestraaltje', zoals Anja 's avonds zei.

Ineens was ze verschenen. Arto zat op de veranda Vin Santo door een rietje te slurpen en genoot. Anja deed open.

Ze kwam de veranda op en zei: 'Het is een collega van de Italiaanse politie.'

Marconi? dacht hij. We hebben toch al afscheid genomen?

Toen hij zich omdraaide, stond ze daar.

Ze zag er nog precies zo uit als in Weimar. Ze keek een beetje bang en hield haar handtasje stevig vast.

'Herr Söderstadt', zei ze voorzichtig.

Zijn mond viel open van verbazing. Zij was het.

Het was Magda Kouzmin.

Het was Magda Sheinkman.

Het was Elena Basedow.

Ze kon het niet laten om te lachen, een beetje.

Ze zag er niet erg moorddadig uit. Een Erinye bij dag.

Hij nodigde haar uit te gaan zitten. Ze bedankte en nam plaats. Hij wist niet hoe hij moest beginnen. Zij ook niet, blijkbaar. Ze zaten een tijdje zwijgend te kijken naar de kinderen die rond-renden en eruitzagen als een rommelig schaakbord tussen het groen. Vijf witte en inmiddels vier zwarte. Langzaam maar zeker groeide de vriendenschaar.

'Ik benijd je', zei ze. 'Jij leeft. Ik doe iets anders.'

'De oom van mijn moeder heeft jouw grootvader vermoord', zei Arto Söderstedt.

Er zijn veel openingszinnen mogelijk ...

Ze draaide zich naar hem toe en glimlachte.

'Ik begreep dat hij familie was.'

'Hij is kortgeleden overleden. Ik heb van hem geërfd. Wat je hier ziet is een onecht paradijs. Het is jouw geld. En dat van heel veel anderen. Ik weet nog steeds niet of ik het wereldkundig moet maken dat Pertti Lindrot een schoft was. Ik weet het niet ... Moet ik het geluk van mijn kinderen daarvoor opofferen?'

'Ik weet het niet', zei ze. 'Pertti Lindrot?'

'Ja, uit Finland.'

'De derde man', zei ze terwijl ze knikte. 'Het is me niet gelukt hem te identificeren. Dat was onmogelijk. Uiteindelijk heb ik ontdekt dat er in elk geval een foto van hem was en dat die bij Herschel in Weimar lag. Ik ben naar hem toe gegaan, ben met hem naar bed gegaan en heb de foto gekopieerd. Vlak daarna haal ik een man van het station die ik een uur ervoor op de zestig jaar oude foto had gezien. Dat was wel een beetje eigenaardig.'

'Ik begrijp het', zei Söderstedt. 'Hij heeft zich doodgezopen, langzaam maar zeker. Dat maakt zijn bestaan nog enigszins goed.'

'Misschien', zei Magda Kouzmin aarzelend. 'Ik heb trouwens van de gelegenheid gebruikgemaakt om die moedervlek in zijn hals te controleren.'

'Hoe zijn jullie Palazzo Riguardo binnengekomen?'

'Langs dezelfde weg als jij, een voor een, heel rustig. Een paar uur eerder. Ze waren totaal niet op hun hoede. Ze zaten op jou te wachten, niet op ons. Ze volgden jou. Ze hebben je al die tijd in de gaten gehouden.'

'Hoe weet je dat?'

'Wij hielden hen in de gaten.'

'Dus zij volgden mij en jullie volgden hen?'

'Ja. Ik wil één ding weten. Hoe ben je erachter gekomen wie ik was?'

Hij nam haar op. Was ze hier toch beroepshalve? Dat vond hij geen fijn idee.

Ze zag onmiddellijk dat hij het geen fijn idee vond.

'Sorry', zei ze. 'Ik wilde niet nieuwsgierig zijn. Eigenlijk wilde ik alleen naar het dagboek van grootvader vragen.'

'Dat is eigenlijk van jou', zei Söderstedt. 'Maar ik heb alleen een kopie. Die mag je hebben.'

'Dank je.'

Toen begon hij te vertellen. Tegen beter weten in.

'Ik heb je via je grootvader gevonden', zei hij. 'Toen ontdekte ik pas wat je allemaal had meegemaakt.'

'Mijn lot is niet uniek. Het is ... Europees.'

Hij grinnikte enigszins bitter en zei: 'Nu is het mijn beurt om zakelijk te worden. Hoe zijn jullie achter de methode gekomen? Waarom heb je aangesloten bij het onderzoeksteam in Weimar?'

'Ghiottone had de groep in Odessa overgenomen. In die periode verliet Marco di Spinelli zijn paleis. Hij bezocht ons. Hij "testte" de meisjes, zoals hij het noemde. Mij vond hij zo leuk dat hij in het heetst van de strijd over weerzinwekkende oorlogsmisdaden begon te pochen. Dat wond hem vreselijk op. En hij noemde Weimar. Op dat moment besloot ik hem een koekje van eigen deeg te geven. Zo is het allemaal begonnen. Met Di Spinelli uitschakelen. Dat was het begin. En de methode die hij beschreef, klonk goed. Daarna werden we voortdurend in elkaar geslagen door zijn ranzige handlanger, Artemij Tolkatjenko. Dus toen we het eenmaal hadden besloten, was het logisch om met hem te beginnen. Waar hij ook was. Hij bleek in Engeland te zitten. Manchester. Daarna zijn we op zoek gegaan naar andere rotpooiers. Maar al die tijd waren we op weg naar Marco di Spinelli.'

'En is het nu afgelopen? Worden de Erinyen Eumeniden?'

'Dat valt nog te bezien', zei Magda en ze glimlachte ingetogen. 'Toen we 'm uit Odessa waren gesmeerd en van de drugs af waren, ben ik naar Weimar gegaan om uit te zoeken waar hij zich tijdens de oorlog mee bezig had gehouden. Er was een hoop geheimzinnigdoenerij, maar uiteindelijk ben ik met valse getuigschriften het Pijncentrum binnengekomen, waar ik wat rotklusjes te doen kreeg. Ik begreep dat hij daar had gezeten. Ondertussen ging ik op zoek. 's Nachts was ik vaak alleen. Uiteindelijk heb ik zo'n naald gevonden en begon ik te begrijpen hoe het in zijn werk ging.

Ook heb ik een document in het archief gevonden. Dat was een grote schok. De naam Leonard Sheinkman werd genoemd in verband met een dagboek. Er stond uitdrukkelijk vermeld dat hij dood was en dat de zogeheten "Zweed" zich over zijn dagboek had ontfermd. Ik wist dat hij mijn echte grootvader was. Papa had verteld dat hij als kind Sheinkman heette en dat zijn vader uit Buchenwald was weggevoerd. Ik heb het document verbrand en onthouden wat erin stond. Die herinnering heb ik. Met die herinnering ben ik aan de slag gegaan. Later heb ik de spullen die papa had nagelaten tevoorschijn gehaald, een paar losse bladen. Daarin stonden wat aantekeningen over een schip met bestemming Stockholm. In het telefoonboek van Stockholm vond ik de naam Leonard Sheinkman. De naam van mijn grootvader. Ik begreep dat hij de zogenaamde "Zweed" moest zijn. Hij deed alsof hij mijn grootvader was. En hij had papa gedood. Zowel papa als opa. Een en dezelfde man had zowel papa als opa gedood.'

'Jullie hebben hem boven de grafsteen van je vader opgehangen. Hij was op weg ernaartoe.'

'O, dat wist ik niet', zei Magda en ze keek oprecht verbaasd. 'Hij had een paar dagen in de metro rondgereisd, alsof hij op weg was ergens naartoe. Waarschijnlijk reisde hij bij zichzelf en zijn misdaden vandaan.'

'Over de metro gesproken', zei Arto Söderstedt. 'Jullie hebben alleen zware criminelen vermoord, zoals moordenaars en verkrachters. De drie kleerkasten in Palazzo Riguardo waren ook zware criminelen; dat wisten jullie van tevoren toch?'

'Ja.'

'Maar de metro in Stockholm? Odenplan. Dat was een allochtoon die mobiele telefoons jatte. Hij heette Hamid al-Jabiri. Had hij het ook verdiend om uiteengerukt te worden?'

'Nee', zei Magda moeizaam. 'Dat ging vanzelf.'

'Adrenaline?'

'Ik denk het.'

'Zie je niet dat het allemaal uit de hand begint te lopen? Straks wordt het geweld een doel op zich. Straks worden jullie net zo blind als de Baader-Meinhoffgroep, de ETA of de IRA. Iedereen is de vijand. Iedereen, behalve jullie zelf, is het waard om gedood te worden.'

Arto Söderstedt zweeg en legde zijn hand op die van Magda. Hij probeerde heel zorgvuldig te formuleren. Er konden levens van afhangen.

'Stop er nu mee', zei hij. 'Het is niet meer nodig. Jullie hebben Di Spinelli gekregen. Iedereen die te maken had met de dood van je grootvader is dood. Je hebt mijn leven gered, en ik smeek je: hou ermee op. Het creëert een andere samenleving. Zowel de samenleving als zijn tegenstanders worden steeds ondemocratischer. Dat is het enige wat er gebeurt. Het enige wat jullie echt om zeep helpen, is de democratie. Die is breekbaar en belangrijk. Ondanks alles. Hou ermee op.'

Söderstedt voelde zich net Athene in *Het verhaal van Orestes* van Aischylos:

'Ik word echt niet moe u alle voordelen te noemen
zodat u nooit kunt zeggen dat u, als oude godin,
door mij, een jongere god, en de inwoners van deze stad
als een eerloze verschoppeling verjaagd bent uit ons land.'

Waarop de leidster van de Erinyen uiteindelijk antwoordt: 'U gaat me betoveren, lijkt het, mijn woede verdwijnt.'

En de Erinyen worden Eumeniden.

Maar dat was het gedicht.

Dit was iets anders.

'Ik denk niet dat het nog mogelijk is', zei Magda en ze glimlachte flauw. 'Ook al zou ik het willen.'

Hij knikte.

'Ik heb het in elk geval geprobeerd', zei hij.

Ze bleven nog even zitten. De muur tussen hen was weer opgetrokken.

'Ik zal het dagboek pakken', zei hij en hij liep weg.

Magda bleef nog even op de veranda staan. Ze liet haar blik over het paradijselijke landschap dwalen, en niemand, niemand in de hele wereld kon weten wat ze dacht.

Hij kwam terug en gaf haar het dagboek. Ze gingen zonder een woord uiteen. Hij keek haar na terwijl ze wegwandelde over de smalle, steile, slingerende weg naar Greve.

Chianti liet zich van zijn beste kant zien. De zon speelde op haar rug en maakte haar zwarte kleren bijna lichtgevend. Ze verdween achter de kruin van een heuvel als een stuk lichtgevend zwartsel.

Hij vond dat haar schaduw onwaarschijnlijk lang bleef liggen. Vermoedelijk zou die nooit verdwijnen.

Daar stond hij, in de geur van negentien soorten basilicum. Een warme wind streelde zachtjes over zijn wang. De wijnbouwers kuierden langzaam heen en weer in hun voren op de zonovergoten heuvels. De kinderen renden rond in een steeds wildere dans, en zwart kon niet meer onderscheiden worden van wit, wit niet meer van zwart, en de klank van hun stemmen steeg op in een jubelzang naar de kleine, lichtgevende plukken wolken aan de helderblauwe hemel.

Het was prachtig. En het was nep.

Hij stond op lijken om het paradijs te zien.

En hij was niet alleen. Hij was een continent.

Anja dook op uit haar basilicumveld als een misplaatste pompoen. Ze liep naar hem toe, ging naast hem op de veranda staan en nam een klein slokje van zijn Vin-Santo-met-een-rietje.

'Wat is het toch prachtig, hè', zei ze.

'Jazeker', zei hij en hij streelde haar over haar buik.

Zo bleven ze een tijdje staan.

Toen zei hij: 'Alles goed met de kleine?'

Anja lachte luid en sloeg hem met haar tuinhandschoenen.

'Wat heb jij toch?' riep ze. 'Ik ben helemaal niet zwanger.'

Arne Dahl bij De Geus

Kentucky Killer

Op een vliegveld bij New York wordt de Zweedse literatuurcriticus Hassel op brute wijze vermoord. Opvallend is dat het slachtoffer de 'merktekens' van de beruchte seriemoordenaar The Kentucky Killer vertoont. Maar die is jaren terug overleden. Op de luchthaven is van de moordenaar geen spoor te bekennen. En ook in Stockholm, waar hij vermoedelijk naartoe is gevlogen, wordt hij niet aangetroffen tussen de reizigers uit New York. Dit leidt tot de conclusie dat iemand de identiteit van The Kentucky Killer heeft 'geleend'. Een speciale politie-eenheid onder leiding van Paul Hjelm krijgt de opdracht de moordenaar te traceren.

Misterioso

Als kort na elkaar twee zakenmannen op identieke wijze worden vermoord, denkt de politie met een seriemoordenaar te maken te hebben. Om te voorkomen dat er een derde slachtoffer valt, zoekt rechercheur Paul Hjelm met de leden van een speciaal team naar verbanden tussen de twee doden. Maar de moordenaar is hun voor en slaat weer toe. Er zijn sporen naar besturen van bedrijven, de Russische maffia, jonge prostitués en een zeilclub. Weken later valt er een vierde slachtoffer te betreuren. En de halsoverkop gevluchte dader laat een spoor achter: een opname van 'Misterioso' van Thelonious Monk.

Schijnoffer

In een Stockholmse kroeg valt bij een ruzie tussen rivaliserende voetbalsupporters een dode. Uit het onderzoek blijkt dat verschillende omstanders niet toevallig in de kroeg aanwezig waren. Ze zijn daar allemaal – zonder het van elkaar te weten – in verband met de overdracht van een geldbedrag aan een chanteur. De supportersruzie gooit echter roet in het eten. Het spel om de knikkers verplaatst zich naar elders, met bloedige resultaten.